V JORNADAS DE TEATRO CLÁSICO ESPAÑOL

EL TRABAJO CON LOS CLÁSICOS EN EL TEATRO CONTEMPORÁNEO

ALMAGRO, 1982

Dirección y revisión de materiales:
Juan Antonio Hormigón

D.L.: M-26516-1983
I.S.B.N.: 84-7483-312-4
Obra completa: 84-7483-311-6
Impreso por: Técnicas Gráficas FORMA, S. A. - Rufino González, 14 - Madrid-17

INDICE

Cuando terminaron en septiembre de 1982, las V JORNADAS DE TEATRO CLÁSICO DE ALMAGRO, tuve la impresión gozosa de que habíamos aprovechado bien el tiempo, que las ponencias habían tenido un alto nivel y los debates profundizaron ampliamente la problemática propuesta. Era una impresión de circunstancias, forjada quizás en el calor de los días pasados junto a compañeros de la Universidad, la crítica y la práctica teatral, y producto o consecuencia del amistoso, civilizado y provechoso convivir que allí tuvimos.

Meses después, concluyo la corrección de estas páginas y compruebo que la impresión inicial se refuerza. Sigo creyendo que junto a la seriedad y el rigor de las propuestas que se presentaron, hubo humor, ironía, respeto de unos hacia otros y también un decidido afán de comprensión y colaboración de los reunidos en esas sesiones de trabajo. Igualmente se formuló el deseo de que los materiales acumulados no pasaran a engrosar simplemente las páginas de un volumen, sino que encontraran el camino adecuado que los hiciera útiles tanto en la investigación erudita como para la práctica teatral.

Escribo estas líneas sumido todavía por la sensación de tener entre las manos un material valioso, cuyo objetivo sólo se cumplirá en la medida en que logremos proyectar la letra impresa en hechos. Valor que se refiere en primer lugar al tratamiento del tema central de estas V Jornadas: "El trabajo con los clásicos en el

7

teatro contemporáneo". Mi intención consciente al proponerlo y desarrollarlo, no fue otra que la de desviar el eje central del debate del plano académico o preponderantemente ligado al análisis de textos y contextos, al de la práctica escénica con los clásicos tanto en relación a su puesta en escena como a las condiciones que hacen posible su recreación y difusión.

La mayor parte de las ponencias y debates responden a esta impronta temática; sin embargo, hubo lugar también para otras cuestiones colaterales o derivadas. Entre las primeras recordaré ante todo la sesión dedicada al urbanismo y arquitectura escénica en la España del barroco, con estudios monográficos sobre los corrales del Príncipe y de la Cruz, y un análisis global y pormenorizado de los diferentes espacios escénicos del teatro español del siglo XVII.

En cuanto a las segundas, surgieron de forma natural en el curso de las discusiones. El hecho de considerar a los clásicos en su aceptación más amplia y menos museológica, como parte substancial del repertorio y práctica teatral contemporánea, llevó el diálogo a terrenos que contemplan la problemática teatral en toda su amplitud. Dadas estas circunstancias, he conservado el contenido de los debates en su totalidad. Salvo las imprescindibles correcciones de estilo y el peinado de frases que respondían a cuestiones de mecánica de los coloquios o precisiones burocráticas, he transcrito todo el contenido de lo allí expuesto.

De una manera especial debo referirme a la sesión dedicada al teatro barroco hispanoamericano, más concretamente mexicano, y a su vigencia y realidad actual. Fue este un encuentro emotivo, tremendamente enriquecedor y desvelador. El concepto de "nuestros clásicos comunes" surgió de la reflexión conjunta que llevamos a cabo, junto a una amplia serie de deseos y propuestas *para que las relaciones teatrales hispano-mexicanas en este y en otros ámbitos, se desarrollaran de modo fructífero y eficaz en el futuro.*

Fue precisamente el director mexicano Héctor Mendoza, el único en faltar a la cita de Almagro-82. Un estreno inaplazable le impidió acudir como era su deseo. Tampoco Díez Borque estuvo presente, pero nos dejó su amplia ponencia sobre "Fiesta y teatro en el barroco español", que incluimos como apéndice dado que no pudo ser debatida. Los demás estuvieron todos como activos participantes en las discusiones.

Yo intenté equilibrar entre los ponentes e invitados el sector universitario y el de la práctica teatral, dando un cierto margen a este último como compensación a su debilidad en anteriores Jornadas. La ausencia de algunos invitados que cancelaron su participación horas antes del comienzo o el silencio de otros, que ni tan siquiera advirtieron de su ausencia después de confirmarla, motivó a la postre un cierto desequilibrio que para nada influyó en el resultado final. Los que asistieron en esta ocasión tenían ante todo una irrenunciable pasión, vocación y amor por el teatro. No iban simplemente a pasar cuatro días de vacaciones pagadas a costa del Ministerio de Cultura, sino a trabajar juntos sobre una problemática en la que se sentían inmersos e implicados. No consideraban a los clásicos como una excusa o una coartada culturalista, sino como un bien cultural cuya vigencia era necesario explorar y cuyas relaciones con nuestra identidad nacional, nuestra memoria histórica, nuestra tradición teatral y nuestra realidad presente había que establecer aunque fueran incuestionables.

La colaboración de la Universidad de La Florida, posibilitó la presencia de John J. Allen. El Comité Conjunto Hispano-norteamericano para Asuntos Culturales, las de Dru Dougherty y Tom Middleton. *La Dirección General de Teatro propició la del director del Departamento de Teatro de la U.N.A.M., Luis de Tavira, que junto al agregado cultural mexicano, escritor y actor a su vez, Hugo Gutiérrez Vega, aseguraron la presencia de México. Por parte española fueron ponentes Javier Navarro, Alfonso Gil, Carlos Miguel Suárez Radillo, Guillermo Heras, Francisco Nieva, Domingo Yndurain, y yo mismo. Por último quisiera reseñar la existencia de un trabajo conjunto realizado por la Asociación de Directores de Escena que, en mi opinión, abre nuevos caminos a confrontaciones de este tipo.*

He dejado para el final la ayuda prestada igualmente por el Instituto Alemán de Madrid, que hizo posible la participación de H. J. Preuss, crítico berlinés. La presencia del señor Preuss fue extraordinariamente significativa, no sólo por lo que tuvo de información respecto al trabajo con los autores del barroco español en la República Federal Alemana, sino por el tipo de análisis que llevó a cabo.

Una de las sesiones paralelas estuvo dedicada al comentario de vídeos sobre diferentes montajes alemanes de la "Ifigenia en Tauride", de Goethe, y de la "Antígona", de Sófocles. El señor Preuss nos descubrió también aquí las formas de actuación de la mejor crítica teatral europea. Una crítica que ha abandonado el "juicio" y la "sentencia", la tentación de convertirse en juez y verdugo, situándose por encima de los creadores del espectáculo y que, por el contrario, se siente inmersa en el proceso de creación y difusión teatral e intenta comprenderlo, explicarlo y objetivarlo. El señor Preuss, en su análisis comparativo de los montajes que antes dijimos, en ningún caso expresó un juicio de valor sobre los mismos. Ni tan siquiera dejó entrever su gusto personal por uno u otro que, en definitiva, sólo a él mismo puede interesarle. Su labor de especialista se centró en el análisis de las pautas escénicas escogidas, el trabajo de dramaturgia, la correlación entre dramaturgia y puesta en escena, elementos plástico visuales significantes, elementos dominantes en la interpretación, métodos, analogías contemporáneas existentes en la lectura escénica, etcétera. Fue la suya una lección de cómo la crítica puede y debe ser un instrumento de desvelación responsable, de respetuosa colaboración y cooperación con los creadores del espectáculo y el público para desarrollar y profundizar el arte teatral y su impacto y receptividad por el público.

La segunda de las sesiones paralelas estuvo dedicada al estudio y discusión de "La villana de Vallecas", de Tirso de Molina, de cuya versión se ocuparon Domingo Miras y Domingo Yndurain, y de su puesta en escena Manuel Canseco. Además del director y autores de la versión estuvieron presentes actores como Julia Trujillo, Pepe Vidal, Jaime Blanch, etc.

Las páginas que a continuación siguen, son por lo tanto fiel reflejo de lo que allí pasó aunque sea imposible reflejar y reconstruir el clima humano, gozoso, entusiasta, afectuoso, de franca concordia, de debate apasionado siempre respetuoso, que presidió estas V Jornadas. Por todo ello, es algo más que un cumplido mi afirmación de que las recuerdo y recordaré con orgullo y nostalgia. Esa impresión gozosa que tuve y tengo, no es sino el corolario lógico de lo que acabo de decir.

JUAN ANTONIO HORMIGÓN

PARTICIPANTES EN LAS JORNADAS
DE ALMAGRO 1982

JOHN ALLEN. Universidad de La Florida.

JAIME BLANCH. Actor. Madrid.

MANUEL CANSECO. Director de escena. Madrid.

MANUEL CASTELLANOS. Intendente Teatro María Guerrero. Madrid.

RAMÓN CERCÓS. Subdirector General de Teatro. Madrid.

MANUEL ANGEL CONEJERO. Director Instituto Shakespeare, Universidad de Valencia.

DRU DOUGHERTY. Universidad de California, Berkeley.

BASILIO GASSENT. Crítico teatral de Radio Madrid.

ALFONSO GIL. Director de "Ateneo", Radio 3. Madrid.

HUGO GUTIÉRREZ VEGA. Actor y escritor. México.

GUILLERMO HERAS. Director de escena. Madrid.

JUAN ANTONIO HOMIGÓN. Director de escena y escritor. Aula de Teatro Universidad Complutense de Madrid. Profesor Escuela de Arte Dramático, Madrid.

MANFRED HUTTER. Director Instituto Alemán de Madrid.

LORENZO LÓPEZ SANCHO. Crítico teatral de ABC de Madrid.

ENRIQUE LLOVET. Escritor. Madrid.

JUAN MESEGUER. Actor. Murcia.

THOMAS MIDDLETON. Doctor en Historia del Teatro, Universidad de California, Los Angeles.

DOMINGO MIRAS. Escritor. Madrid.

JAVIER NAVARRO. Escenógrafo, arquitecto. Facultad de Bellas Artes Universidad Complutense de Madrid.

FRANCISCO NIEVA. Director de escena, escritor, profesor Escuela de Arte Dramático. Madrid.

CÉSAR OLIVA. Director de escena. Cátedra de teatro Universidad de Murcia.

JOACHIM WERNER PREUSS. Crítico teatral de Radio Berlín Occidental.

José Sanchís Sinisterra. Director de escena y escritor. Profesor Instituto del Teatro, Barcelona.

Vojislav Soldatovic. Director de escena. Yugoslavia.

Carlos Miguel Suárez Radillo. Escritor y director de escena.

Luis de Tavira. Director de escena y escritor. Director del departamento de actividades teatrales de la Universidad Nacional Autónoma de México.

Julia Trujillo. Actriz. Madrid.

Domingo Yndurain. Universidad Autónoma de Madrid.

Rosa Vicente. Actriz. Madrid.

José Vidal. Actor. Madrid.

Margarit Frank. Universidad de la Jolla. California.

APERTURA

Buenos días a todos. Yo voy a decir solamente tres o cuatro palabras de bienvenida en nombre del Ministerio de Cultura y más concretamente de la Dirección General de Música y Teatro, y creo que como muchos somos conocidos, otros no tanto, tenemos que empezar en realidad congratulándonos de que estemos aquí juntos por quinta vez, que ante el temor de la improvisación hispánica y de que las cosas siempre se están empezando a hacer de nuevo, pues ahora, poco a poco, en estas Jornadas de Teatro, vamos, de teatro clásico, que se empezó como jornada y hoy día también es festival, pero que las Jornadas nunca morirán dentro del seno del Festival, poco a poco se va poniendo un mentís rotundo a eso de los números cero.

Yo recuerdo que había una costumbre muy antigua, de algunas revistas, que decían que si conseguían editar tantos números como letras tuviera su título habría que dar una cena de homenaje al director, porque muchas morían antes de terminar esa edición. Para nosotros el reto es muy fuerte, porque al llamarse Jornadas de Teatro Clásico Español, pues hasta que consigamos llegar hasta el número de letras, que no las he contado, pero que deben andar por las veintitantas, a lo mejor no hay que dar ninguna cena a los organizadores; sea cual fuera el motivo por el que estamos todos aquí, yo creo que nuestra propia presencia ya avala todo esto, y avala también que, en un momento en que hay, pues, cambios políticos, sin embargo, poco a poco la Administración se va concienciando de que la continuidad no tiene nada que ver con la política, que es una cosa que al margen de ella se puede hacer.

Este acto que se va renovando cada año, de las Jornadas, de los Encuentros de Almagro, creo que ponen de manifiesto un punto de casi diríamos de "tour de force" importante en la reflexión teatral colectiva en España. Yo recuerdo, sí, todos lo recordamos, sobre todo los españoles, si damos un paso atrás, que hace, pues, no más de diez años, cada vez que se hablaba de teatro, se hablaba siempre de una palabra mágica, la palabra era libertad, esa era la parte bonita de la conversación; la parte oculta que salía en seguida era censura. Censura contra libertad, libertad contra censura. Afortunadamente, eso pertenece ya a nuestro pasado, que tendremos que asumir y que ahí está y que de alguna forma sigue todavía influyendo en mucha de la problemática teatral, pero que su formalidad ya ha logrado vencerse.

A continuación pasó otra época en que ya no se hablaba de libertad, se empezó a ver que a pesar de que había libertad, pues el teatro seguía teniendo una serie de problemas, el teatro clásico pues los mismos o más que antes, y después se empezó a hablar de otra palabra mágica que era la palabra "dinero", la palabra dinero que conjuntamente con ese eufemismo administrativo de presupuesto eran las coordinadas sobre las que discurrían casi todas las discusiones. Muchos de los que han ido a mi despacho a charlar sobre el tema del teatro, conocerán mi vieja batallita aunque nada más tenga dos o tres años, de que precisamente cuando se habla del dinero, hoy día no es tanto la Administración la que tiene que responder ante este tema, sino otro de los pilares del sistema democrático que es el poder legislativo, en fin, los que legislan, los que confeccionan los presupuestos. Que los grupos de presión, y toda profesión en sí es un grupo de presión en el buen sentido de la palabra, tienen que actuar más ante los políticos, ante los representantes del pueblo en el parlamento español, que ante la Administración. Ante la Administración también, después para ver, para pedir cuentas de cómo se van empleando esos caudales públicos, que se han destinado a la cultura, que se han destinado en este caso al teatro.

Pero al margen de la libertad, y al margen del dinero, yo creo que hay dos conceptos que siempre estarán presentes, que son inagotables y que siempre han estado también presentes, que son por una parte la imaginación y por otra parte el trabajo. Precisamente el objeto de estas jornadas es que imaginación y trabajo estén conjuntas, representadas, teóricamente al menos por la gente del arte, por los autores, por los directores, por los escenógrafos, por los actores y actrices. Es bonito que en el lenguaje teatral, también heredado por el cinematográfico, se hable todavía de artistas al hablar de los actores. Y, por otra parte, el trabajo, representado fundamentalmente por los hombres de estudio, por los académicos (que dirían los alemanes), sin que esto quiera decir que los artistas no trabajan o que los estudiosos no tienen imaginación; pero para dar a cada uno, digamos una especie de "label", de etiqueta, que podamos saber en qué campo estamos, esto es lo que aquí se quiere hacer, a unir imaginación y trabajo. Imaginación y trabajo que, como ya he dicho, va dando poco a poco el mentís a una serie de tópicos que pesan sobre los españoles y sobre los españoles que se dedican —por activa o por pasiva— al mundo de la farándula.

En definitiva de estos encuentros ya han salido algunas propuestas de trabajo concretas. Esperamos que en el futuro vayan saliendo más propuestas y que en definitiva ésto que empezó siendo una incitación a un trabajo teatral más en equipo, sea, al cabo de los años, simplemente un escaparate de algo que ya es normal, de algo que ya se va haciendo continuamente. Ahora estaremos en ese punto medio, en ese fulcro, de que todavía no sabemos si las Jornadas de Almagro impulsan el teatro clásico en España, o es el teatro clásico en España, las inquietudes acerca del teatro clásico en España, las que van impulsando las Jornadas de Almagro. Esto ustedes lo dirán y al cabo de cuatro días, de cuatro días apretados, puesto que el programa daría para una semana o para un mes, tenemos que ir dando nuestro punto y dando nuestra aportación, nuestro pequeño grano de arena.

A eso es a lo que venimos todos, a hacer un ojo más en este puente que nos lleve ¿hacia dónde? Pues que nos lleve hacia la aproximación del mundo del teatro, del que estudia y del que hace teatro, al espectador. Que más que ir confeccionando entre todos una teoría de la dramaturgia, creo que el fin de estas Jornadas es ir confeccionando e ir aplicando una teoría de los espectadores. De que seamos capaces entre todos de ir aproximándonos al público de hoy como los dramaturgos del siglo de oro, sabían aproximarse al público de entonces. Al público de hoy, que no solamente son los espectadores sino que son también los consumidores, los potenciales consumidores culturales de este producto, que entre todos seamos capaces de propiciar, que en definitiva son los contribuyentes, que en definitiva son los que costean estas Jornadas. Estas Jornadas que son una realización gracias a ese esfuerzo de tantos españoles y que yo por profesión y ustedes por ocasión tenemos que servir. Yo por profesión puesto que soy funcionario, civil-servant, dicen los ingleses, los anglosajones; y ustedes por ocasión, porque gracias a este esfuerzo económico que aportan todos los españoles, estamos haciendo aquí estas Jornadas.

Nada más, sino una, quizás, especial bienvenida a todos aquellos que nos honran por haber venido fuera de las fronteras españolas, a los procedentes de Estados Unidos, con quien tantos vínculos me unen, yo estudié en la Universidad de Berkeley, durante un año Sociología, después he estado destinado dentro de mi profesión en la Embajada Española en Washington. Bienvenida también a los alemanes, también yo estudié en la Universidad de Colonia, me unen grandes lazos con la República Federal Alemana, y bienvenidos, muy especialmente, a los mexicanos que parece que, no se por qué, esto está siendo un poco el festival de los mexicanos. Ha venido una compañía mexicana, el primer día en que actuaba el grupo del Corral de Almagro, de aquí vino el embajador de México en España, que se estaba ya despidiendo porque termina su empleo este año aquí en España, este mes; porque a poco que nos demos cuenta se ve que los autores clásicos españoles estaban con un pie aquí y otro pie al otro lado del Atlántico, ayer mismo en la obra salía México, porque se va a dedicar una de estas jornadas a ver cómo han profundizado en la representación de nuestros clásicos comunes, de un lado y otro de la orilla del mar nuestro, porque así como el mar Mediterráneo es mar compartido por los griegos, los norteafricanos, los italianos, los franceses y los españoles, yo creo que el mar Atlántico es un mar nuestro, es un mar de los americanos y de los españoles nada más. Y en definitiva, porque creo que nos van a enseñar mucho.

También una bienvenida especial, que no hace falta, puesto que podría estar aquí igual que yo, a Manuel Angel Conejero, que como saben ustedes hace poco se ha hecho cargo del Organismo Autónomo de Teatros Nacionales y Festivales de España, a quien corresponde la organización práctica de estas Jornadas. Muchas gracias a todos y bienvenidos, aquí tendréis siempre cualquier tipo de ayuda que haga falta y ahora dejo la palabra a Juan Antonio Hormigón, organizador y director de estas Jornadas, que es quien va a llevar el pulso de ellas y yo me retiro por el foro, nunca mejor dicho. Gracias.

RAMÓN CERCÓS BOLAÑOS
Subdirector General de Teatro

I JORNADA

URBANISMO Y ESPACIO ESCÉNICO EN EL TEATRO CLÁSICO ESPAÑOL

ENSAYO DE RECONSTRUCCIÓN DEL MONTAJE DE LA ÉGLOGA DE PLÁCIDA Y VITORIANO DE JUAN DEL ENCINA
Alfonso Manuel Gil

ESPACIOS ESCÉNICOS EN EL TEATRO ESPAÑOL DEL SIGLO XVII
Javier Navarro Zuvillaga

EL URBANISMO MADRILEÑO Y LA FUNDACIÓN DEL CORRAL DE LA CRUZ
Thomas Middleton

EL CORRAL DEL PRÍNCIPE (1583-1744) EN LA ÉPOCA DE CALDERÓN
John J. Allen

COLOQUIO

Juan Antonio Hormigón.—*Reconozco que a mí me gusta hablar sin papeles por delante y popar a caño abierto lo que se me viene a la boca. Me gusta, lo practico y espero probarlo de nuevo en estos días. Pero la exigencia de concisión y la necesidad de sintetizar el torrente de ideas que me bullen en torno al motivo, razones y espectativas que aquí nos convocan, me lleva a leeros lo que aquí tengo escrito para que todo vaya por orden, somero y sopesado.*

Quiero dedicar mis primeras palabras a quienes me precedieron en la dirección de estas Jornadas y subrayar la labor que desarrollaron. Sus iniciativas, fueron una importante contribución al conocimiento de nuestros clásicos desde puntos de vista distintos y posiciones divergentes.

Como partícipe habitual de estos encuentros, puedo constatar que desde las primeras Jornadas, cuyas sesiones celebramos en el propio Ayuntamiento de Almagro con sus ventanas abiertas a la plaza y Paco Nieva de oficiante aúlico, hasta las de hoy, las quintas ya, muchas cosas han cambiado. Prosigue el mismo espíritu que rodeó su nacimiento: impulsar el estudio, análisis, recreación e invención de nuestros clásicos. Se ha ampliado, y mucho, la audiencia, la participación, las dimensiones de lo que pretenden abarcar. Se dilucidaron problemas a resolver, temas a revisar, procedimientos nuevos a poner en práctica, propuestas diversificadas que es necesario recoger y desarrollar.

A lo largo de estos cinco años, las Jornadas de Almagro han crecido; quizás no todo lo deseable, pero sí lo suficiente como para ocupar espacio definitivo y poder valorar muy positivamente el empeño. Además, y esto no es poca cosa en nuestro país tan dado a la improvisación y los tránsitos fugaces, han conquistado la continuidad en su cita anuaria, en la publicación de sus ponencias y debates, en la preocupación responsable de quiénes desde el ámbito de la Administración las hace posibles. Todo ello les confiere una personalidad concreta y una perspectiva plausible de desarrollo.

Deseo también reafirmar mi convicción de que los asistentes a estas reuniones, han acudido con voluntad de realizar juntos el trabajo de incursión en este fundamental territorio de nuestro teatro, tantas veces maltratado o desatendido. Creo que todos los que aquí estamos, sabemos muy bien que los fondos destinados por la Administración a este menester encomiable, proceden de la contribución de todos los españoles y a ese supremo mandamiento democrático estamos sujetos y obligados, con nuestra dedicación y eficacia, a responder.

Por lo que a mí toca, diré que mi aceptación para dirigir estas Jornadas es fruto de una convicción por partida doble. En primer lugar, porque considero a los "clásicos" en su expresión más amplia, como parte substancial del repertorio contemporáneo. En segundo, porque a mi modo de ver, las discusiones y debates que sirvan para conocer y montar a los clásicos de manera más justa y creativa, para favorecer su difusión, constituyen un tema crucial y significativo en el teatro español presente y futuro.

Añadiré, que mi postura ante los clásicos está condicionada fundamentalmente por mi trabajo como director de escena. Es su escenificación lo que ante todo me preocupa. Dicho esto sin dejar de considerar imprescindible las aportaciones que desde el campo de los estudios literarios, el urbanismo, la arquitectura, las artes plásticas, la musicología, la sociología, el psicoanálisis, la crítica teatral, la interpretación, etc., puedan hacerse. Yo he preferido plantear el programa desde un apartado concreto de la Teatrología que es la puesta en escena, lo que englobando todo lo anterior, implica el estudio del espacio escénico, la dramaturgia, término que conceptúa una actividad precisa a nivel mundial y que nada tiene de pedante Estética teatral, semiología, financiación, organización, difusión, etc., Fue Adolfo Apia quien en 1921, en uno de sus libros más conocidos, "La obra de arte viva", escribía: "todo esfuerzo serio por reformar nuestro teatro, se dirige instintivamente hacia la puesta en escena y nos sorprende comprobar que nos encontramos entonces frente al problema dramático en su totalidad". Evidentemente, yo parto de la consideración del teatro como forma de expresión artística autónoma, en la que coexisten elementos que tienen paralelismos con otras artes, pero que en el teatro intervienen en tanto que constituyentes propios y específicos de su lenguaje. El género literario teatral tiene vida propia e independiente del hecho teatral, que implica la articulación de un lenguaje y de un tipo de comunicación concretos y diferenciados; la literatura teatral es, en todo caso, el texto previo de lo que será su verbalización como segmento oral del espectáculo. La obra escrita sólo tiene existencia teatral cuando es representada; sin embargo, el texto verbalizado o no, suele ser el inductor prioritario de la puesta en escena.

En consecuencia es de teatro de lo que os propongo que hablemos y de todo lo que a él conduce. Como no estamos junto al mar, sino en este solanar manchego que sueña más o menos en lo recóndito, con atardeceres en las llanuras flamencas, no seremos tan modernos como para dedicar nuestras jornadas a la gastronomía o a la tauromaquia, puede que en otro momento alguien sienta esa tentación del nuevo elitismo camuflado tras el supuesto arte de lo cotidiano. Nosotros, más modestos, nos dedicaremos a debatir sobre el trabajo con los clásicos en el teatro contemporáneo, ¿qué hacer con ellos?, ¿cómo abordar su puesta en escena, su relación con el público...?, ¿qué medios podríamos utilizar para incorporarlos al repertorio, ampliar su difusión, etc.? Yo os pediría que nos mantuviéramos bien alejados del snobismo y del esplín, es decir, de la superficialidad novedosa y la murria cínica. Pero igualmente de la depresión como máscara de la impotencia y del fatalismo agorero que pronostica la muerte del teatro, aunque tenga que escribir de él por obligación o gajes de su oficio. También a propósito de esto, parto de la convicción de que los clásicos siguen planteando interrogantes que interesan a los hombres y mujeres de hoy, siguen proporcionándonos placer. "Una pieza clásica (...) es un ser siempre vivo", decía Gastón Baty, a lo que Louis Jouvet añadía: "El único problema es encontrar las virtudes (de estas obras) y hacerlas sensibles para todos".

Las distintas sesiones que hemos programado creo que son coherentes con lo que acabo de decir. La específicamente sincrónica respecto a la gestación del teatro barroco, estará dedicada, hoy mismo, a los espacios teatrales como lugares de comunicación, pero también como utensilios que participan en la construcción del espectáculo, en la creación escénica.

La tercera y cuarta abordan cuestiones directamente ligadas a la escenificación de los clásicos. Aquí nos encontraremos ante problemas de dramaturgia, adaptación, estética de la puesta en escena, procedimientos y métodos, sociología y difusión del hecho teatral contemporáneo, etc. La segunda, girará en torno al teatro

*barroco hispanoamericano y, en concreto, a México.
Deseamos llenar un vacío al proponerla. Nuestros clásicos comunes son representados en México de manera
constante y con abundancia de títulos. El intercambio
de experiencias en este sentido puede y debe ser
enriquecedor.*

*He pretendido que las ponencias respondan a puntos
de vista diferentes dentro del panorama español, con la
colaboración internacional tan valiosa de nuestros colegas americanos y alemán. Demasiadas veces el teatro
español es más conocido por la apariencia de unos
nombres que por el valor real de sus gentes. Yo he
preferido acercarme lo más próximo a su realidad,
aunque, desgraciadamente, no todos los que aquí debie-
ran estar hayan podido hacerlo.*

*De los anunciados en el programa faltarán Díaz
Borque, retenido por cuestiones profesionales en Pequín,
y Héctor Mendoza, al que un estreno inminente en
México le impide acompañarnos. Como contrapartida,
Alfonso Gil va a leernos una comunicación en torno a
la representación de 1513 de la obra de Juan del
Encina, "Plácida y Vitoriano", completando algunos
aspectos del teatro renacentista escasamente tratado en
estas Jornadas.*

*Como actividades paralelas, vamos a efectuar un
coloquio sobre el montaje de "La villana de Vallecas",
de Tirso de Molina, realizado por la Compañía Española de Teatro Clásico, dirigida por Manuel Canseco, con
adaptación de Domingo Miras. Igualmente contaremos
con varios espectáculos alemanes, grabados en vídeo,
que nos ha traído desde Berlín el señor Preuss.*

*Como final, a manera de brindis simbólico, deseo
para todos unos días de trabajo fructífero, de paz
benéfica y gozoso relajo. También ansío fervientemente
que nuestros debates y aportaciones, sirvan para que el*

teatro español sea cada día más lo que cada uno de nosotros queremos y, sobre todo, necesitamos.

Empezamos con la intervención de Alfonso Gil, y seguidamente, según el orden del programa, Javier Navarro, nuestro amigo Middleton y nuestro amigo John J. Allen. Empezamos cuando queráis.

ENSAYO DE RECONSTRUCCIÓN DEL MONTAJE DE LA ÉGLOGA DE "PLÁCIDA Y VITORIANO", DE JUAN DEL ENCINA

ALFONSO MANUEL GIL

ALFONSO MANUEL GIL

Nace en Zaragoza el 28 de enero de 1945. Viaja a América en 1964 y allí, en la Universidad de Rutgers y en la Universidad de Pennsylvania, cursa sus estudios universitarios. Discípulo de Otis H. Green y Arnold G. Reichemberger, se especializa en teatro clásico español. Colabora con trabajos de crítica y de creación en Cuadernos Hispanoamericanos, Poesía Española, "Pueblo", etc. En USA publica dos libros de relatos. Durante nueve años es profesor de teatro en la Escuela Española de Middlebury College. Crea en Estados Unidos el grupo de teatro "La Carreta". En Madrid, dirige hoy el espacio "Ateneo" de Radio 3 en Radio Nacional de España.

Siguiendo una costumbre aprendida de José Hierro, acabo de poner el cronómetro para no pasarme de quince minutos. Quiero decir simplemente que este trabajo surgió de mis estudios en la Universidad de Pensilvania con Reichenberger, y se planteó porque de repente, al recorrer una somera bibliografía sobre lo que había sido el teatro en España antes de Lope de Vega, me encontré con que casi todos los autores, casi todos, era bien norteamericanos o ingleses. Es decir, que había muy poca participación española en el tema. También me encontré con el hecho de que existía un documento sobre la representación en enero de 1513, en casa del cardenal Arborea en Roma, de una égloga, seguramente "Plácida y Vitoriano". De esto no hay constancia, es una hipótesis. Esto se enfrentaba con una serie de teorías, sobre todo con la de Rennert de que el teatro en España, el teatro seglar en España, empieza con Lope de Rueda.

* * *

INTRODUCCIÓN

Exposición de propósito y método

Debido a la escasez de documentos es difícil reconstruir los aspectos técnicos de la representación teatral en España en el momento en que Encina escribe su obra. A la falta de documentación adecuada debemos añadir la poca atención que el tema parece despertar en los estudiosos de la literatura. Más adelante examinaré los estudios realizados hasta la fecha que son, especialmente en lo que a Encina se refiere, intentos de cierta timidez y de muy poco valor imaginativo.

El propósito de este ensayo es el de, tras examinar las circunstancias y los medios existentes en el teatro durante las postrimerías del siglo XV y en la primera mitad del XVI, reconstruir el montaje de una obra de Juan del Encina.

He elegido la *Égloga de Plácida y Vitoriano* (1) por parecerme la más lograda teatralmente de las obras del escritor salmantino. La intriga, el movimiento y los lugares de acción suponen, como apunta R. B. Williams (2), un conocimiento por parte de Encina del mundo de la escena y de los problemas de un montaje teatral.

En un momento en el que lo medieval parece ceder paso a lo renacentista hay un conflicto entre la manera de presentar el teatro a lo tradicional y la nueva preceptiva clasicista. Mi propósito será demostrar cómo las dos tendencias hallan eco en la obra de Encina.

Utilizando como guía las obras existentes intentaré proyectar el montaje de la égloga. Seguiré el método preconizado por Shoemaker:

"A determination of the method of staging, including the requierements of setting and properties, by means of the dramatic text, involves one fundamental principle-careful and constant visualization of the play, from beginning to end, as if it were being performed" (3).

Para un hombre del siglo XX en un momento en que el teatro, especialmente en su aspecto técnico, ha evolucionado drásticamente, es peligroso intentar una visualización que, para ser exacta, necesita limitarse a lo que el teatro de la época podía ofrecer en cuanto a medios y efectos de la representación teatral. Por lo tanto nuestra visión debe filtrarse a través de las lentes que la reconstrucción histórica nos ofrece del teatro de la época. La sobriedad y el control continuos e inequívocos deben ser los límites en los que nuestra labor imaginativa se realice.

Mi intento es el de presentar como la égloga *pudo* haber sido montada, en enero de 1513, en casa del cardenal Arborea (4), sin afirmar que de hecho lo fuera. No hay pues pretensiones de historicidad.

Situación de los estudios acerca del montaje de obras teatrales en los siglos XV y XVI aparecidos hasta la fecha

N. D. Shergold, en su *History of the Spanih Stage* (5) publicada en 1967, analiza detenidamente la lista de publicaciones aparecidas hasta la fecha que se ocupan del montaje de obras teatrales españolas a lo largo de su historia literaria. Cita como uno de los primeros intentos de análisis la obra de Casiano Pellicer *Tratado histórico sobre el origen y progresos de la Comedia y del Histrionismo en España* (6) aparecida en 1804. Desde esta obra hasta la de Shergold la lista no es muy numerosa ni tiene una importancia definitiva. La obra de Rennert (7) representa, como apunta Shergold, más un intento de síntesis de las fuentes ya existentes que una labor creativa acerca del tema. Con respecto a Encina, que es nuestro interés primordial, Rennert acepta el punto de vista de sus predecesores y lo elimina de la lista de autores cuyas comedias fueron representadas en el sentido estrictamente teatral de la palabra:

"So far as the representation of secular dramas in Spain is concerned, we need go back no further than Lope de Rueda, who is, in fact, the first prefessional actor-manager whose name has been preserved in the theatrical annals of Spain. To him and to Torres Naharro,

Lope de Vega, the great creator of the Spanish national drama, has ascribed the beginnins of the Comedia" (8).

Rennert parece aceptar el testimonio de Lope si bien antes cita el de Agustín de Rojas, claramente contradictorio:

"In his *Loa de la Comedia*, Agustín de Rojas tells us that the Comedia had its beginnings in the city of Granada, at the time when the Catholic Kings expelled the Moriscos from Spain, and says that the comedia was begun by Juan del Encina, "who was the first and of whom we have three egloges" (9).

En cuanto a Juan del Encina se refiere poseemos los importantes estudios de Crawford (10), la monografía de R. B. Williams, *"The Staging of Plays..."*, y un puñado de artículos. En los primeros la preocupación reside más en los problemas biográfico-literarios que en los aspectos técnicos del teatro del salmantino. La obra de Williams es un intento, no muy ambicioso, de apuntar los medios con que la época contaba para la representación de su literatura teatral. Williams no se detiene suficientemente en Encina, tan solo ocho páginas de su monografía están concretamente dedicadas a él, y en algún momento demuestra una lectura precipitada del texto. Sus conclusiones, en general acertadas, están más al servicio de su teoría personal que a una auténtica objetividad. Dice, al intentar la localización de la primera escena de la *Égloga de Plácida y Vitoriano:*

"(Gil cestero) adresses the actual persons present, as do the actors in Encina's first Christmas and Shrove Tuesday plays. His statement "Me vengo acá por palacio" appear to show that the actual place of presentation is in or near a palace" (11).

Williams parece ignorar que esta escena de presentación está claramente dirigida a los espectadores y que la referencia "a palacio" tiene que ver con el lugar donde la representación tiene lugar, es decir, el palacio de un cardenal, y no con una locación escénica. Más tarde añade:

"The shepherdess Plácida appears at an unspecified place of town" (12), lo cual no queda claramente sostenido por el texto ·ya que si bien Plácida dice:

"Bien sera determinar / de poblado me apartar".

Estos dos versos parecen más el resultado de un deseo de Plácida de apartarse del mundo que de una indicación de lugar. Williams concluye diciendo:

"She departs, taking leave of the "palacios de mi desconsuelo", and goes off to mountains and forrest" (13).

Lo cual parece ser, para él, prueba definitiva de que esta escena tiene lugar en una ciudad, con "palacios". Mientras que no se puede probar lo contrario, la evidencia que Williams aporta no demuestra la existencia de una escena con arquitectura noble. La frase "palacios de mi desconsuelo" puede, por otra parte, tener una función puramente retórica, como por ejemplo: "moradas de mi dolor" o "mansión de pena". Con todo esto no intento negar la posibilidad de tal locación escénica, sino apuntar que Williams en su proceso de visualización parece ignorar la circunstancia y el valor del texto que utiliza como referencia. Durante la primera parte de la obra, según Williams, Vitoriano deambula por el escenario sin abandonarlo, excepto por un momento, es decir se mantiene dentro del decorado de la presunta ciudad:

"He decides to consult Suplicio, at whose door he stops without having to leave the scene. This friend advises him to cure one love with another by courting Flugencia, and then goes to call her to her window, to which Vitoriano goes also, again without passing from view. (...) Next Vitoriano leaves the scene to search for Plácida, but *comes back* announcing that she has left the village. *A sherpherd supposed to be grazing his flocks* within view of stage is called in" (14).

Si el escenario representa una ciudad parece difícil concebir la existencia de ovejas pastando en sus calles, y al mismo tiempo el texto desmiente la presencia de ese pastor en el escenario. Dice Suplicio a Vitoriano:

"Y anda alla / al pastor, que el nos dirá / todo el caso muy sin arte".

A lo que Vitoriano replica:

"Mas llamalo acá, Suplicio, / que dentro allá lo verás / con su ganado a su vicio" (15).

Además del adverbio *allá* que representa el máximo grado de lejanía, la frase "dentro allá lo verás" demuestra que no sólo el pastor no está a la vista sino que está fuera del ámbito del escenario.

Apunto esta falta de claridad de la monografía de Williams no con un afán de crítica gratuita, ya que su trabajo representa un intento genuino y es importante en cuanto a la determinación de la utillería teatral de la época, sino para demostrar la falta de objetividad con que este tipo de trabajo viene siendo realizado. Para intentar una visualización del teatro de Encina, es necesario no sólo leer, cuidadosamente, el texto sino ponerlo al servicio de la *realidad* teatral de la época y ese será mi intento más adelante.

En el mismo año en que aparece la monografía analizada publica Shoemaker su estudio *The multiple Stage in Spain*. El libro tienen gran interés como exposición de un método para el estudio que llene el vacío que la falta de material documental ha creado. Shergold, si bien reconociendo el mérito del libro, opina que

Shoemaker lleva su teoría demasiado lejos. En cuanto a Juan del Encina, Shoemaker muestra el mismo sentido expeditivo que Rennert y no se plantea el posible montaje de sus obras.

El libro de Shergold, finalmente, es el estudio más detenido del tema realizado hasta la fecha, a pesar de lo cual reincide en abandonar el teatro de Encina y se limita a mencionarlo en alguna ocasión. En sus deducciones acerca del teatro de Encina parece confundir implicaciones de género con posibilidades de representación:

"Juan del Encina, nevertheless, did have contact with the Italian theater, fot he visited Italy in the early years of the sixteenth century, and at least one of his plays is known to have been performed there. This performance took place on January 6 1513 at the house of Cardinal Arborea, and the work concerned may have been *Plácida y Vitoriano*. The Spanish ambassador was present, and a number of other Spaniards, but according to a contemporary report the work was not well received. While there Encina must also have seen the performance of Italian eglogues, and also perhaps of Latin and Italian "commedie"; but although the document of 1513 calls his play a "commedia", none of his extant works constitutes a serious attempt at the new genre, and all of them, including *Plácida* remain within the pastoral tradition" (16).

El hecho de que la comedia fuese representada en casa de un cardenal en Roma, precisamente en un momento en que la representación teatral con todo el acompañamiento técnico de montaje y decorados florece en Italia, no parece significar demasiado para Shergold. Su afirmación de que las obras de Encina no sean exactamente comedias no elimina, en modo alguno, la posibilidad de que fuesen representadas como tales.

La naturaleza de los estudios citados en los que se intenta resolver, por medio de erudición creativa, la falta de documentos, parece en principio propicia para un intento de explorar más profundamente las posibilidades del teatro de Encina y sin embargo todos ellos, con la excepción de la monografía de Williams, eluden el problema.

Juan del Encina y su tiempo

Shergold en el capítulo titulado "The rise of the Comedia and the Professional actor" (17) afirma que la comedia como "dramatic entertainment" tiene sus orígenes en Italia. El siglo XV es un siglo de predominio de Italia en el campo de las artes. La primera representación de la que tenemos noticia es la de la *Aulularia* de Plauto que tuvo lugar en Roma en 1484; a esta siguieron otras representaciones de teatro clásico, en su mayoría latino, y traducidas al italiano. Shergold pone gran énfasis en la importancia de las cortes ducales como promotoras de este tipo de representación. Para un estudio de Juan del Encina es esencial la noticia de la representación ofrecida al Papa, del *Menaechmi* en el Vaticano el 2 de enero de 1502. En 1509 hay ya evidencia de la representación de ciertas tragedias de Séneca. Paralelamente al desarrollo de la comedia clásica y de las imitaciones de la misma por poetas italianos, florecen las representaciones de églogas.

Siguiendo a Shergold vemos como el caso de España es muy diferente, especialmente a lo que a las cortes ducales se refiere donde se observa poco énfasis en la ostentación teatral.

En la corte del duque de Alba presenta Encina varias de sus églogas, pero en este estudio pasaremos por alto estas representaciones y nos ocuparemos concretamente de los viajes de Encina a Italia.

Parece ser que el primer viaje de Encina a Roma tuvo lugar alrededor del año 1500 con motivo de un Jubileo que atrajo gran número de peregrinos. Es casi seguro que permaneciera allí hasta 1510 (18). Un documento fechado el 15 de septiembre de 1502 habla de la otorgación a Encina por parte del Papa de un Beneficio en Salamanca y en él se describe al poeta salmantino como "clérigo salmantino, bachiller, familiar de su S. S. y residente en la Curia Romana" (19). En 1512 vuelve a Roma y permanece allí durante un año más o menos. De nuevo en 1517 reside en la ciudad papal hasta su viaje a Palestina en 1519. Años antes de su muerte visita otra vez Roma, quizás en el año 1520 y parece residir allí hasta 1526. En resumen, Encina pasó aproximadamente 19 años de su vida en Italia.

De las actividades literarias en dicho país nos ofrece Crawford la siguiente descripción:

"The italian versions of Plautus and Terence which had appeared at Ferrara, Mantua, Rome, Florence and other cities must have attracted his attention [Encina's], but he was specially interested in a new form of pastoral drama which had been developed, compared with which his own pastoral plays must have seemed crude and unfinished. Poliziano's *Orfeo* had been performed at the Court of Mantua in 1471, an this was the firtst of a long series of mythological and allegorical plays, many of which treated political matters or the love affairs of the poet's patron. Bernardo Pulci's translation of Vergil's *Eglogues*, completed. in 1471, was followed by Italian Eglogues composed by Leon Battista Alberti, Girolamo Benivieni, Jacobo Fiorino de Bonisegni of Siena, Francesco Arsocchi and Boiardo. At a little later period, however, it became the fashion to perform pastoral eglogues on festival ocasions at the great courts. The eglogues of Serafico Aquilano (1466-1500) were recited in public at Rome; Galeotto del Carretto praised the election of Alexander VI to the Papacy an eglogue which was probably represented, and at least several of the eglogues of Antonio Tebaldi or Tebaldeo, composed before 1499, were recited" (20).

Crawford continúa diciendo que al menos tres de las églogas de Encina, entre ellas la *Plácida*, muestran huellas de influencia italiana.

A ello debemos añadir la febrilidad artística que se observa en Italia durante todo este período. Más adelante hablaré detenidamente de las academias y de su importancia, por el momento baste reproducir otro texto de Crawford:

"It is difficult to overestimate the inspiration which Encina must have received as a result of his visit to the center of artistic and literary activity at the culminating period of the Renaissance. In 1506 the foundation stone of the new St, Peter's had been laid with Bramante as master of the works. Toward the year of 1511, Rafael's frescoes in the Camera della Segnatura were completed and about one year later Michael Angelo's frescoes on the ceiling of the Sistine Chapel were unveiled..." (21).

Parece imposible que un poeta de la sensibilidad de Encina permaneciera indiferente ante semejante exhibición de entusiasmo artístico. Sin duda alguna estuvo en contacto, no solo con los movimientos innovadores del teatro como género sino con los del teatro como espectáculo. En el próximo capítulo veremos la importancia que en este momento adquiere la teoría escénica de Vitruvius y la aparición del decorado en perspectiva.

De aquí en adelante basaré mi tesis en la siguiente proposición: si Roma es el centro de innovación en cuanto a la técnico teatral, si Juan del Encina estuvo en contacto con las nuevas corrientes, si la *Égloga de Plácida y Vitoriano* fue presentada en Roma el año 1513, si los palacios de cardenales y nobles rivalizan en ostentación teatral, si la obra de Encina se representó en uno de esos palacios: es *posible* deducir que la obra se representase de acuerdo con la nueva técnica. Para apoyar esta proposición aportaré cuanta documentación, fechas, etc., me ha sido posible reunir y me mantendré dentro de los límites que dicho material y una lectura fidedigna del texto me señalen.

En el curso de este análisis hemos visto como en Encina se unen un primitivismo medieval, representado por sus primeras églogas y un paulatino acercamiento a las nuevas teorías renacentistas gracias a su contacto con la realidad italiana.

EL CLASICISMO RENACENTISTA

Las academias y la obra de Vitruvio

L. B. Campbell cita a Spingarn cuando éste afirma que uno de los momentos más importantes del progreso del humanismo reside en la formación "of academies, in which the classics were studied and humanized, and which as a result produced a special cult" (22). En efecto, el comienzo de la teoría de la producción escénica moderna es debido al afán investigador de estas academias que aparecen en Italia en las últimas décadas del siglo XV. Campbell continúa diciendo que ha de prestarse especial atención a la Academia Romana creada por Julius Pomponius Laetus (1425-98). Este gran humanista veneraba con devoción casi fanática las costumbres y el arte de Roma. Con sus seguidores asumió un nombre romano y procuró proyectar hasta el límite la vida de la antigua Roma en la suya propia. En 1468 el papa Paulo II suprime la Academia, según Campbell "on the ground of its political aims and its pagan spirit" (23). Pero la Academia surge de nuevo durante el papado de Sixto IV y alcanza su apogeo bajo León X

(1513-1521). Hago aquí un inciso para recordar que la obra de Encina se representa precisamente en 1513.

Según Campbell es difícil saber la fecha exacta en que las academias emprenden el montaje de obras teatrales latinas —pudiera ser 1484, fecha en que se presenta la *Aulularia*—.

El cardenal Raffaele Riario es uno de los grandes mecenas de la restauración del teatro de los clásicos. El lugar de representación era normalmente una habitación en el palacio de los cardenales: "Every prince, indeed, had his *theater* or his banqueting hall *arranged* for dramatic performances" (24).

Tras examinar este prólogo a la aparición del drama moderno Campbell concluye:

"The desire to restore the drama of antiquity to modern life had brought the modern drama into existence. And the ancient drama that was rediscovered for the moderns as well as the modern drama afterwords created was essentially and acted, visualized, scenic drama" (25).

Las artes pictóricas vuelven los ojos hacia este teatro visualizado y escénico y entre los nombres de los pintores que contribuyen su arte a la nueva escena están: Mantegna, Peruzzi, Rafael, Ghirlandajo, etc.

De aquí pasa Campbell a examinar las bases para la representación escénica de este nuevo drama renacentista. Estas bases debían estar ligadas necesariamente con el pasado clásico. Por eso hay que considerar la obra de Vitruvio; para ello me detendré sólo en los aspectos de la misma que estén en relación con el posible montaje de la *Égloga de Plácida y Vitoriano*. Tanto Campbell como Robert Klein y Henri Zerner (26) han examinado la cuestión cuidadosamente.

Gran parte del Libro V de *De Architectura* de Vitruvio está dedicada a una exposición de la "scaena" clásica.

Reproduzco aquí un párrafo de la traducción de M. H. Morgan de *The Ten Books of Architecture of Vitruvius:*

"The "scaena" itself displays the following scheme. In the center are double doors decorated like those of a Royal palace. At the right and left are the doors of the guest chambers. Beyond are spaces provided for decoration-places that the Greeks call   , because in these places are triangular pieces of machinery which revolve, each having three decorated faces. When the play is to be changed or when gods enter to the accompaniement of sudden clapps of thunder, these may be revolved and present a face differently decorated. Beyond these places are the projecting wings which afford entrances to the stage, one from the forum, the other from abroad" (27).

En cuanto a los decorados Campbell reproduce el siguiente texto vitruviano:

"There are three kind of scenes, one called the tragic, second the comic, third, the satiryc. Their decorations are different and unlike each other in scheme. Tragic scenes are delineated with columns, pediments, statues, and other objects suited to Kings; comic scenes exhibit private dwellings, with balconies and views representing rows of windows, after the manner of ordinary dwellings; satiryc scenes are decorated with trees, caverns, mountains, and other rustic objects delineated in landscape style" (28).

Campbell, acertadamente, ve en las raíces de la teoría de Vitruvio las doctrinas escénicas características del Renacimiento: 1) La autoridad clásica en el uso de escenarios para las obras; 2) La idea de un decorado que requiere pintura en perspectiva; 3) Las reglas que controlan la construcción y el uso de entradas y salidas; 4) La idea del cambio de decorados; 5) El uso de truenos como un accesorio de la divinidad (aquí debo señalar que ésta no es característica exclusiva del teatro renacentista pues ya aparece en el milagro medieval como apuntan Chambers (29), Mortensen (30) y Shoemaker; 6) La diferenciación formal de la escena y decorados de acuerdo con el género de la obra presentada; 7) El uso de máquinas y artefactos como elementos contribuyentes al espectáculo (también esto aparece ya en el teatro medieval); 8) La concepción del entretenimiento público como una función del gobernante" (31).

A la primera edición de la obra de Vitruvio, 1486, siguen una segunda edición en Florencia, 1496, y una tercera en Venecia en 1497. En 1511 aparece en Venecia la edición de Fra Giocondo y en 1513, 1522 y 1523 esta edición se reimprime en Florencia.

La traducción del Vitruvio al español no aparece hasta el año 1602.

La aparición del decorado ilusorio (32)

En el citado artículo de Klein y Zerner se hace un estudio bastante completo del decorado en perspectiva.

La primera obra escrita con una idea coherente del lugar de acción es el *Philodoxus* de Alberti. Para los actores existe claramente la distinción entre derecha, izquierda y fondo. Según los autores del citado artículo esto no quiere decir que Alberti hubiese tenido en mente un decorado pintado pero señalan como significativo que uno de los inventores del dibujo de perspectiva a punto de vista fijo, sea también el autor de la primera comedia en la que el lugar de acción está imaginado con precisión y mantenido consecuentemente (33).

El paisaje panorámico como fondo aparece por vez primera en 1508 cuando se representa la *Cassaria* de

Ariosto. En la Biblioteca Cívica de Ferrara se conserva un dibujo de Rafael, claramente relacionado con el decorado para la representación de los *Suppositi* de Ariosto que tuvo lugar, bien en 1509 o en 1519. El dibujo representa una perspectiva de edificios laterales con un telón de fondo pintado.

Durante la época en la que tiene lugar la representación de la obra de Juan del Encina el máximo exponente del perspectivismo está en la obra de Peruzzi, cuya puesta en escena de *La Calandria* (1514 ó 15) fue famosa (34).

Según Klein y Zerner es difícil señalar en qué momento se produce la diferenciación de decorados según los géneros, trágico, cómico y satírico, aunque parece acertado atribuir la diferenciación a Sebastiano Serlio de quien reproduzco los trabajos al final de este estudio.

La fórmula relacionando el decorado en relieve ilusorio y la pintura de fondo, es decir, laterales y fondo, aparece un Urbino gracias a Genga en 1513, aunque dicha fórmula ya se conocía, si bien no había sido formulada. He aquí, según Kleiner y Zerner, una descripción del sistema:

"Le principal moyen utilisé est, comme chez les fresquistes du temps de Masolino, un fil attaché a un clou planté au point de fuite des orthogonales sur la toile de fond (Serlio, Barbaro); plus tard on plante un second clou muni d'un autre fil au point de vue du spectateur privilégié, supposé en général assis sur les gradins a hauteur moyenne dans l'axe médian de la salle (Danti, 1583; Guido Ubaldo, 1600). Le premier fil sert a concrétiser les orthogonales, le second les rayons visuels; on peut alors par des visées diverses ou en déplacant les bouts libres des fils résoudre toutes sortes de problemes de perspective" (35).

A pesar de los progresos del perspectivismo, el actor

se mantiene generalmente delante de la "frons scaenae", y no es hasta 1532 que se empieza a contar con la posibilidad del actor penetrando el escenario.

Klein y Zerner terminan diciendo que los preceptos vitruvianos no son más que una base sobre la que va evolucionando la escena, escapando así de la rigidez de las normas clásicas. De la descripción vitruviana de la "scaena" van desapareciendo la mayoría de los elementos. Las puertas que Vitruvio menciona quedan completamente eliminadas o relegadas al fondo del escenario tras el telón de decorados. La tendencia es la de eliminar todo obstáculo en la boca del escenario que poco a poco adquiere la apariencia de retablo que lo caracteriza en nuestro siglo de oro.

Lo que aquí nos importa es considerar que en 1513 la teoría vitruviana está en trance de exploración y que de ella, el aspecto generalmente aceptado es la distinción entre los tres escenarios, trágico, cómico y satírico. Importante es el papel preponderante que empieza a jugar el decorado de perspectiva, en el que se incluyen, especialmente en la escena satírica, decorados practicables, como los árboles y las cabañas que aparecen en segundo plano en el dibujo de Serlio de Bologna. El director de escena o actor encargado de la representación de la égloga de Encina tenía que estar al corriente de estas circunstancias y de ahí la posibilidad de que la égloga fuese montada de acuerdo con algunos de los preceptos de Vitruvio y la teoría perspectivista de Peruzzio.

ENSAYO DE MONTAJE DE PLÁCIDA Y VICTORIANO (36)

Argumento

Entra un pastor llamado Gil quien, tras saludar a los presentes y ofrecer una sucinta biografía, da cuenta rápidamente del argumento del drama que va a tener lugar. Gil abandona la escena en el verso 88: "¡Venid, venid, amadores!". Aparece Plácida que lamenta el abandono en que Vitoriano la tiene sumida en un largo monólogo (vs. 89-256). Sale Plácida. Tras ello hace su entrada Vitoriano con otro monólogo (vs. 257-330) en el que expresa el desasosiego que su gran amor por Plácida le está causando. Decide pedir consejo a su amigo Suplicio. Se dirige a casa de éste y llama. Aparece Suplicio en el verso 331 y conversa con Vitoriano quien le descubre sus amores, ya sospechados por el amigo; éste le aconseja que corteje a Flugencia para de este modo olvidar el dolor que el amor hacia Plácida le produce. Vitoriano se dirige hacia la casa de Flugencia no sin antes expresar la imposibilidad de un cambio en el signo de su amor (v. 520). Se acerca a la ventana de Flugencia y llama. Ésta sale a la ventana y le escucha con incredulidad aconsejándole que vuelva en otra ocasión (vs. 537-648). Vitoriano abandona la escena y hace su entrada Eritea, una vieja celestinesca, quien mantiene una conversación con Flugencia (vs. 649-776). Vitoriano y Suplicio vuelven a la escena y tras una breve conversación, deciden que Vitoriano debe ir en busca de Plácida (vs. 777-864).

Sigue luego un monólogo en el que Suplicio lamenta el mal de amores que aqueja a su amigo (vs. 865-904). Vuelve Vitoriano con la noticia de que Plácida ha abandonado el lugar; Suplicio intenta consolarlo y le dice que inquiera noticias del pastor que ha visto partir a Plácida (vs. 905-998). Llaman al pastor que les cuenta cómo, a pesar de haber visto a la doncella, no sabe exactamente hacia donde ha ido. Ante tales palabras Vitoriano sale precipitadamente (vs. 999-1.056). Continúan su conversación Suplicio y el pastor Pascual y en el verso 1.071 aparece Gil quien da noticias a Suplicio del lugar por donde Plácida ha salido. En el verso

1.074, y a pesar de que el texto no lo indica, parece lógico que Suplicio abandone la escena para ir a dar cuenta a su amigo de la noticia. Del verso 1.075 al 1.113 los dos pastores se entretienen en maldecir a los "palaciegos" que se dejan destruir por sus amores. En el verso 1.114 deciden jugar a los dados y en ello se entretienen hasta que en el verso 1.177 oyen sones de gaitas o caramillos y deciden ir a reunirse con los que vienen tocando. Del verso 1.193 al 1.216 hay un villancico que es un denuestro contra Amor.

Del verso 1.217 al 1.312 Plácida se lamenta nuevamente y decide arrancarse la vida con una daga. Aparecen Vitoriano y Suplicio en busca de Plácida, Vitoriano comienza a desesperar. En el verso 1.429 descubren una fuente y junto a ella a una mujer que parece dormida. Se dan cuenta de que se trata de Plácida y de que está muerta. Suplicio intenta calmar el dolor y la desesperación de su amigo que pretende acabar con su vida. En el verso 1.517 Suplicio aconseja que entierren a Plácida y quiere llevarse a su amigo en busca de lo necesario para ponerlo en obra. Vitoriano le pide que le deje velar el cuerpo de la amada asegurándole que no cometerá ninguna locura durante su ausencia. Parte Suplicio en el verso 1.547 y a ello sigue la "Vigilia de la enamorada muerta", una larga parodia de los ritos funerarios. En el verso 2.139 Vitoriano decide suicidarse más no halla con qué, habiéndose llevado Suplicio el puñal. Decide salir en busca de un arma (v. 2.186). Aparecen los pastores Gil y Pascual que se entretienen en recojer flores para una guirnalda. Suplicio viene dando gritos desde lejos. Del verso 2.221 al 2.282 Suplicio cuenta a los pastores la desgracia y éstos deciden dormir antes de emprender el viaje para reunirse con Vitoriano y el cuerpo de Plácida. En el verso 2.283 aparece Vitoriano de nuevo junto al cadáver de Plácida, esta vez va provisto de un puñal y antes de poner fin a su vida entona una oración a Venus. Venus aparece en el verso 2.314 y detiene la mano del amante; le promete la resurrección de Plácida como premio a su devoción. En los versos 2.363 a 2.378 Venus invoca a Mercurio quien conjura la muerte de Plácida en el verso 2.419 y siguientes Vitoriano, asiste a la resurrección de la amada. Tras dar gracias a Venus y Mercurio los dos enamorados deciden ir en busca de Suplicio (v. 2.465). Suplicio despierta a los pastores y emprenden la marcha hacia el lugar donde quedaron Plácida y Vitoriano. En el verso 2.510 ven venir a un hombre y a una mujer quienes, ante la alegría de Suplicio y el espanto de los pastores, resultan ser los dos amantes. Vitoriano explica a Suplicio el milagro realizado y todos juntos deciden celebrar con música. Sigue una canción "¿Qué cosa es amor?" y la obra termina con una glosa.

Intento de sistematización en escenas y actos

Parece evidente que el villancico comprendido en los versos 1.193 a 1.216 está cumpliendo una visión divisoria. Hay que tener en cuenta que entre los sucesos que se desarrollan al principio de la obra y la escena del suicidio de Plácida y siguientes hay un lapso de unos días como expresa Gil en el verso 2.203: "Si es de los del otro día", al referirse a Suplicio que viene en su busca. Por otra parte hay un cambio de decorados evidente como demostraremos más tarde. Dividiré pues la obra en dos, llamémolos actos, para de este modo facilitar la labor de montaje. Esta división no me parece forzada y está de acuerdo con la estructura de la obra.

Dentro de cada uno de estos actos se pueden observar unidades de acción que aunque relacionadas entre sí en mayor o menor grado mantienen una independencia orgánica. De acuerdo con estas premisas he aquí mi intento de sistematización cuya función no es otra que la de facilitar el montaje:

De la estructura interna de la obra

A pesar de la opinión de los críticos, algunos de los cuales ya hemos citado, debo afirmar que esta égloga de Juan del Encina tiene una estructura que alcanza niveles de gran calidad. Con la excepción de la "Vigilia de la enamorada muerta" que, no siendo necesaria, destruye el ritmo de la obra, el resto de las escenas están perfectamente conectas y mantienen, dentro de su diferente valor funcional, una unidad a lo largo de la obra.

El primer acto, concretamente las escenas I, II y IV, presentan el planteamiento de la trama. Las escenas I y II nos muestran a los dos protagonistas y descubren sus amores y el malentendido que causará la muerte de Plácida. Las escenas III y V, aparentemente fuera de lugar, cumplen sin embargo dos funciones importantes en el contexto general de la obra. En la escena II, la conversación entre Eritea y Flugencia sirve para mostrar la bajeza de ésta y de este modo se convierte en una implícita alabanza de Plácida. Recordemos que Vitoriano, a instancias de Suplicio, intenta olvidar su amor por Plácida cortejando a Flugencia. Vitoriano nos dice en ese momento (vs. 441-2-3): "Mas ay tanta diferencia / como del sol a la luna / entre Plácida y Flugencia". Y efectivamente, para mostrarnos esa diferencia está la escena entre Flugencia y Eritea donde aquella es descrita como: mujer a la que hubo que reparar el virgo, "Hago el virgo tan estrecho, / que van bien descalabrados / mas de dos; / ¡esto bien lo sabéis vos!" dice Eritea, a lo que Flugencia replica: "Ya lo sé, por mis pecados" (vs. 700-704); mujer de lengua poco comedida, a veces decididamente vulgar, "¡O que grandioso donaire! / Nunca vi tan buen ensayo / como empreñarse del ayre. / Jamas ay boda sin frayle, / que penetran como rayo" (vs. 729-733); mujer dedicada al comercio de su cuerpo, "Venga paga / si quiere que por él haga" (vs. 750-751); y finalmente, partidaria de filtros amorosos; dice Eritea: "Y cómo os va con aquel / a quien dimos los hechizos?", a lo que Flugencia responde: "Eritea, burlo del, / muestrómele muy cruel", y de nuevo Eritea: "Obraron los bevedizos? / ¡Yo seguro / que donde entra mi conjuro / no son amores postizos!" (vs. 753-760).

La escena en sí tiene un valor anecdótico y no está falta de gracia. El personaje de Eritea, heredera de trotaconventos y celestinas, es ya un arquetipo literario y cuenta con una bien establecida tradición en el y teatro. La influencia de *La Celestina* es evidente y Eritea recuerda, concretamente, en ocasiones a la vieja de Fernando de Rojas. Dice la vieja Eritea: "Pues, si digo de Febea? / Sus virgos no tienen cuento, / ¡no ay quien tantos virgos crea!" y más tarde "Ya son, par Dios, más de ciento, / sin mentir" (vs. 705-710). Los versos citados recuerdan claramente el párrafo del acto I de la Celestina: "Días ha que conosco en fin desta vecindad una vieja barbuda, que se dize Celestina, hechicera, astuta, sagaz en cuantas maldades hay. Entiendo que passan de cinco mil virgos los que se han hecho y deshecho por su autoridad en esta ciudad" (37).

Tras esa escena viene el comienzo de lo que podemos llamar nudo de la trama, con la escena IV. Conocemos aquí la partida de Plácida, estamos presentes en el desasosegado ir y venir de Vitoriano y se nos indica hacia donde Plácida ha marchado originándose con ello su búsqueda (véase argumento de las páginas 17 y 18).

La escena V parece también ajena a la obra, su función, por medio de la graciosa partida de dados, es la del "comic relief" y en ella aparece un elemento, integrado más adelante en el gracioso, que es el balance entre el idealismo del noble y el sentido práctico del pueblo (vs. 1.089-1.113). La escena sirve al mismo tiempo de conclusión al acto y precisamente su carácter transicional dota a dicha conclusión de un elemento suavizador que, en contraste con la violencia desesperada del comienzo del segundo acto, la refuerza y la hace resaltar.

Acto segundo. La escena I con el lamento y muerte de Plácida es parte del nudo de la trama; el desenlace comienza con el intento de suicidio de Vitoriano y la aparición de Venus en la escena V.

Las canciones ponen, como el villancico al final del primer acto, una rúbrica graciosa y vivaz a la obra.

Me parece claro, pues, siempre teniendo en cuenta el incomprensible lastre de la Vigilia, totalmente innecesaria y debida sin duda al deseo de Encina de indulgir en la parodia, tan típica de la literatura del amor cortés, que la *Égloga de Plácida y Vitoriano* tiene una estructura interna que la acerca, en contra de las opiniones de Shergold y otros, más a la comedia tal y como ésta iba a desarrollarse que a la égloga tal y como se nos presenta en las primeras obras de Encina.

Decorados

Tal y como he pretendido demostrar al final del capítulo "la aparición del decorado ilusorio" (pág.   ), podemos asumir que la escena elegida para la representación de esta égloga sería una elaboración sobre la "scaena" satírica de Vitruvio. Como ya he apuntado antes poseemos el excelente diseño de Serlio de Bologna (fig. 5) y sobre él me baso para decorar la obra. Me permitiré tan sólo un ligero cambio de posición de los decorados practicables para facilitar el movimiento escénico como veremos más tarde.

El decorado lo constituye, pues, la escena satírica; las dos cabañas representan: la de la izquierda del espectador (de aquí en adelante todas las posiciones serán establecidas con relación al espectador), la casa de

Suplicio; la de la derecha, la de Flugencia. Me parece más exacto, tratándose claramente de un drama pastoril, el concebir las moradas de los personajes como cabañas que como los pretendidos "palacios" de Williams cuyo anacronismo dentro del dicho género es evidente. La existencia de estas cabañas justifica, por otra parte, la frase "de poblado me apartar" (v. 204), que pronuncia Plácida. La cabaña de Suplicio estará situada con la puesta de cara al espectador y la de Flugencia mostrará un lateral como ventana (fig. 1).

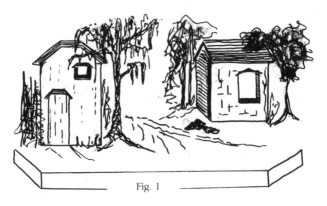

Fig. 1

Como se puede apreciar comparando la figura 1 con el grabado de Serlio en la página   , el cambio es mínimo y no altera en absoluto la concepción inicial del decorado.

En el segundo acto la escena aparece desprovista de las cabañas que podrán ser retiradas por medio del mecanismo descrito en la sección "máquinas". Tras las dos cabañas estarán situados dos decorados practicables, uno de los cuales, el de la derecha, simulará la fuente donde tiene lugar el suicidio de Plácida. Al ser retiradas las cabañas quedarán al descubierto estos practicables, que pueden representar el de la izquierda, unas matas o arbustos, y el de la derecha, como ya hemos señalado, una roca sobre la que se ha pintado la boca de un manantial, y el conjunto constituirá el decorado del segundo acto (fig. 2).

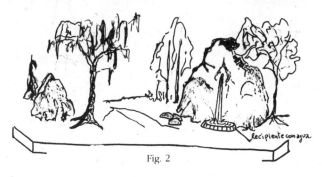

Fig. 2

Máquinas

Las cabañas estarán montadas sobre unas plataformas dotadas de ruedas o rodillos; por medio de unas cuerdas atadas a los laterales, el izquierdo para la cabaña de la izquierda, el derecho para la de la derecha, las cabañas pueden ser retiradas del escenario sin demasiado esfuerzo, simplemente tirando de la cuerda hasta que desaparezcan en las alas de la escena. Si examinamos las complicadas máquinas que, no ya sólo el teatro de la época, sino el medieval empleaban, veremos como el simple mecanismo aquí descrito tiene un marcado cariz de verosimilitud (fig. 3).

La aparición de Venus puede lograrse por medio del artefacto que recibe el nombre de *araceli* (38) o por una elaboración sobre los principios en que éste se basaba. Dicho artefacto se utilizaba ya en el teatro medieval. Se trata de un trapecio o plataforma provista de unas cuerdas atadas a sus cuatro ángulos, estas cuerdas pasaban, a su vez, por unas poleas suspendidas del techo y descendían a ambas alas del escenario

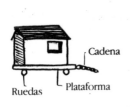

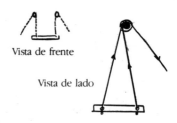

Vista de frente

Vista de lado

Fig. 3

Fig. 4

desde donde la plataforma podía ser descendida o izada manualmente. Las bases de la plataforma podían quedar disimuladas por algodones representando nubes, otra práctica que se remonta al teatro medieval (fig. 4).

La misma plataforma que puede ser elevada tras la llegada de Venus puede servir para la aparición de Mercurio y es en los versos que se refieren a ésta donde baso la teoría del araceli. Una vez que Venus detiene la mano del amante y le promete ayuda, éste le ruega: "¡O, mi señora y mi dea, / remedio de mi consuelo! / Si te place que te crea / haz de manera que vea / Mercurio venir del cielo, / pues su oficio / es conceder beneficio / de dar vida en este suelo" (vs. 2.347-2.354), a lo que Venus responde: "... que de reyno soberano / verna Mercurio, mi hermano, / prestamente, sin tardar" (vs. 2.357-2.359). En su invocación a Mercurio dice Venus: "Ven Mercurio, hermano mío, / ruégote que acá desciendas / y muestres tu poderío" (vs. 2.363-2.365). De este texto y teniendo en cuenta que el descenso desde el imaginario cielo era ya atributo tradicional de la divinidad en el teatro, deducimos la posibilidad del uso de la dicha plataforma o araceli.

Efectos especiales

Ya Vitruvios señala el trueno como el sonido que acompaña a la aparición de divinidades. Cargas de pólvora producían este efecto en el teatro de la época y es por lo tanto consecuente deducir que fueran empleadas en la entrada de Venus y Mercurio.

Utillería

Señalaré aquí todos los objetos que son mencionados como parte de la acción o aquellos que se deduzcan de las situaciones de la obra.

Dos cayados y dos morrales. (El cayado y el morral son parte de la indumentaria del pastor. Ambas cosas están mencionadas en el texto. Se alude al cayado como parte de la apuesta en la partida de dados (vs. 1.132-1.133). Al morral se le alude con el nombre de *hato* en el verso 2.269).

Juego de dados. (vs. 1.120-1.121).

Cinto de tachones, o cinturón claveteado (v. 1.135).

Cesta de paja. (Recuérdese que el oficio de Gil es el de cestero, (v. 1.136).

Un puñal. (Empleado por Plácida para dar fin a su vida, (vs. 1.265-1.266); este puñal había pertenecido a Vitoriano).

Un recipiente con agua. (Situado al pie de la fuente y disimulado por unas ramas para ocultarlo a la vista del público. De este recipiente toma agua Suplicio, en la ficción el agua es de la fuente, para hacer volver en sí a Vitoriano, desvanecido ante la amiga muerta; (vs. 1.469-1.470) (fig. 2).

Flores. Con ellas inician los pastores la confección de una guirnalda; (vs. 2.186-2.193).

57

Un cuchillo. (Vitoriano consigue el arma en algún sitio y vuelve con ella junto al cuerpo de Plácida dispuesto a suicidarse, (vs. 2.285-2.288).

Vestuario

El vestuario, aunque girando en torno a las indumentarias de lo pastoril, pudo haber sido muy variado. Aceptable es pensar que las pellizas para los hombres y las túnicas para las mujeres serían lo apropiado. Las pellizas podían diferir en calidad o colorido dependiendo del nivel social del portador. Es de suponer que la pelliza de Vitoriano difería de la de Pascual. El mismo caso se daría en la indumentaria femenina. En cuanto a la representación de la diosa Venus y a su vestido, bástenos decir que si la escena teatral seguía los pasos de la pintura renacentista, ello no constituyó problema ninguno. Mercurio aparecería provisto de sus tradicionales alas.

Música

Se conservan numerosas partituras musicales de la obra de Encina. Su importancia como músico ha sido señalada muy a menudo y supongo que acompañó sus villancicos y canciones con la partitura apropiada.

Creo identificar, y conste aquí tan sólo como una nota curiosa, el ritmo y la estructura del villancico "Si a todos" que marca el final del primer acto, con la música de villancico "Todo los", según la grabación realizada por l'Ensemble Polyphonique de París, bajo la dirección de Charles Ravier, de la obra de Juan del Encina. La referencia del disco es: Valois, Mono 431.

Movimiento escénico

Este es el aspecto de la representación de más difícil reconstrucción. Debemos tener en cuenta que los actore no se adentraban hacia el fondo del escenario y que "the delivery of lines" estaba aún sujeta al estatismo que el pasado de la égloga como género recitado imponía.

Intentaré aquí dar algunos ejemplos de lo que el movimiento escénico *pudo* haber sido en la puesta en escena de esta obra. Reitero el carácter totalmente ensayístico de este apartado; en él, el movimiento se concibe como primitivo y a veces falto de la naturalidad que generalmente esperamos del teatro por parecerme que en 1513 la novedad de la escena no permitía nada más complicado.

Presentación.— Gil aparece en la boca del escenario en equivalencia a lo que hoy llamaríamos a telón cerrado.

Acto I. Escena I.— Plácida aparece en primer plano del escenario haciendo su entrada por la izquierda y caminando a través del escenario para salir por la derecha. Su largo monólogo, o la mayor parte del mismo, tiene lugar en posición estática, en el centro del escenario.

Escena II.— Aparece Vitoriano por la izquierda y permanece, mientras lanza su monólogo, en el extremo izquierdo del escenario. Cuando dice: "Ora yo me determino? a Suplicio yr a llamar" (vs. 313-314) camina hacia la derecha, y al decir: "tan desatinado voy / que no se su casa ya" (vs. 321-322) se vuelve de nuevo hacia la izquierda y se acerca a la cabaña en ella situada. A sus voces acude Suplicio; como hemos visto en la sección *Decorados,* la puerta de esta casa está cara al público. Suplicio y Vitoriano hablan frente a la casa, inician luego el camino hacia la casa de Flugencia. Suplicio queda, acechando, tras uno de los árboles situados inmediatamente a la izquierda de la cabaña de Flugencia mientras Vitoriano se acerca a la misma lanzando su breve monólogo. A las voces de Vitoriano acude Flugencia a la ventana, razón por la cual la casa de ésta tiene el lateral de cara al público. Conversan, ella acodada a la ventana, él, apoyado en la pared de la casa, a su izquierda. Al terminar la conversación, Vitoriano inicia la salida hacia la izquierda recogiendo a Suplicio y desapareciendo por el extremo izquierdo.

Escena III.— Aparece la vieja Eritea por la derecha, al pasar frente a la casa de Flugencia ve a ésta que ha salido a la puerta, situada en el lateral izquierdo de la casa, a espiar la partida de Vitoriano. La vieja y la moza conversan en medio del camino.

Escena IV.— (A esta escena le he dedicado más atención por ser la más dinámica, a mi juicio, de la obra).

Suplicio y Vitoriano aparecen por la izquierda. Conversan mientras caminan de izquierda a derecha. Vitoriano sale por la derecha. Queda Suplicio solo. Vitoriano aparece por la derecha. En el verso 993 Vitoriano, señalando hacia la derecha pide a Suplicio que llame a Pascual, quien está fuera del escenario. Suplicio se acerca al lateral derecho del escenario y dice: "Pastorcillo llega aquí, / que luego te bolverás" (vs. 999-1.000). El pastor le responde desde dentro: "Miafe, cuidas que ha? / Se que no soys vos mi amo. / Par Dios, venid vos acá, / que no puedo yr yo allá" (vs. 1.001-1.004); Suplicio responde sin moverse: "Ven, que por tu bien te llamo" (v. 1.005). A esto sigue una serie de preguntas y réplicas durante las cuales Pascual permanece fuera del ángulo visual del espectador. Hace su entrada en el escenario con el verso 1.033: "Que nuevas quieres saber?". La situación de los tres personajes en escena es la siguiente: de izquierda a derecha, Vitoriano, Suplicio, Pascual. Tras el verso 1.056 en el que Suplicio exclama: "Mira, pastor que no mientas", Vitoriano sale precipitadamente por la derecha, haciéndolo atropellará a Suplicio y al pastor que quedan frente a frente.

Entra Gil con el verso 1.071 y dice señalando hacia la derecha del escenario: "¡Que se os va la compañía / allá cara a la montaña!". A la pregunta de Suplicio, (v. 1.074), "Di por dónde?", responde Gil, señalando nuevamente hacia la derecha, "Por allí". Sale Suplicio precipitadamente por la derecha. Los dos pastores caminan hacia el árbol en primer plano, a su izquierda. Comentan el extraño proceder de los dos jóvenes. Con la frase "Daca, juguemos un rato" (v. 1.114) se sientan bajo el árbol. Pascual a instancias de Gil saca los dados de su morral y los lanza mientras dice: "Con esto se bate el cobre" (v. 1.211). Recoje los dados y se vuelve hacia el compañero: "Sus, a que quieres jugar?" (v. 1.122); pide Gil la mano, es decir el derecho a lanzar primero, y Pascual le entrega los dados. La primera apuesta consiste de un cayado y un cinturón. Pascual no contento con ello quiere que su compañero apueste su cesta de paja, éste la defiende con su cuerpo mientras explica: "Esta no quiero jugalla / porque la quiero guardar / para mi sobrina Olalla" (vs. 1.137-1.139). Pascual lo convence finalmente y Gil deposita la cesta junto al cayado y cinturón. Lanzan los dados. Esta escena deberá ir acompañada de risotadas y grandes aspavientos. Pierde Gil que queda cariacontecido, la cabeza entre las manos, mientras Pascual examina ufanamente la cesta que acaba de ganar. Tras la frase (vs. 1.175-1.176), "Mas hágate buen provecho, / que perdiendo he de aprender", suenan a la derecha del escenario sones de instrumentos. Gil le pide la mano a Pascual y éste, tras ayudarlo a incorporarse, comienza a caminar lentamente, ya cerca del lateral derecho se vuelve hacia Gil: "Vamos presto" a lo que Gil contesta caminando cachazudamente: "Yo no puedo andar más presto" (v. 1.191). Pascual, llevándose las manos a los riñones, replica con gesto dolorido: "Y aún yo estoy medio tollido" (v. 1.192), tras ello salen los dos. Mientras el villancico suena, se produce el único cambio de decorados de la obra.

Acto II. Escena I.— Plácida hace su entrada por la izquierda; camina vacilante. Su monólogo deberá ir subiendo de tono desde un comienzo balbuceante hasta la resolución irrevocable de esos versos que deberán ser dichos con dureza, pero dureza serena: "Sus, brazo de mi flaqueza, / dad conmigo en el profundo / sin temor y sin pereza; / memoria de fortaleza / dexarás en este mundo" (vs. 1.281-1.285). Decide despojarse de sus vestidos y así lo hace, lo cual está indicado no sólo por los versos 1.289 a 1.294: "Por menos embaracarme / en los miembros impedidos / para más presto matarme, / muy bien será desnudarme", sino por el verso 2.465 en que Vitoriano dice a Plácida, habiendo ésta recobrado la vida: "vístete, vamos de aqui".

El hecho de que Plácida aparezca desnuda en escena no debe parecernos inverosímil. Tengamos en cuenta, en primer lugar que la moralidad y el pudor no son virtudes afines a las cortes cardenalicias, ni a las otras cortes del Renacimiento, y en segundo lugar consideremos cómo a lo largo de la obra se nos presentan situaciones, actitudes y personajes que tienen que ver muy poco con los principios cristianos. Recuérdese la conversación entre Flugencia y Eritea, el suicidio de Plácida, el intento de suicidio de Vitoriano, la aparición de dioses paganos de cuya voluntad son prisioneros los hombres, etc.

Por una carta de Stazio Gadio al marqués de Mantua, fechada el 11 de enero de 1513, sabemos que entre los espectadores asistiendo a la representación de esta égloga se encontraban no pocas *putane spagnole*. En vista de lo cual mi opinión es que el, llamémosle "striptease", de Plácida más que un inconveniente para la representación de la obra constituyó uno de sus atractivos.

Plácida se clava el puñal y muere junto a la fuente, en el lado derecho del escenario.

Escena II.— Vitoriano y Suplicio hacen su entrada por el lado izquierdo. En el verso 1.429 descubre Vitoriano la fuente. En los versos 1.434 a 1.435, Suplicio divisa el cuerpo de Plácida y la cree dormida. Se acercan y Vitoriano descubriendo la herida en el pecho de su amada se desmaya (v. 1.452); Suplicio lo hace volver en sí arrojando agua sobre su cara (vs. 1.469-1.476). Tras una conversación, Suplicio decide ir en busca de ayuda y sale por la izquierda. A ello sigue la vigilia de la enamorada muerta (escena III).

De aquí en adelante y hasta el final de la obra el movimiento es relativamente sencillo. El único problema reside en la simultaneidad de las escenas de los pastores y la presencia de Plácida y Vitoriano al otro lado del escenario. Parece inverosímil que se produjeran pausas entre estos momentos y mi sugerencia es que mientras los pastores y Suplicio llevaban a cabo su dialogar, la escena de Plácida y Vitoriano permanecía estatuesca y viceversa. Ya hemos discutido la aparición de los dioses y sólo nos resta añadir que la danza final pudo haber sido coreografiada como un baile de corro en el que los participantes, las manos unidas, giran al compás de la música.

Esta última sección es un ensayo de cuaderno de dirección para el montaje de la obra; en ella me he dejado guiar por la intuición, por mi práctica en este tipo de labor y por una visualización de la obra. En realidad se trata del aspecto menos importante de este trabajo pues el movimiento escénico es algo extremadamente voluble y cambiante.

En conclusión, la obra de Encina representada en 1513, pudo haber sido algo parecido a lo aquí mostrado. En todo caso, creo que, considerando los documentos y las fuentes utilizadas, esta reconstrucción teatral representa la mayor aproximación posible a lo que ocurrió en los salones del palacio del cardenal Arborea, el 6 de enero de 1513.

NOTAS

(1) Juan del Encina, *Églogas,* ed. H. López Morales (Nueva York, 1963) págs. 227-313.

(2) R. B. Williams, *The Staging of Spanish plays in the Spanish Peninsula prior to 1555,* University of Iowa Studies in Spanish Language and Literature, n.º 5 (Iowa, 1935), pág. 24.

(3) W. H. Shoemaker, *The Multiple Stage in Spain during the Fifteenth and Sixteenth centuries* (Princeton, 1935), pág. 7.

(4) J. P. Crawford, *The Spanish Pastoral Drama* (Philadelphia, 1915), pág. 44.

(5) N. D. Shergold, *A History of the Spanish Stage, from Medieval times until the end of the Seventeenth Century* (Oxford, 1967), págs. xvii-xxx.

(6) Shergold, op. cit., pág. xvii.

(7) H. A. Rennert, *The Spanish Stage in the time of Lope de Vega* (Nueva York, 1909).

(8) Rennert, op. cit., pág. 3.

(9) Ibid.

(10) Crawford, op. cit.; también, *Spanish Drama before Lope de Vega* (Philadelphia, 1922).

(11) Williams, op. cit., pág. 21.

(12) Ibid.

(13) Ibid.

(14) Williams, op. cit., págs. 21-22.

(15) Encina, op. cit., versos 993-995.

(16) Shergold, op. cit., pág. 145.

(17) Shergold, op. cit., pág. 143.

(18) Crawford, The Spanish Pastoral Drama, pág. 19.

(19) Crawford, op. cit., pág. 19.

(20) Crawford, op. cit., pág. 30.

(21) Crawford, op. cit., pág. 20.

(22) L. B. Campbell, *Scenes and machines on the English Stage during the Renaissance* (Nueva York, 1960), pág. 10.

(23) Ibid.

(24) Campbell, op. cit., pág. 14.

(25) Campbell, op. cit., pág. 15.

(26) Robert Klein-Henri Zerner, "Vitruve et le théâtre de la Renaissance Italienne" en *Le lieu théâtral a la Renaissance,* ed. J. Jacqut (París, 1964) págs. 49-58.

(27) Cito según Campbell, op. cit., pág. 17.

(28) Ibid.

(29) E. K. Chambers, *The Mediaeval Stage* (Oxford, 1903).

(30) J. Mortensen, Le Theatre Francais au Moyen Age (París, 1903).

(31) Campbell, op. cit., págs. 18-19.

(32) Por decorado ilusorio entiendo aquel en el que el dibujo, por medio de sombras y difuminados, crea la ilusión de una perspectiva tridimensional.

(33) Klein-Zerner, op. cit., pág. 52.

(34) Ibid.

(35) Klein-Zerner, op. cit., pág. 54.

(36) Utilizó la mencionada edición de López Morales. La numeración de los versos que empleo como referencia corresponde a la numeración en dicha edición.

(37) Fernando de Rojas, *La Celestina*, ed. Julio Cejador y Frauca (Madrid, 1963), pág. 58.

(38) Shoemaker, op. cit., pág. 17.

BIBLIOGRAFÍA

L. B. Campbell, *Scenes and Machines on the English Stage during the Renaissance,* Nueva York, 1960.

J. P. Crawford, *Spanish Drama before Lope de Vega,* Philadelphia, 1922; *The Spanish Pastoral Drama,* Philadelphia, 1915.

E. K. Chambers, *The Medieval Stage,* Oxford, 1903, 2 vol.

R. L. Grismer, *The influence of Plautus in Spain before Lope de Vega,* Nueva York, 1944.

J. Jacquot, (ed.,) *Le lieu théatral a la Renaissance,* París, 1964.

J. Mortensen, *Le Tréatre Francais au Moyen Age,* París, 1903.

H. A. Rennert, *The Spanish Stage in the time of Lope de Vega,* Nueva York, 1909.

N. D. Shergold, *A History of the Spanish Stage, from Medieval times until the end of the Seventeenth Century,* Oxford, 1967.

W. H. Shoemaker, *The multiple stage in Spain during the Fifteenth and Sixteenth centuries,* Princeton, 1935.

A Valbuena Prat, *Historia del Teatro Español,* Barcelona, 1956.

R. B. Williams, *The Staging of Plays in the Spanish Peninsula prior to 1555,* University of Iowa Studies in Spanish Language and Literature, n.º 5 (Iowa, 1935).

Fig. 5
Sebastiano Serlio di Bologna (1475-1552)
Escena satírica
dell'Architectura; Venecia, 1566

Fig. 6
Sebastiano Serlio di Bologna (1475-1552)
Escena trágica
dell'Architectura; Venecia, 1566

Fig. 7
Sebastiano Serlio di Bologna (1475-1552)
Escena cómica
dell'Architectura; Venecia, 1566

Juan Antonio Hormigón.— *Gracias Alfonso y gracias por tu tiempo controlado, porque ahora intervendrá Javier Navarro, que desde aquí me está amenazando con un tiempo muy descontrolado. Supongo que como ha hecho un trabajo enjundioso, nos va a ilustrar seriamente sobre su tema. Cuando quieras.*

ESPACIOS ESCÉNICOS EN EL TEATRO ESPAÑOL DEL SIGLO XVIII

JAVIER NAVARRO DE ZUVILLAGA

JAVIER NAVARRO DE ZUVILLAGA

Nace en Madrid en 1942. De 1960 a 1965 trabaja como actor en diversos grupos universitarios de teatro en Madrid. De 1965 a 1970 trabaja como director del Teatro de Arquitectura —de la Escuela de Arquitectura de Madrid— y del Teatro Independiente de Situación, ambos creados por él mismo. Sus espectáculos más relevantes fueron **Enzina 68** (Teatro Español de Madrid, 1968) y **El Juego de los Insectos** (Teatro Marquina de Madrid, 1970). Después de terminar los estudios de Arquitectura en Madrid realiza su doctorado en la Architectural Association School of Architecture de Londres en 1971.

Ha sido profesor de la Escuela de Arquitectura de Madrid y en la actualidad lo es de la Facultad de Bellas Artes de Madrid.

Su proyecto de Teatro Móvil ha sido expuesto en varios países, entre ellos en el Brasil en la XIII Bienal de Sao Paulo en 1975 (presentado fuera de concurso) y en Suiza en el Tercer Salón de la Invención y Ténicas Nuevas de Ginebra en 1974, donde obtuvo segunda medalla de oro.

Ha sido profesor de escenografía en el laboratorio del Teatro Estable Castellano y en los seminarios de teatro organizados por el Ministerio de Cultura en Peñaranda de Duero y Medina del Campo.

De su labor como escenógrafo cabe destacar: **El Cero Transparente**, Teatro del Círculo de Bellas Artes, Madrid, 1980. **El Galán Fantasma**, Teatro Español, Madrid, 1981. **Las bicicletas son para el verano**, Teatro Español, Madrid, 1982.

En la actualidad está ultimando un libro sobre el espacio teatral.

No se puede comprender el complejo panorama teatral español del siglo XVIII si no se presta atención a las singularidades de nuestra historia. Mientras Brunelleschi, Alberti y Piero della Francesca consumían todo el siglo XV en sentar los principios de la perspectiva, lo cual suponía un cambio radical en la concepción del espacio con enormes consecuencias en la arquitectura y la escenografía, en España los Reyes Católicos terminaban el siglo rindiendo en Granada al último reino moro, poniendo fin así a más de siete siglos de cultura hispanoárabe.

Esta huella no se iba a borrar tan fácilmente, y en el teatro encontramos dos hechos que lo confirman: uno es que en 1481, año del que tenemos la primera referencia a la procesión del Corpus Christi de Madrid, en la que todos los oficios de la Villa sacaron su juego "con representación honesta" (1), hubo danzas moras y judías en honor de la fiesta. Estos "juegos" son los antecedentes de los autos sacramentales y descendientes, a su vez, de las piezas sacras medievales de las que, por desgracia, desconocemos casi todo en España.

El otro hecho es que algunos corrales de comedias, y el de Almagro es buena prueba de ello, poseen una arquitectura que es heredera en línea directa de la arquitectura árabe española. Luego trataremos esto con más amplitud.

Por otra parte, la Reconquista, que duró esos siete siglos, hizo crecer el sentimiento de religiosidad, como animosidad contra los infieles —moros y judíos— de una manera tan desproporcionada que Fernando e Isabel fueron llamados los Reyes Católicos porque supieron capitalizar políticamente aquel sentimiento. Lo cual significó una Iglesia poderosa e influyente que lo fue cada vez más en los dos siglos posteriores. Esta fue la causa de la pervivencia y de la gran profusión del teatro religioso en nuestro país: desde 1574, en que por primera vez tenemos noticia de la representación de un auto sacramental en Madrid, hasta 1765, en que fueron prohibidos por Carlos III, se representaron prácticamente sin interrupción (2).

Este hecho es de tener en cuenta, pues quiere decir que los autos sacramentales, herederos directos de los dramas litúrgicos, suponen la mayor tradición de nuestro teatro nacional y fueron el ejemplo que el público y la gente de teatro tuvieron ante sus ojos, tanto desde el punto de vista literario como del de puesta en escena, durante dos siglos, como ha señalado Marcel Bataillon (3). Más adelante veremos esta influencia al hablar de los corrales en cuanto a la puesta en escena, pero ahora citaremos, en el aspecto literario, el auto de José de Valdivieso "El Peregrino", publicado en 1622, y que responde al esquema básico del drama litúrgico medieval, pues es una alegoría del peregrinaje del hombre en el transcurso de su vida.

Por ser continuación y desarrollo del teatro medieval y por su gran influencia en el resto del teatro español, hablaremos de los autos sacramentales en primer lugar.

Los autos sacramentales

En toda Europa se había representado el drama litúrgico primero en el interior de las iglesias, después en

74

el atrio y, por último, había salido a las calles y plazas. Esto último ocurría en España a principios del siglo XIV.

Los "juegos" de 1481 para la procesión del Corpus Christi, ya mencionados, eran uno por cada oficio, es decir, se seguía conservando la tradición medieval europea según la cual cada gremio construía su propio carro para la representación de una escena. Estos carros recorrían la villa, parando ante los distintos grupos de espectadores y repitiendo la escena. Se supone que era el clero quien costeaba estas representaciones con la aportación de los oficios.

En el siglo XVI en España, la Iglesia, el Estado y el Municipio, se unen para, de común acuerdo, dar mayor esplendor a las fiestas del Corpus (4). Y es éste un fenómeno que sólo se produce aquí y gracias al cual el drama litúrgico medieval se desarrolló específicamente en el auto sacramental durante casi 200 años.

En 1628 Jerónimo de Quintana nos cuenta que "antiguamente se solían hacer en un tablado el mismo día por la tarde enfrente de la iglesia de Santa María, y en presencia del Santísimo Sacramento, como hoy día se hace en otras ciudades de estos reinos (...) al presente ha cesado esto, porque ya se hacen en carros triunfales" (5). Esta denominación de carros triunfales hace referencia, sin duda, a los "trionfi" italianos que tanto se utilizaron en el Renacimiento y que, aún en las fiestas religiosas, tenían un carácter pagano (6).

Es de suponer que estos carros serían al principio no más que la plataforma y unas cortinas o bastidores pintados como foro, pero más adelante se utilizaron carros más sofisticados con una caja o casa, que de ambas formas se le llama en los documentos de la época.

Fig. 1.— Modelo de carro para la representación de autos sacramentales en Madrid (1646).

De estos carros se conserva un dibujo para la representación de autos sacramentales en Madrid en 1646. La relación entre la casa y el carro propiamente dicho es evidentemente desproporcionada, pero nos da una clara idea de cómo eran. La casa tiene dos pisos (aposentos alto y bajo los llaman en documento de 4 de abril de 1623) y era de planta cuadrada en armadura de madera cubierta de lienzo pintado; en este caso remata como las torres de los edificios de la época. Parece que en esta casa se alojaban el vestuario, el decorado, la maquinaria y la escala para alcanzar el aposento alto. Tenían barandilla delante de la casa a ambos lados; ésta se pintaba con un color distinto para cada carro, simbolizando su uso. Las ruedas del carro se enmascaraban con un volante de tela pintada llamado rodapié (7). Normalmente figuraban las armas de la villa, bien pintadas en la caja (8) o en gallardetes izados en mástiles (9). Los más grandes llegaron a tener casi 6 metros por casi 2,5 metros y estaban dotados de los escotillones necesarios (luego veremos algunos ejemplos de esto). Los carros eran tirados primero por hombres, luego por mulas y finalmente por bueyes, engrasándose las calles para facilitar el movimiento de las ruedas (10). Este aumento de la fuerza de tracción habla claramente del aumento del tamaño de los carros, así como del de su peso, debido éste no sólo a aquél, sino muy probablemente a la complicación de las máquinas de tramoya.

También se usaron dos carros en vez de uno, que se adosaban, enfrentados, a los extremos de un tablado sobre ruedas que se llamaba carrillo. El conjunto de las tres piezas se llamó carro y a los que portaban casa, medio carro.

Los primeros años aún pervivía la costumbre medieval de la itinerancia: los carros se trasladaban a presencia de su majestad, donde representaban los autos, presumiblemente en la plaza del palacio, después a

Fig. 2.— Representación de *la adúltera perdonada*, de Lope de Vega. Madrid, 1608. Reconstrucción de R. Southern, siguiendo a J. E. Varey.

presencia de la municipalidad, seguramente en la plazuela de la Villa, donde los repetían y lo mismo hacían en presencia de los diferentes Consejos de Estado en otros lugares. Este trasiego complicó mucho las cosas y ciertos años el rey ordenó a los Consejos que se congregaran en un sólo lugar para la representación.

En estas ocasiones se adosaban los carros a un tablado fijo de mayores dimensiones que el carrillo, como en las representaciones que se hicieron en Madrid en la Plaza de San Salvador en 1636 y en la Plaza Mayor en 1644.

También se realizaba, previo a la festividad, un ensayo con público, llamado "muestra", para los miembros de la municipalidad. Tenía lugar en la Obrería de la Villa, corral extramuros donde se construían los carros, y para la ocasión se construían también plataformas especiales.

Desde 1592 a 1645 se representaron en Madrid cuatro autos cada año, cada uno con dos medios carros. En

1646 no se hicieron y en 1647 sólo se hicieron dos autos. A partir de 1648 hasta 1680 solamente se representaron dos piezas por año, pero utilizando cuatro carros para cada una, que usualmente se disponían por parejas simétricas.

En la representación de "La Margarita Preciosa", de Lope, en Segovia en 1616, escrita para dos medios carros y tablado fijo, tenemos constancia de que las casas estaban revestidas de lienzo sólo en tres lados, quedando el frente tapado por cortinas independientes en cada piso que permitían descubrir el decorado oportuno en su momento (11). Más adelante se hicieron carros con cuatro fachadas.

Un contrato de 1628 en Madrid especifica que la altura de la casa de cada carro debe ser la que la maquinaria exija y otro de 1636 menciona las cuerdas y poleas necesarias para el funcionamiento de las máquinas. El de 1652 dice que los carros y máquinas se harán siguiendo las indicaciones de Calderón y en 1654 es Baccio del Bianco quien diseña las máquinas y carros. En ese mismo año otro contrato se refiere a "...todas las cosas que por tramoyas hubieren de salir en dichos carros por escotillones o descubiertos por cortinas". Como se ve la técnica escénica es muy similar a la usada en los corrales, de los que luego hablaremos.

Uno de los primeros autos de que tenemos indicaciones escénicas es "El Peregrino", de José de Valdivieso, ya mencionado, que se debió representar años antes de 1622 en que se editó por primera vez. Es interesante hablar de él, aparte de su calidad literaria, por dos razones: porque supone un claro descendiente del drama litúrgico medieval y porque sienta las bases de lo que sería la técnica escénica de este tipo de representaciones.

Efectivamente, este auto, escrito para dos medios carros y carrillo, es, como queda dicho, una alegoría del peregrinaje del hombre a lo largo de su vida y ante él se presentan el camino cómodo y lleno de placeres que conduce al infierno y el otro, angosto, peligroso y difícil, que lleva al paraíso. Lo interesante es que estos caminos se materializaban, siguiendo las indicaciones

Fig. 3.— Carro para la representación de *El Peregrino*, de José de Valdivieso. Reconstrucción del autor.

del autor, mediante "dos escalas, como puentes levadizos" que se descolgaban de los carros. No existen evidencias gráficas de la puesta en escena de este auto, pero yo me he permitido hacer un dibujo, esquemático naturalmente, en el que se muestra la típica disposición de los dos medios carros a ambos lados del carrillo central y la utilización de los dos pisos de las casas en la convicción de que, siguiendo la tradición medieval en los dramas litúrgicos, el infierno está a la derecha del espectador y el paraíso a la izquierda. En el primer nivel se sitúan las casas (mansiones) del Placer y la Penitencia, correspondiéndose con el castigo o el premio del nivel superior. En el centro del carrillo se ve el escotillón que, sin duda,. debió existir para materializarse la primera acotación escénica que dice: "Ábrese la tierra y sale della la tierra cubierta de flores y yerbas, en la cabeza una ciudad, o castillo, no se le verán los pies, y con ella saldrá abrazado el Peregrino" (12). El uso del escotillón en los carros, el carrillo o el tablado es muy frecuente; véase este otro ejemplo en una acotación de Calderón en su auto "La hidalga del valle": "Toma el azadón y como que cava va abriendo un hoyo en el tablado".

Esta antítesis alegórica que se establece entre el carro bueno y el carro malo, como los llama el propio Valdivieso (13), se muestra con diversos sentidos en otros autos. En "La adúltera perdonada", de Lope de Vega, representado en Madrid en 1608, se contrapone el carro de la Iglesia al de la Justicia divina. En "La cena del rey Baltasar" Calderón escribe: "Ábrase una apariencia a un lado, y se ve una estatua de color de bronce a caballo, y la Idolatría teniéndole el freno, y al otro lado, sobre una torre aparece la Vanidad con muchas plumas, y un instrumento en la mano". Aquí ya no es una antítesis, sino que los dos carros "componen una alegoría que representa la vanidad y el orgullo de Baltasar" (14).

Cuando, a partir de 1648, se utilizan cuatro carros las posibilidades escenográficas aumentan. En "La hidalga del valle" Calderón usa los cuatro carros todavía como mansiones: uno es el de Job, otro el de David, el tercero el de la Gracia y el cuarto la casa de Joaquín, que es la de la Virgen.

Aparte de esta utilización simbólica de las casas y sus niveles, existe toda una complicada técnica de maqui-

81

naria. En ocasiones el segundo piso de la casa aparece por elevación, como en el auto de Calderón "A María el corazón", donde dice: "... se descubre, por elevación, una casa..." En el mismo auto, otras dos acotaciones correlativas dicen: "Y aparece una galera en lo alto con la Soberbia en la popa, y el Peregrino al remo con otros cautivos", y luego: "Da vueltas la galera y bajan al tablado el Peregrino y la Soberbia". No sólo había una galera en lo alto, es decir en el segundo piso de un carro, sino que además giraba. En esta misma pieza se lee: "Ábrese un peñasco y sale al tablado una hidra, movida sobre un carretón de ruedas". Este peñasco debía estar en la planta baja de uno de los carros.

En "Sueños hay que verdad son", también de Calderón, representada en Madrid en 1670, se describe con minuciosidad el uso de otros mecanismos: los bofetones y el rastillo. Dice una acotación: "... y dando vuelta ambos bofetones encontrados, canta". Y otra: "El tercer carro ha de ser una fábrica hermosa fingida de jaspes y bronces y en el segundo cuerpo de ella se ha de hacer un rastillo en que ha de salir una persona sentada al pie de un árbol recortado"; y luego dice: "el cuarto carro en correspondencia también de este tercero ha de tener a contrario el mismo rastillo y bofetón...". He realizado un pequeño esquema de lo que debían ser estos elementos de acuerdo a la utilización que Calderón hace de ellos y al significado de sus nombres. El rastillo es el equivalente de los puentes levadizos de Valdivieso que ya vimos y el bofetón es un bastidor que gira sobre uno de sus lados.

Pero es quizá en la "Memoria de las apariencias", que escribió Calderón para su auto "El Sacro Parnaso" en 1659 donde la imaginación del autor puso más a prueba el oficio de los encargados de realizarlas y que, como dice Muñoz Morillejo (15), debieron ser los mismos pintores y tramoyistas encargados de las decoracio-

Fig. 4.— Esquema de carro para autos sacramentales con bofetón y
rastillo, según el autor.

nes del Teatro del Buen Retiro y que fueron: Lotti, Antonozzi, Baccio del Bianco, Rici, Mantuano, Montero, Fernández Laredo... Como se ve casi todos italianos. Los autos sacramentales fueron escuela de autores, actores y escenógrafos. En dicha memoria leemos que "el primer carro (...) ha de ser una montaña hermosa, pintada de árboles, fuentes y flores. De ésta a su tiempo, ha de subir en elevación otra montaña (...) lo más que pueda y dar una o más vueltas al tablado".

"El segundo carro ha de ser un templo (...), éste se ha de abrir a su tiempo, y dejar descubierto un jardín bien aderezado. (...) De lo bajo de este carro, por un lado ha de subir una escalera también con elevación (...). Por esta escalera ha de poder subir y bajar un hombre (...); esto ha de volver a cubrirse, quedando el templo como estaba primero".

"El tercer carro ha de ser una fábrica rica de mármoles y jaspes, de la cual toda la fachada ha de dar vueltas desde el tablado hasta el capitel (obsérvese que el propio Calderón presupone aquí que la fábrica del carro remataba en capitel o chapitel, el remate piramidal típico de la arquitectura madrileña del XVII que efectivamente se utilizó en los carros, como hemos visto antes); y en lo alto se ha de ver, debajo de un dosel, una mujer sentada en una silla y delante de ella un bufete con aderezo de escribir y una fuente de plata. Todo esto, por canal, ha de bajar hasta el tablado, y a su tiempo volver a subir y quedar cerrado, como primero estaba".

El cuarto carro ha de ser un globo celeste, el cual ha de estar embebido en el primer cuerpo dél, hasta que a su tiempo se descubra en elevación, con seis personajes que le han de cercar, como sustentándole. Estas han de tener bajada el tablado y dejando el globo elevado se han de abrir en dos mitades y verse dentro dél un niño en una cruz, el cual se ha de elevar en ella hasta ponerse en lo eminente del globo" (16).

Esta larga cita, con lo anteriormente expuesto, sirve para ilustrar el desarrollo de la técnica escenográfica en las representaciones de los autos sacramentales en dos aspectos fundamentales: la complejidad de los mecanismos utilizados y el simbolismo de las casas, adscritas siempre a un personaje alegórico.

Como han constatado Parker y Varey (17), existe un simbolismo en la utilización de la escenografía y en las pinturas que la animan, así como en la agrupación y movimiento de los personajes en la puesta en escena de los autos sacramentales.

Unos pocos ejemplos servirán para aclarar estas hipótesis:

La hidra que mencionamos en "A María el corazón" tiene "siete cabezas coronadas, y de cada una sale una cinta, que han de traer, como tirando de ella, la Soberbia, la Avaricia, la Lascivia, la Gula, la Ira, la Envidia y la Pereza; y en ella sentada la Culpa con una copa de oro en la mano".

La escalera que sube desde el tablado hasta el jardín que está en lo alto del segundo carro de "El Sacro Parnaso", ya mencionado "ha de tener siete escalones, y en cada uno una tarjeta que en letras grandes diga, empezando desde el primero de la parte de abajo: Soberbia, Avaricia, Lujuria, Ira, Gula, Envidia, Pereza". Es curioso el distinto orden en que en ambos casos se enumeran los pecados capitales y los sinónimos "lascivia y lujuria" empleados.

En "La hidalga del valle": "salen del tocado de la Gracia siete caños de agua", mientras la Culpa dice: "siete Sacramentos son / y, aunque todos nos dan tanta / confusión, solo el primero / a atemorizarme basta..." En la misma pieza en otro momento: "se abre el carro y se ve en un trono de nubes una Niña vestida de Concepción en peana, y araceli de Serafines y baja por canal hasta ponerse sobre la Culpa, que caerá en el suelo". Y en otro momento: "sale, como han dicho los versos, la Gracia y el Amor por una parte y por otra la Culpa y el Furor, y en medio, algo delante de los dos, la Naturaleza". He aquí nuevamente la antítesis del Bien y el Mal; seguramente Culpa y Furor salían por la derecha del espectador.

También los trajes tenían un contenido simbólico, como la descripción de la tierra, que hemos citado, en "El Peregrino" de Valdivieso; y los objetos utilizados, como en la parodia de la misa que tiene lugar en esta misma pieza y en la que se sirven platos que contienen "un pájaro que vuela", "unos carbones", "una calavera" y "nada" (18).

Por último, queda un aspecto que, si bien ya hemos hablado de él, conviene señalar por su importancia. Se trata de la utilización del espacio urbano como lugar de la representación, como espacio teatral. Se utiliza un espacio urbano que, por tanto está previamente configurado, y que se transforma momentáneamente para la fiesta con los carros, los tablados, las gradas y, sin duda, las colgaduras en los balcones. No cabe duda de que, estando los carros representando en la plaza del palacio o en la plazuela de la Villa, estos marcos urbanos formados por el Alcázar, la iglesia de San Salvador, la Casa de la Villa, completaban la escenografía de los carros, incluso en su contenido simbólico.

¿Es quizá esta experiencia teatral de representaciones en espacios urbanos una de las causas de la peculiaridad de los corrales de comedias? Vamos a ver que la experiencia de los autos sacramentales es decisiva a todos los niveles para los corrales de comedias.

Los corrales de comedias

Lo primero que hay que decir de los corrales de comedias es que no corresponden a un modelo único y que es difícil, incluso, plantear una tipología de los mismos. Esto se debe fundamentalmente al hecho de que los corrales no eran edificios pensados y construidos para hacer teatro, sino que en cada sitio se aprovechaban espacios existentes, en muchas ocasiones —en Madrid en todos los casos— los espacios cercados, bien por tapias o por casas, donde la gente guardaba a los animales y a los que llamaban corrales, denominación que pasó a bautizar también a aquellos que se utilizaron para hacer comedias. Esto ocurrió principalmente en Madrid y Castilla; la primera mención de un corral como lugar de representaciones teatrales es de 1558, cuando Lope de Rueda recibe permiso del Ayuntamiento de Valladolid para construir un corral (19); después tenemos noticia de la representación que Jerónimo Velázquez realizó en el corral de N. Burguillos en Madrid en 1568 (20). A partir de entonces los corrales se mencionan frecuentemente.

Pero no en todas partes fue de la misma forma. Veamos algunos ejemplos: en Barcelona, Zaragoza, Málaga y Segovia se habilitaron los patios de los hospitales, denominándose patios de comedia; en Toledo en el Mesón de la Fruta, en Almagro en el Mesón de la Plaza, en Granada en el Corral del Carbón, Lonja y Posada, hermosa muestra de la arquitectura nazarí del siglo XV.

Y aquí conviene que nos detengamos a pensar la gran influencia que la arquitectura árabe tuvo en la arquitectura española; hasta el punto de que, como decía Menéndez Pelayo, el mudéjar es "el único tipo de construcción peculiarmente español de que podemos envanecernos".

Fig. 5.— El Corral de Almagro.

Fig. 6.— El Corral del Carbón (Granada).

Quizá una de las herencias arquitectónicas más claras que nos ha legado la arquitectura árabe es el patio y también su otra versión: el corral; espacios cerrados típicos de la arquitectura y el urbanismo musulmanes y, por consiguiente, de la mayoría de las ciudades españolas.

Como es sabido, el único corral de comedias que conservamos, aparte del Corral del Carbón, es este bellísimo de Almagro. Pues bien su traza es típica de la arquitectura mudéjar y, para mejor entenderlo, veamos dos muestras de ésta: el patio del convento de Santa Isabel, en Toledo, fundado en 1477 sobre restos de diversos palacios del siglo XIV (21) y la casa de la calle del Horno de Oro, en Granada, casa morisca construida poco después de la conquista.

De los demás corrales nada se conserva en la realidad y muy poco sobre su traza en el papel. Entre estos documentos existe un plano de 1713 del tejado que se hizo sobre el tablado en el Corral del Príncipe de Madrid. Incluso en época tan tardía se seguía utilizando un repertorio mudéjar, obviamente para no desdecir con su traza anterior.

No voy a entrar aquí en el delicado tema de cómo eran en realidad los corrales, ni siquiera los del Príncipe y de la Cruz, porque serían objeto de una ponencia cada uno, ponencias que, además, corren a cargo de otros especialistas. Sólo quiere dar algunas ideas generales que creo de gran interés.

Los corrales madrileños fueron varios: el de la calle del Sol, el de Burguillos y el de Isabel Pacheco, que fue llamado de la Pacheca, ambos en la calle del Príncipe, otro en la calle del Lobo y uno más en la calle de la Cruz; éste, junto con el Corral del Príncipe, al lado del que era de la Pacheca, fueron los que perduraron durante más de 150 años como escenarios públicos de

Fig. 7.— Patio del convento de Sta. Isabel (Toledo).

Fig. 8.— Casa de la calle del Horno de Oro (Granada).

Madrid. Aquí vemos en el plano de Madrid hecho por Teixeira en 1656 la zona teatral del Madrid de aquellos años: el Corral de la Cruz, el del Príncipe y otro de los de esta calle que se sabe hacía esquina a la de la Visitación. Porque quede más claro mostramos aquí los coliseos de la Cruz y el Príncipe, en que ambos corrales se transformaron, en el plano de Madrid hecho por

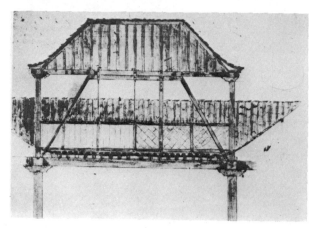

Fig. 9.— Plano de tejado en Belvedere sobre el tablado del Corral del Príncipe (1713).

Juan López en 1812. Aquí queda muy claro que ambos corrales tenían orientaciones ortogonales: el de la Cruz norte-sur, y el del Príncipe, este-oeste. Apuntamos aquí la influencia de estas orientaciones en las representaciones que en ambos sitios se realizaban, ya que se iluminación era la del sol por realizarse a pleno día, entre otras razones para evitar el peligro de incendio que hachones y velas podían suponer. Creo que este sería un interesante tema para investigar.

En otras ciudades, además de los ya citados, existieron en Sevilla el de Don Juan, el de las Atarazanas, el de

Doña Elvira, el de San Pedro, el de Don Manrique, el de la Montería; en Valencia el de la calle Murviedro y el de la Olivera; los hubo también en Barcelona, Zaragoza, Huesca, Burgos, Valladolid, Zamora, Segovia, Murcia,

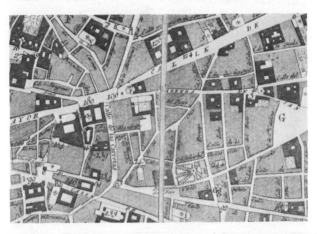

Fig. 10.— Los coliseos de la Cruz y el Príncipe tal como aparecen en el plano de Madrid realizado por Juan López en 1812.

Alicante, Elche, Orihuela, Granada y Vitoria. Tambien existieron corrales en el nuevo mundo, concretamente en Lima y Méjico.

Hay algo común a todos ellos y es el hecho de utilizar espacios preexistentes, tanto si se utilizaba un edificio concreto ya hecho, como en Almagro, Toledo o Granada —donde se habilitaba el patio del Mesón— o en Barcelona, Zaragoza, Málaga, Segovia y Méjico —donde se adaptó el patio del Hospital— como si se utilizaba el espacio entre casas como fue la inmensa mayoría de las veces. Y aquí hay que hacer una distinción, pues en el primer caso la arquitectura de los patios predeterminaba bastante el futuro del edificio, al tiempo que recogía la tradición anterior de las farándulas que actua-

93

Fig. 11.— Fachada de la Casa de Comedias de Valladolid.

ron en los patios de los mesones y posadas; mientras
que en el segundo, el espacio abierto entre casas, como
en el Príncipe y la Cruz ofrecía la posibilidad de ir
haciéndolo poco a poco como así fue en estos conocidos ejemplos. Se instaló primero un tablado o teatro y
unas gradas laterales, y posteriormente se le fueron
añadiendo aposentos, cazuela, tertulias, desvanes y taburetes. Esto explica un hecho que es insólito en otras
latitudes, con excepción de Inglaterra donde el proceso
es similar, y es que los grandes arquitectos de la época
no intervinieran en la traza de los corrales. Pero es
evidente que para hacer un tablado o unas gradas, para
abrir un hueco, hacer unas escaleras o empedrar un
patio, no se podía llamar a Juan de Herrera o a Gómez
de Mora, ocupados en empresas tan importantes como
el Monasterio de El Escorial o la Plaza Mayor de Madrid,
y sí, en cambio, se echase mano de "Juan Armaraz,
carpintero; Andrés de Aguado, albañil; Pedro Martín,
maestro mayor, y Francisco Zeruela, empedrador" (22)
que intervinieron en la construcción del Corral del
Príncipe. La primera intervención de un arquitecto en
un corral es la que se deduce del único plano existente
del Corral del Príncipe, dibujado por Pedro Ribera en 1735.

Constaba este corral de las siguientes partes: la vivienda de entrada con las puertas a la calle y el patio y los
accesos y escaleras a las distintas dependencias, además
de la contaduría y guardarropía, una habitación dedicada a la venta de fruta y aloja, dos cocheras y una
vivienda para el arrendador; a través de esta primera
sección se llegaba al patio, donde están las gradas
laterales que abrazan al escenario por ambos lados y al
que se abren las ventanas de las viviendas que lo
rodean, tapadas con rejas o celosías —éstas otra huella
de la arquitectura árabe española—.

Así fueron los corrales en su primer momento; después, como ya hemos visto, se complicaron con más

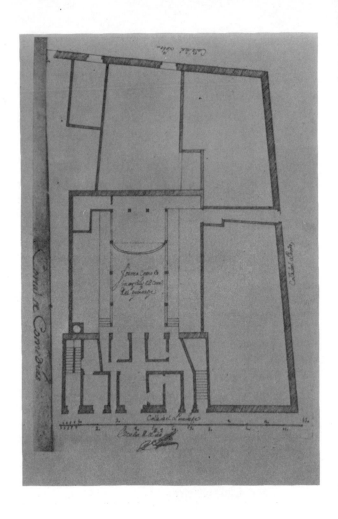

Fig. 12.— Plano del Corral del Príncipe dibujado por Pedro Ribera
en 1735.

aposentos: la cazuela de las mujeres, el aposento de los regidores de la Villa de Madrid, los bancos, la tertulia, los desvanes y los taburetes (23). Se va transformando poco a poco hasta que en el siglo XVIII los aposentos se han convertido en palcos a la italina, como muestra esta planta del Corral de la Cruz del año 1735. Debajo de los aposentos un corredor comunica con el escenario por debajo del tablado, espacio utilizado como guardarropía y vestuario de hombres. El vestuario de mujeres está detrás del tabique que sirve de foro al escenario, y se comunica con él por dos o tres puestas. Esto es importante pues quiere decir que los actores accedían al escenario directamente desde el vestuario. Encima del vestuario de mujeres existía un corredor y más tarde aparece un segundo corredor (se menciona por primera vez hacia 1664). A través de estos corredores pasaban los contrapesos de la maquinaria para elevaciones que antes vimos en el diseño del tejado para el tablado del Corral del Príncipe.

Como dice Othón Arróniz (24): "el cuerpo arquitectónico exterior funciona como una criba que separa, colocándolos en compartimentos estancos, a la nobleza, a las autoridades, a la gente del pueblo y a las mujeres de condición social modesta. Es un espectáculo que los une pero sin fundirlos". Esta jerarquización social de los corrales en cuanto al público se refiere se corresponde con otra jerarquización del espacio de la escena, social en ocasiones, simbólica siempre.

En efecto, el tablado es la calle, la sala de una casa, el campo. El corredor primero hace las veces de balcones de la misma casa, a los que se accede a través del vestuario de mujeres, en otras ocasiones, cuando el tablado es calle, las puertas del vestuario serían el acceso a la casa y el primer corredor es una sala o estancia de la misma casa. Un espacio del primer corredor debía estar acotado de alguna forma para hacer las veces de la "ventana", elemento al que los autores aluden repetidas veces. Otras veces este corredor era la muralla y el segundo la torre. El espacio situados delante del vestuario, flanqueado por dos pilares, era destinado a las apariencias, que se descubrían descorriendo una cortina que las tapaba, decorada según la ambientación requerida. Este espacio de las apariencias estaba reservado para las escenas de impacto o para los personajes de importancia o alcurnia.

Donde claramente existe una utilización simbólica del espacio escénico es en las comedias de santos. En ellas la disposición de planos según el esquema infierno-tierra-cielo, se corresponde con la realidad del corral: el demonio aparece siempre de debajo del tablado por un escotillón, el tablado es el dominio de los seres mortales corrientes, los corredores son para los mortales más cerca de Dios, los santos, y los seres celestiales aparecen desde lo alto, así como las nubes o los astros. El espacio de las apariencias se destina a las revelaciones, los signos del cielo o las escenas de mayor impacto (25).

Es Calderón quien da al escenario de los corrales una utilización más naturalista, siempre dentro del simbolismo barroco, mediante el uso de muebles —como la famosa alacena de "La dama duende"—, un desarrollo real en el tiempo de la comedia —el día y la noche aparecen claramente diferenciados en muchas de sus comedias— y la utilización precisa del espacio de la escena, lejos de la famosa práctica de Lope según la cual se conocía por lo que decían los actores el lugar en que estaban.

Hemos hablado de escotillones, apariencias y apariciones desde lo alto. ¿Cómo era la tramolla de los corrales?

Ya desde los tiempos de Cervantes, e incluyendo a Lope —a pesar de sus disgustos por la invasión de "caballos y carpinteros" en el teatro (26) y de su juicio negativo cuando dice que "el teatro de España se ha resuelto en aros de cedazos, lienzo y clavos" (27)— todos los autores hasta Calderón, con la excepción de Cristóbal de Virués del que luego hablaremos, utilizan más o menos el mismo repertorio escenográfico.

Aparte de la utilización de la arquitectura de la escena, ya aludida, podemos resumir ese repertorio en tres grupos que llamamos adornos, apariencias y planos inclinados (28). Los adornos eran los elementos muy manejables, como los muebles —sillas, mesas, alacenas— o ramas para un jardín, o árboles recortados, que se utilizaron mucho. Las apariencias, como su nombre indica, eran actores, escenas u objetos que aparecían. Esto se hacía mediante la cortina de apariencias, tendida desde el primer corredor que, al descorrerse, dejaba ver lo que se quería. En "La creación del mundo", de Lope, al descorrer la cortina aparece "un, o paraíso, con muchas flores y fuentes, pájaros y animales"; en esta escena aparecen Adán y Eva a la derecha. En ocasiones esas apariencias eran más pretenciosas: Lope de Vega en su obra primeriza "Los hechos de Garcilaso" dice: "Descúbrese un lienzo y hase de ver en el vestuario una ciudad con sus torres, llenas de velas iluminarias..." Pero las apariencias lo eran también de personajes, y esto se hacía mediante el escotillón desde abajo, mediante la grúa y el pescante desde arriba y por medio de la tramoya en horizontal. Esta tramoya parece que fue, en los primeros tiempos, una especie de pirámide invertida manejada en el vértice inferior por unas cuerdas que la hacían girar, presenando al público las distintas caras de la pirámide con aquello que se deseaba; quizá más adelante fuese una plataforma giratoria (29).

Por último, los planos inclinados eran la rampa para hacer subir a actores, incluso montados a caballo, al tablado desde el patio, como en "El médico de su honra", de Calderón. La entrada por el patio —que parece tan "moderno"— era práctica habitual, así como la utilización de todo el espacio del corral, según nos cuenta Casiano Pellicer de la jácara que se cantó en la compañía de Bartolomé Romero: "entre el gracioso que hablaba desde las tablas, la Juliana desde la cazuela, María Valcárcel desde lo alto del teatro, Pedro Real en una grada, el vejete en la grada segunda, y la Inés en el desván y claraboyas, que sin duda era lo que ahora la tertulia" (30).

También parece que el risco o peña y el monte o montaña, tan usados por Calderón, eran unos planos inclinados que se colocaban desde los aposentos laterales al tablado. No puedo dejar de relacionarlos con las puentes levadizas de Valdivieso y los rastillos de Calderón en los autos sacramentales.

Mención aparte merece la cueva, gruta o montaña que se abre, muy utilizada por Lope y sobre todo por Calderón —ya la vimos en su auto "A María el corazón", como cueva de la Hidra. Este es un tema mítico que ya Leonardo había diseñado en 1490 para "Il Paradiso" y que volveremos a encontrar en el teatro de corte.

Como se ve, el repertorio escenográfico es prácticamente el mismo que en los autos sacramentales. Nos dice O. Arróniz que "Las máquinas o artefactos usados por los contemporáneos de Cervantes no eran inventos de su época, sino sobrevivencias medievales. El drama semilitúrgico conocía las "apparitions" por medio de las cuales se presentaba súbitamente a los personajes, las "volleries" que se los llevaban al paraíso, y los "secretz" (o llamada también "feyntes") propios para escamotear actores de la vista del público" (31). Pero es que la tramoya de los corrales siguió siendo la misma después de Cervantes, con Lope y con Calderón. Sólo éste, como dijimos, tuvo un acercamiento más naturalista al tablado al tiempo que, por estrenar también en el coliseo del Buen Retiro con escenógrafos italianos, enriqueció aquél, si bien siempre dentro de las limitaciones de los corrales. Quizá su más interesante aportación en este sentido fuese el juego de luz y oscuridad en comedias como "La dama duende", "El galán fantasma", "Casa con dos puertas mala de guardar", "Mejor está que estaba" y "Peor está que estaba". De ellas sólo se sabe donde se estrenó "El galán fantasma", que lo fue en un salón de palacio —en el Alcázar o en el Buen Retiro (32). Sin embargo no se alcanza a ver como se resolvió ese problema escénico en unas representaciones a pleno sol como eran las de los corrales.

La supervivencia de la plástica medieval queda justificada al no estar implicados pintores y arquitectos ni en la construcción de los corrales ni en la puesta en escena de las obras, pero también se debe al carácter simbólico y alegórico del teatro, incluido por los autos sacramentales.

La perspectiva no hace su aparición en los escenarios hasta que Cosme Lotti viene a Madrid en 1626 llamado por Felipe IV.

En medio de este panorama conviene citar la excepción de un autor: Cristóbal de Virués. Virués estuvo mucho tiempo en Italia y debió conocer a fondo los planteamientos teatrales italianos de su época, ya que en sus tragedias hace alusión al escenario como un espacio único, siguiendo a Sebastiano Serlio en su división en las tres escenas trágica, cómica y satírica, y también se refiere a la puerta monumental en el centro del escenario tal y como la había planteado el Palladio en Vicenza. No he conseguido saber si Virués fue estrenado en los corrales, pero de ser así no creo que su teatro encajase muy bien en ellos: se trata de dos concepciones antagónicas.

Los coliseos de Sevilla y Valencia son también una excepción. En Sevilla, aparte de los corrales ya citados, existía otro en el Corral de los Alcaldes, sobre el que se hizo un primer coliseo en 1607 que ardió completamente. En 1613 se empieza a reconstruir, vuelve a quemarse y en 1618 se reconstruye de nuevo de acuerdo a un trazado que lo hace diferenciarse del modelo conocido de los corrales. Si bien tiene relación con los demás en cuanto que estaba hecho "a imitación de las esbeltas construcciones de esos alegres y característicos patios, recuerdo de la dominación árabe" (33), se diferencia en bastantes cosas: primero, se trata de un edificio de nueva planta y no de una transformación de un espacio existente; segundo, se sustentaba sobre veinte columnas de orden dórico en mármol blanco y no en pilares mudéjares de madera o ladrillo; tercero, estaba cubierto por un gran techo de madera y, por tanto, tenía ventanas para iluminarlo y ventilarlo; y cuarto, el patio estaba provisto en toda su extensión de bancos fijos. Por lo demás, tenía sus aposentos e incluso poseía otro patio de entrada como reminiscencia de la vivienda de entrada a los corrales castellanos. Este es el modelo que se siguió para la construcción del corral de Méjico que, si bien se hizo en el patio del Hospital de Indios, se concibió como un teatro independiente del propio patio (34).

En Valencia existía en 1584 un corral del tipo castellano en la plazuela de la Olivera (35) y en 1618 los administradores del hospital deciden construir el coliseo. Según O. Arróniz (36) el parentesco de este nuevo teatro con el Teatro Farnesio de Parma, obra de Gian Battista Aleotti, construido en el mismo año, es muy grande, salvando las distancias de ser éste un teatro de

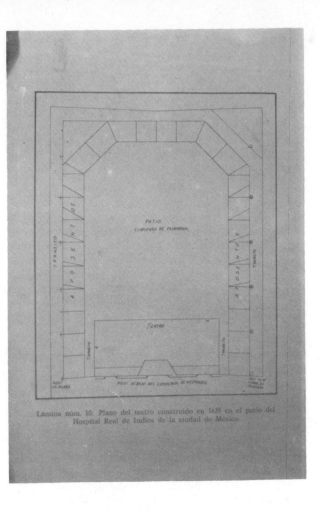

Lámina núm. 10: Plano del teatro construido en 1639 en el patio del Hospital Real de Indios de la ciudad de México.

Fig. 13.— Plano del Corral de Méjico.

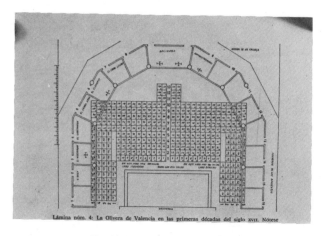

Lámina núm. 4: La Olivera de Valencia en las primeras décadas del siglo XVII. Nótese

Fig. 14.— La Olivera de Valencia.

corte y aquél un teatro público limitado por las condiciones del teatro español. Sin entrar en ese parentesco, sí diremos que la influencia italina en la Olivera, es aún más clara que en el coliseo de Sevilla. Era también un teatro cubierto sostenido por diez columnas de piedra rematadas por capiteles de orden toscano y el patio estaba ocupado por asientos para los espectadores; estaba techado y tenía, naturalmente, ventanas, y poseía un arco que parece ser un intento de arco proscenio; la forma de la sala se aproxima al teatro antiguo y el escenario queda rodeado por los espectadores en tres de sus lados, siendo esto más isabelino que italiano, así como el hecho de tener un balcón para público detrás del tablado. Por lo demás posee sus aposentos, vestuario y una maquinaria como los demás corrales.

O. Arróniz denomina felizmente teatro mediterráneo a este tipo de edificios, en contraposición al modelo castellano (37).

Está claro que estos dos coliseos son una excepción influida por Italia a través del mar, camino más fácil en aquella época; pero si, como hemos visto, todos los autores, con excepción de Virués, escribían para el corral castellano no se pudo dar en el teatro mediterráneo la simbiosis que se operó, sin duda, en los corrales entre el autor y el espacio teatral. Así estas influencias no tuvieron éxito, permaneciendo el corral castellano como el espacio teatral más popular del siglo de oro. Por otra parte, es lógico que España se resistiese a la influencia italiana por haber sido y ser todavía parte de aquel país colonia española.

Sin embargo, y a pesar de la supervivencia de los autos sacramentales y de los corrales, la influencia extranjera abrió felizmente brecha en España a partir del teatro que se empezó a hacer en la corte en la década de los 20.

El teatro de corte

Y esta brecha la abrió el propio Felipe IV enviando a buscar en Italia a Cosme Lotti, que llegó a Madrid en 1626, y enviando a Italia a Velázquez en 1629 para "que su corte estuviese absolutamente al día en cuestiones de gusto y estilo" (38).

Pero el sortilegio se rompió definitivamente al nombrar inspector superior de las representaciones teatrales de Palacio al marqués de Heliche, de quien Bances Candamo —poeta dramático de finales del XVII— dice que "fue el primero que mandó delinear mutaciones y fingir máquinas y apariencias, cosa que, siendo mayordomo mayor el Condestable de Castilla, ha llegado a tal punto, que la vista se pasma en los teatros, usurpando el arte todo el imperio de la naturaleza.

"Las líneas paralelas y el pincel saben dar concavidad a la plena superficie de un lienzo, de suerte que jamás ha estado tan adelantado el aparato de la escena, ni el armonioso primor de la música, como en el presente siglo" (39).

Esta sorpresa manifiesta queda aclarada cuando en 1658 Alonso Núñez de Castro, después de haber visto las representaciones en el Buen Retiro, escribe en su famoso libro "Sólo Madrid es corte": "en las comedias de tramoyas, que han admirado a la corte, el objeto más delicioso a la vista han sido las mudanzas totales del teatro, ya proponiendo un palacio a los ojos, ya un jardín, ya un bosque, ya un río picando con arrebatado curso sus corrientes, ya un mar inquieto en borrascas, ya sosegado en suspense calma".

El primero se asombra del enorme cambio y el segundo lo constata. Efectivamente, la tramoya y la escenografía de aire medieval de los autos y los corrales, que respondía a una concepción del espacio como lugar múltiple y compartimentado a la vez, basada en una aproximación alegórica y simbólica, era bien distinta de la nueva corriente venida de Italia que se basaba en la perspectiva como concepción integrada y unitaria del espacio que respondía a una interpretación naturalista de la realidad. La escena, como realidad figurada, no podía ser otra cosa que un espacio único. Y esto es lo que asombra a Bances Candamo, habituado a la interpretación simbólica del espacio, y lo que constata Núñez de Castro como mayor innovación.

Pero, ¿dónde tuvieron lugar estos prodigios?

Se sabe que en el Alcázar, residencia real hasta la construcción del Buen Retiro, existió un llamado Salón Grande, Dorado o de las Comedias, situado en la parte meridional del Patio de las Covachuelas, próximo a las habitaciones del rey; quizá fue en él donde el comediante Cisneros representó para el príncipe Carlos, hijo de Felipe II, en 1560 (40). No parece que éste se

tratase de un auténtico espacio teatral a juzgar por la
única descripción que de él poseemos, sino más bien
de una sala para divertimiento de la corte, donde más
que comedias —aunque también se hicieron— se hacían mascaradas, saraos y bailes. Esa noticia lo describe
como: "...la sala, que llaman de las comedias, larga de
sesenta y cuatro pasos y ancha de diecisiete, estaba
adornada con trece grandes tapices de oro, muy altos,
dentro de los cuales se veían las empresas de Carlos V
en África, con la descripción bajo cada uno de ellos en
lengua latina y encima en español; el techo, que está
enteramente tallado y decorado, tiene forma de canasta
invertida, está por tres lados unido a una galería que lo
recorre y por el lado último (están) los retratos de la
casa de Austria" (41). Posteriormente y a partir de la
transformación que hicieron primero Alonso Carbonell,
alrededor de 1640 (42), y más tarde los pintores Pedro
Núñez y Francisco Rizi (antes de 1649), se hicieron

Fig. 15.— Dibujo de Rizzi fechado en 1680, que el autor relaciona
con una representación habida en el Salón de Comedias de el Alcázar
de Madrid.

máscaras y comedias para celebrar el cumpleaños de la reina doña Mariana de Austria (43) en una decoración de columnas salómonicas revestidas de sarmientos y racimos de plata; de frontispicios decorados con genios, serafines, guirnaldas y tarjetones; de un solio para la infanta (que debía ser doña María Teresa) espléndidamente exornado (44). Esta descripción tiene mucho que ver con el único dibujo que se conserva de Rizi, aunque se feche en 1680. Posteriormente, el salón debió sufrir alguna transformación bajo la dirección del marqués de Heliche a partir de 1661.

Finalmente, y en este Salón Dorado, se representó en 1673 "Los celos hacen estrellas", de Juan Vélez de Guevara, para la que Francisco de Herrera el Joven, arquitecto y pintor, hizo los bocetos. De él se conserva también un dibujo del escenario del Salón Dorado de El Alcázar, donde se adivinan los tapices de oro, de ahí su nombre, alusivos a las empresas de Carlos V en

Fig. 16.— Escenario del salón de comedias del Alcázar, por Herrera el Joven.

108

Fig. 17.— Representación del Ballet de la Prosperidad en el palacio del Cardenal, grabado por Van Lochon.

África, la forma de canasta invertida del techo y las galerías laterales quizá ya convertidas en palcos, que vimos en la descripción citada. Pero estos mismos dibujos nos hacen ver que este salón no permitía hacer con plenitud lo que el teatro que venía de Italia requería.

También se hacían representaciones en otras salas del Palacio del Buen Retiro —como el Salón de Reinos y el contiguo Salón de las Máscaras (45)— y en todas ellas, así como en las demás representaciones a las que existía el rey (46), guardábase la rígida etiqueta de la corte, según las descripciones que nos han llegado (47) —que omito por su longitud y a las que remito en las notas— y que, al no poseer inconografía sobre ellas, recurro por analogía a esta escena, grabada por Van Lochon en los años 1640 y que muestra una representación del Ballet de la Prosperidad en el Palacio del Cardenal en París, en presencia de Luis XIII, la reina el futuro Luis XIV y el propio Richelieu. A juzgar por lo que sabemos, el aspecto de estas representaciones en la corte de España debía ser muy similar, haciendo las salvedades propias de la arquitectura de la sala —de acuerdo a la descripción que hemos visto del Salón Dorado de El Alcázar (48)—, de los personajes, de la ausencia de bufones y de algunas celosías y del hecho de que las damas de la corte española, incluída la reina, se sentaban en el suelo sobre almohadas (otra reminiscencia árabe). Lo que interesa constatar aquí es la dualidad del espectáculo que se ofrece a los espectadores normales —si había alguno—: por un lado el teatro con su ficcióno y por otro la fricción de la Monarquía, encarnada en Felipe IV que, en sus apariciones públicas, mantenía a una dignidad distante, lejos de la actitud conversacional de Luis XIII en este grabado (49).

También existió un corral real, según nos cuenta Cabrera en sus *Relaciones* el 20 de enero de 1607: "Hase hecho en el segundo patio de las Casas del Tesoro un teatro donde vean sus Majestades las comedias como se representan al pueblo en los corrales que están diputados para ellos, porque puedan gozar mejor de ellas que cuando se las presenta en su sala, y así han hecho alrededor galerías y ventanas donde esté la gente de palacio, y sus Majestades irán allí de su cámara por el pasadizo que está hecho, y las verán por unas celosías" (50). Se trataba, pues de un patio de comedias como tantos que hubo, solo que real (presumiblemente sería el patio central de las casas del Tesoro que figura en Teixeira).

Parte de estos teatros un poco improvisados, existieron otros donde la nueva plástica teatral se desarrolló con mayor amplitud.

En 1622 se realizó la famosa fiesta de Aranjuez, donde se representaron "La gloria de Niquea", de Villamediana, y "El vellocino de oro", de Lope de Vega. Había venido ese año a la corte para celebrar el cumpleaños del rey el capitán Julio César Fontana, ingeniero mayor y superintendente de las fortificaciones del reino de Nápoles e hijo del famoso arquitecto. El capitán construyó al efecto en el Jardín de la Isla un teatro temporal de madera y lienzo de unos 32 x 22 m., muy al gusto del Renacimiento (51), con arcos a cada lado, con pilastras cornisas y capiteles de orden dórico (recuerdense los coliseos de Sevilla y Valencia) rematado por una balaustrada en oro, plata y azul, detrás de la cual servían sesenta luminarias, cubierto por un toldo que representaba la bóveda celeste con estrellas y nubes y cuyo tablado se hallaba limitado a ambos lados por dos estatuas gigantescas de Mercurio y Marte, repetidas en las fachadas y, al fondo, dos puertas de acceso al vestuario, como en los corrales madrileños. El tablado estaba cubierto por un montaña enorme que se abría y se cerraba —otra vez aparece el tema (52)—, mostrando distintas maravillas en su interior. Esta es la trimera vez

Fig. 18.— Las Casas del Tesoro en el plano de Madrid de Teixeira.

que se utiliza el escenario como espacio único, si bien trucado para que fuese múltiple.

Es curioso que ese mismo año en las fiestas de beatificación de san Isidro en Madrid, descritas por Lope (53), hubo una tramoya de 11,20 m. de altura, instalada sobre un tablado, representando un fuerte con una nube en la cúspide, en la que estaba la Fama con una bandera en la mano y cuatro ángeles alrededor volando. Esto es la culminación de la tramoya usada en los autos sacramentales y los corrales y que coincide con el inicio de·la nueva escenografía. Sin embargo, tramoya y escenografía convivieron duramente muchos años.

En 1626 Cosme Lotti, discípulo de Buontalenti, venido de Florencia, construye otro·teatro efímero arrimado al Alcázar, según nos cuenta Carduchi en sus *Diálogos de la Pintura* (1632): "...delante de las ventanas de las bóvedas y cuarto de verano, se ha dispuesto de tablados un portátil teatro para tener comedias de máquinas, como las que estos días se han hecho, adonde Cosme Lotti (...) ha logrado con pasmo general sus admirables e inauditas transformaciones". Obsérvese la sorpresa que causaba la nueva práctica teatral.

En 1629 en este mismo teatro Lotti puso en escena "La selva sin amor", de Lope de Vega, considerada como una de las primera operas españolas. Leyendo la descripción que el propio Lope hace de aquella representación (54), vuelve a aparecer el asombro ante tanta maravilla, y se deducen —aparte del prodigio de las maquinarias, que eran novedad en su funcionamiento, pero no en su esencia— tres innovaciones importantes: el telón de boca (55), la transformación del espacio escénico en un espacio perspectivo y la iluminación artificial en algunos efectos (la luz sobre las olas y el brillo de los peces). Es aquí donde realmente se innovó la escena española entrando así en el teatro europeo,

Fig. 19.— El coliseo del Buen Retiro en el plano de Madrid de Teixeira (marcado con el n.º 76).

si bien los autos y los corrales convivieron con ella durante un siglo todavía y, lógicamente, tramoya y escenografía se influyeron mutuamente.

Pero donde el nuevo teatro tuvo su esplendor fue en el coliseo del Buen Retiro. Su escenario —a la italiana naturalmente— fue cátedra de arquitectura como lo demuestran los siguientes comentarios, si bien peyorativos. Ceán Bermúdez (1749-1829) en su famoso diccionario (56) dice refiriéndose a Rizi, uno de los más importantes escenógrafos de la época: "Pero en lo que más ostentó su fecundidad fue en las escenas del teatro del Buen Retiro, cuya dirección se puso a su cuidado. Son incalculables los males que sufrió la arquitectura con sus trazas caprichosas y con sus ridículos adornos. El teatro del Buen Retiro, colocado en el centro de la corte, era un ejemplo demasiado autorizado que no podían dejar de imitar la moda, la adulación y la ignorancia, por lo que se difundió en poco tiempo por toda España la corrupción y el mal gusto en la arquitectura". Y Jovellanos (1744-1811), en el discurso leído en 1781 en la Academia de San Fernando sobre la historia del arte en España dice: "Los artistas, que pintaban las decoraciones para el teatro del Retiro, contribuyeron no poco a autorizar el mal gusto de la arquitectura. Rici dirigió por mucho tiempo estos trabajos..." Naturalmente, estos comentario resumen la postura neoclásica ante lo que estos autores llamaban los desmanes barrocos, pero hoy, con suficiente distancia y sin querer hacer juicios de valor, entre otras cosas porque carecemos de los datos necesarios, podemos ver la importancia de aquellos trabajos a y su influencia en la arquitectura de la época. En el dibujo de Rizi que ya vimos se ven, efectivamente, rasgos similares a los de la arquitectura de los Churriguera y Ribera, tan denostados posteriormente y tan justamente apreciados hoy.

El escenario más importante del reinado de Felipe IV se inauguró el 4 de febrero de 1640 con una representación de "Los bandos de Verona", una versióno castellana de Romeo y Julieta de la que fue autor Rojas Zorrilla.

De las descripciones de este teatro hechas por Calderón (57) y Mme. D'Aulnoy (58), podemos deducir que

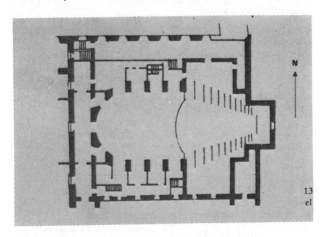

Fig. 20.— Planta del coliseo del Buen Retiro.

era de forma aovada, "la más a propósito para que casi igualmente se goce desde cada una de sus parte" (59); estaba pintado y dorado, y poseía a cada lado de la sala tres filas de balcones y aposentos muy amplios (como para quince personas cada uno), cerrados con celosías semejantes a las de la Opera de París (60).

En frente del escenario había un gran balcón que llenaba todo el frente "en forma de media luna", cerrado con celosías doradas: era el aposento para los reyes. Pero el rey no lo utilizaba, pues "por gozar del punto igual de la perspectiva" mandó hacer abajo un sitial rodeado de canceles de brocado rojo (61). Este dato es muy significativo en cuanto a la novedad que suponía la perspectiva en el teatro. El salón, muy amplio, estaba hermoseado por estatuas y bellas pinturas, no tenía orquesta ni anfiteatro y el público se sentaba en largos bancos (62). La techumbre "estaba pintada de una perfecta perspectiva que representaba una media naranja rodeada de corredores, y servía de dosel a un escudo en que estaban fielmente unidas las armas de las dos coronas" (63). Estas pinturas eran obra de Dionisio Mantuano, así como el telón que luego se describe. El "frontis del teatro" —Calderón llamaba así al arco proscenio — estaba sustentado por cuatro columnas altísimas de orden compuesto imitando jaspe verde, con las basas, capiteles y cornisas tallados con hojas; en los nichos entre columnas había dos estatuas doradas de Palas y Minerva y en los dos extremos, perpendiculares a las columnas, dos grandes estatuas de las Famas con ramos de laurel y oliva; sobre el entablamento en arco de círculo un medallón servía de clave, donde estaba el blasón de España acompañado de un león coronado sobre un mundo, con cruz, cetro y espada, jeroglífico de la religión y el poder. (Nuevamente nos remitimos al dibujo de Rizi). "La cortina que cubría el teatro" (el telón de boca) estaba bordada en hilos de colores imitando guirnaldas de rosas sostenidas por efebos y —cito literalmente de Calderón por la belleza del texto— "seguíase a ésta otra guirnada de cupidillos, que, colocados en diferentes movimientos, se fijaban todos a una propia acción, que era vibrar con la tirante fatiga de su arcos, un cetro por flecha, en cuya extremidad había una letra de oro en cada uno, de suerte que, juntas, unían este sagrado mote: "VULNERASTI COR MEUM".

"De suerte, que la primer orla de la cadena de flores,

mantenía la guirnalda de los cúpidos y ésta al círculo de las letras; y las tres servían de engaste a un corazón ardiente que estaba en medio, al cual se encaminaba la dulce tarea de sus arpones, cuya suavidad se declaraba en la letra castellana que había abajo, que decía así:

"Flechas que tan dulces hieren
Al llegar al corazón
flores, que no flechas son"

Esta represenación que Calderón describe de su comedia "Hado y divisa de Leónido y Marfisa" tuvo lugar el 5 de marzo de 1680 ante sus majestades Carlos II y María Luisa.

El escenario del coliseo poseía una elaborada maquinaria al estilo italiano con telones de fondo y bastidores sobre guías en el suelo accionadas por cabestrantes desde abajo y un ingenio especial para efectos aéreos. Parece ser que Baccio del Bianco trabajó en la preparación y ornato del coliseo (64). El escenario tenía una puerta al fondo con lo cual se podían incorporar a la escena los jardines del Buen Retiro como horizonte. Aparte la rica decoración, el escenario tan diferente y la forma de la planta, por lo demás el parentesco de la sala con los corrales estaba muy claro, así el coliseo era una simbiosis del modelo italiano con el castellano. Tanto fue así que el teatro se abrió al público y en la temporada inagural se imitó el ambiente de los teatros públicos que tanto habían frecuentado los reyes por separado y de incógnito y, para mayor diversión de la corte se soltaron ratones en la cazuela de las mujeres, situada debajo del palco real (65), con lo que es de suponer se consiguiera un alboroto parecido al de los corrales.

Si leemos la descripción que hace Calderón del "pórtico del teatro" que diseñó Mantuano en 1675 para el estreno de su obra "Fieras afemina amor" (66) y la comparamos con el que describe para "Hado y divisa..." del mismo artista, ya citada, debemos inferir que, o bien no existía pórtico o proscenio permanente en el coliseo y que se construída cada vez como parte de la escenografía —cosa que encaja muy bien con el gusto barroco— o bien existía uno y se disfrazaba para cada representación de acuerdo al tema de la obra —muy del gusto barroco también. En el primer caso no es extraño que ambos pórticos se parecieran tanto, siendo de la misma mano y en el segundo sería aún menos extraño que la arquitectura del pórtico fuese la misma. Ahora quizá se pueda pensar que el diseño que vimos de Rizi era para el pórtico del coliseo del Buen Retiro, ya que podría ser uno de sus disfraces.

Muchas comedias se representaron en el coliseo, casi todas de Calderón; de algunas conservamos descripciones como las ya citadas, pero la única documentación gráfica que tenemos es la de "Andrómeda y Perseo", de Calderón, estrenada en este teatro en 1653 por Baccio del Bianco. Estos dibujos no son los bocetos para la representación, sino un encargo posterior que se le hizo en memoria de aquélla para enviar a la corte de Viena. Al no ser bocetos previos, nada se puede asegurar, pero éste de la dedicatoria e introducción muestra un pórtico y telón completamente distintos a los que hemos considerado antes. Un rápido vistazo a las distintas escenas habla claramente del prodigio de la técnica desplegada, en la que se implican autómatas —como el Atlas, que se levantaba y cantaba—, máquinas de volar, grutas, incendios, paisajes, arquitecturas, todo dentro de la concepción del nuevo espacio escénico perspectivo. Tampoco se puede pasar por alto la finura del dibujante.

Del mismo Baccio fue la puesta en escena de "La fiera, el rayo y la piedra", también de Calderón, representada en 1652 y una de las más celebradas ya que, aparte de las representaciones a los reyes, los Consejos

144. Baccio del Bianco: *Andrómeda y Perseo*, Perseo, Palas y Mercurio. Cambridge, Mass, Universidad

Fig. 21.— Dibujos de Baccio del Bianco para *Andrómeda y Perseo*, de Calderón, representada en el coliseo del Buen Retiro en 1563.

119

Fig. 22.— Dibujos de Gomar y Bayuca para *La fiera, el rayo y la piedra*, de Calderón, representada en Valencia en 1690.

120

y el Ayuntamiento, se representó 37 días para el pueblo (67). De esta misma obra, pero de otra representación —la celebrada en Valencia en 1690 con ocasión de la boda de Carlos II con Mariana de Baviera—, conservamos dibujos de Gomar y Bayuca, discípulos del pintor y arquitecto valenciano José Candi (o Caudí), todos en perspectiva frontal. En ellos se aprecia perfectamente el uso de los bastidores laterales, del telón de fondo y de los techos. Tanto la concepción espacial como la calidad del dibujo son muy inferiores a las de Baccio del Bianco, lo cual es un dato indicativo de que por esas fechas los artistas menores andaban todavía aprendiendo la perspectiva y las técnicas italianas.

En el coliseo, sin embargo, trabajaron, aparte de los ya citados, otros grandísimos artistas como Antonozzi, el mismo Candi, Antolinez, Arredondo, González de la Vega, Pérez Sierra, Escalante, Benavides, Valdemira de León, Fernández Laredo, Bartolomé Pérez, Lorenzo Montero y otros.

Fig. 23.— El Buen Retiro en el plano de Madrid de Teixeira.

Pero en el Buen Retiro, el coliseo, el Salón de los Reinos y el de Máscaras no eran los únicos sitios donde se hacía teatro.

En 1633 Consme Lotti construyó un escenario partátil para representar comedias en el "patinejo", probablemente el pequeño patio del aposento del rey (68). Quizá fuese allí donde se representó, en 1635 "La fábula de Dafne", de Calderón. En otro patio se representó, también de Calderón, "Los tres mayores prodigios" en 1636, para la que Lotti hizo tres tablados distintos.

En 1631 el conde-duque de Olivares para agasajar a sus Majestades la noche de San Juan mandó construir un teatro en el jardín de su cuñado, el conde de Monterrey, y en los dos contiguos, con un cenador enfrente para los reyes y otros para las damas de honor. El teatro estaba coronado de luces, flores y hierbas. También se hicieron tablados para los coros y los caballeros. La fiesta comprendía música y dos comedias: "Quien más miente medra más", compuesta por Quevedo y Antonio Hurtado de Mendoza, y "La noche de San Juan", por Lope de Vega (69).

Para las fiestas de 1637 se construyó en el Prado Alto de San Jerónimo un coso, rodeado por estructura de madera de dos pisos, dividida en 488 palcos; la madera se pintó simulando plata, bronce, jaspe y mármoles, y en la arena se trazaron el sol y el girasol, emblemas del rey y de Olivares. Se iluminó con más de 6.000 antorchas y faroles de cristal. En este recinto se celebraron justas, que se abrieron con dos carros triunfales diseñados por Cosme Lotti, en los que se representó un diálogo de Calderón titulado "La paz y la guerra". Otros días se representaron comedias ante las ermitas de San Bruno y San Isidro.

También se utilizó el estante grande como escenario.

La noche de San Juan de 1640 se representó "Certamen de amor y celos", compuesta por Calderón para la ocasión por encargo del rey. Se hizo con "máquina, tramoyas, luces y toldos, todo fundado sobre las barcas" (70). El mismo año se representó en la isla del estanque "La fingida Arcadia", de Tirso de Molina. En 1638 se puso en escena "El hijo del sol, Faetón", de Calderón, con escenario de Cosme Lotti.

Pero el espectáculo de más envergadura que se hizo en el estanque fue "Circe o el mayor encanto amor", de Calderón, en la noche de San Juan de 1639 para la que Cosme Lotti desplegó todo su ingenio y en la que el agua tuvo mayor uso (71). Al año siguiente se representó "Los tres mayores prodigios", de Calderón, para la que se construyeron tres escenarios que funcionaron simultáneamente para la loa e independientes para la comedia. En todas estas representaciones el público contemplaba el espectáculo desde la orilla o en barcas sobre el estanque.

La pasión de Felipe IV por el teatro y la del Conde-Duque por complacerlo no se limitaron al Alcázar y el Buen Retiro. En la Casa de Campo, donde su Majestad poseía un pabellón de verano con jardines, parque y estanque, se construyó un coliseo, al igual que se hizo en el también Real Sitio de la Zarzuela. En ambos, como en el del Buen Retiro, se representaron comedias de aparato. En la Zarzuela se representó en 1629 "El jardín de Falerina", de Calderón, con música de Juan Risco, con tramoyas y maquinarias de Lotti, y en 1657 "El golfo de las Sirenas", también de Calderón, que se representó posteriormente en el Buen Retiro. Esta es la primera obra que se conoce como "fiesta de zarzuela" (72).

Naturalmente la afición al teatro de los reyes tuvo su reflejo en los cortesanos; así nos dice Casiano Pellicer

(73) que: "Solían con efecto los señores, los togados, y la gente principal llamar a los comediantes a su casa para que hiciesen en ellas algunos pasos (y aún comedias) y cantasen, después de haber representado en los corrales, y a esta diversión casera llamaban un "particular".

También el clero, a pesar de su oposición oficial al teatro, se dejó llevar por sus encantos. Los mismos jesuítas, que protagonizaron —sobre todo en la persona de Nithard— los más duros ataques al teatro por la supuesta inmoralidad de los actores y no por el teatro en sí mismo, tenían una gran tradición teatral en sus colegios, emparentada con el teatro universitario del siglo XVI. Es famosa la representación de 1640 con que los padres del colegio imperial festejaron el Centenario de la Compañía con una comedia "de maravillosas tramoyas, obra de Cosme Lotti" (74). Se sabe también que en el convento de San Felipe el Real, de Madrid, "representaban comedias en la sacristía los autores y las actrices del teatro" (75).

Madrid, ciudad-teatro

El teatro en la España del XVII era una parte importante de la vida, sobre todo en Madrid. Por todo lo dicho hasta ahora se puede decir que Madrid era un ciudad teatral, pero si pensamos en los autos sacramentales, para los que calles y plazas fueron escenario en el que los edificios y los carros constituían el decorado, podemos decir que Madrid fue una ciudad-teatro. Y esta afirmación se hace más sólida si tenemos en cuenta los festejos y celebraciones que en la Villa se hicieron a lo largo del reinado de Felipe IV, ya para celebrar las buenas nuevas de la familia real o de las guerras que España mantenía —si bien las relativas a éstas no fueron muchas—, ya para recibir a personalidades extranjeras. Desde el 2 de mayo de 1621 en que se

124

celebró el advenimiento del nuevo rey con prodigiosos fuegos artificiales representando las armas de Madrid, hasta el 6 de noviembre de 1661, en que se celebró el natalicio del tan deseado descendiente que luego fue Carlos II y que constituyó uno de los más esplendorosos espectáculos, Madrid fue durante 40 años escenario de mascaradas, justas, entradas reales y no reales, juegos de cañas, corridas de toros, fuegos de artificio, concier-

Fig. 24.— Fiesta celebrada en la Plaza Mayor de Madrid en honor del príncipe de Gales en 1623, por Juan de la Corte.

tos, comedias, autos sacramentales y espectáculos de todo tipo.

Pondremos algunos ejemplos. Para la entrada oficial en Madrid del príncipe de Gales en 1623, la comitiva partió de San Jerónimo, siguiendo la carrera de su nombre, Puerta del Sol, calle Mayor, Plaza Mayor y Plaza de Santa María hasta el Alcázar. Las calles lucían colgaduras y tapices y en la calle Mayor "había tablados en los que representantes, con bailes y representaciones, acompañaban al regocijo del pueblo" (76). Con ocasión de la solemne entrada pública en Madrid de la nueva soberana Mariana de Austria, el 15 de noviembre de 1649, la Villa realizó grandes aprestos, como nos cuenta Deleito y Piñura: "Habíanse arreglado caminos, desmontado cerros, abierto esplanadas y confiado a los gremios la tarea de arreglar y ornamentar muchas calles.

"Los plateros toman por su cuenta desde la puerta de Guadalajara hasta Santa María... Todo el paso ha de estar adornado de pinturas en forma de arco o pasadizo, y a trechos con aparadores ricos de plata y oro".

La cerca del Retiro trocóse en muralla provista de puerta que se abría al Prado. En este paseo se erigió un montecillo, que representaba el Parnaso simbólico, donde aparecían representados los más insignes vates españoles antiguos y modernos. Por todas partes se alzaban arcos de triunfo, representando pórticos, templetes, galerías, portadas, montes, pirámides y columnas de oro y pórfido; todo de factura griega o latina, y con alegorías de césares romanos y monarcas españoles. Estaban diseminadas tales construcciones por las alturas del Espíritu Santo (en el camino de Alcalá); en la carrera de San Jerónimo, junto a la iglesia de los Italianos, y en otros puntos; en la puerta a la Iglesia de los Italianos y en otros puntos; en la Puerta del Sol, gradas de San Felipe, calle Mayor, Platerías y Plaza del Salvador. (...) En la plaza de Santa María se improvisó otra construcción, representando a América y las hazañas de nuestros navegantes y conquistadores ultramarinos. En la plaza de Palacio dispusiéronse varios carros de triunfo. Y todos estos artificios llevaban emblemas, inscripciones y epigramas explicativos de su significación. Aquel destartalado y sucio Madrid aparecía convertido en ciudad monumental, por obra de los lienzos, las tablas y las pinturas.

A lo largo de la carrera habíanse dispuesto, según el narrador epitalámico Andosilla (uno de los mejor informados), hasta treinta y seis teatros en los extremos de las calles; esto es, tablados para danzas y representaciones escénicas, efectuadas al paso de la soberana. Todas las vías del tránsito estaban engalanadas con arte y riqueza (77).

Epílogo al día

Si atendemos a la historia del teatro en sus aspectos especial y plástico, en España no hubo Renacimiento en un sentido total —y si no es total, ¿qué es el Renacimiento?—, pues cuando las claves de este movimiento llegaron aquí, lo hicieron ya transformadas y a la orden del día, es decir; en barroco. Sin embargo se puede decir que hubo un "renacimiento barroco", y éste sí que fue total, como hemos visto a lo largo de esta exposición.

Cuando Felipe IV murió su cadáver fue expuesto en el Salón Dorado o de las Comedias del Alcázar. Era lo lógico para un rey que había asistido como espectador a los corrales, que había escrito o al menos inspirado comedias, que había subido al tablado, que había a la vez "corralizado" y europeizado el teatro de corte y que había hecho de la Monarquía un continuo espectáculo, algo así como el Gran Teatro del Mundo. Creo que el teatro español debe a este monarca un homenaje.

Hemos estado hablando de lo que se llama teatro clásico. ¿Qué sentido tiene hoy en día esta expresión?

Yo no veo más que dos alternativas. Una es el trabajo de investigación en el que hay mucho por hacer y no sólo en lo que a trabajos como el aquí presentado se refiere, sino más aún en lo relativo a la puesta en escena. Sería lo que podríamos llamar un "teatro arqueológico", una profundización en el texto según las coordenadas de la época en todos los aspectos, representaciones a la manera del siglo XVII. Un trabajo difícil y serio, intenso y largo, con poca proyección pública.

La otra alternativa consistiría en ir derecho a la esencia de "lo clásico", que es lo que de vigente puede tener ese teatro. Y entonces, si es vigente, tiene que ser de hoy y quizá haya que revisar el argumento, los nombres de los personajes, el propio texto. Sería beber en las fuentes, descodificar el texto y revertirlo, literaria y plásticamente con un lenguaje de hoy.

Estas dos alternativas se complementan y se alimentan una a otra.

Cualquiera de estas dos vías me parece válida como homenaje no sólo a Felipe IV sino, sobre todo, por más merecerlo, a Cervantes, Lope, Calderón, Tirso y todos los grandes poetas dramáticos de este llamado siglo de oro que, desgraciadamente, tan poco brilla sobre nuestros escenarios.

En cualquier caso el debate queda abierto.

NOTAS

(1) Escudero de la Peña, *Fiestas del Corpus Christi en Madrid* (siglo XV), RABM I (1871), (citado por N. D. Shergold y J. E. Varey, *Autos sacramentales en Madrid hasta 1636,* Estudios escénicos IV, Madrid 199).

(2) Es, además, notorio que a lo largo de todo el siglo XVII, y después también, la Iglesia anduvo interviniendo en los asuntos teatrales, las más de las veces tratando de prohibirlo y criticando a los comediantes por "inmorales".

(3) Marcel Bataillón, en *Varia lección de clásicos españoles,* Gredos, Madrid, 1964.

(4) Muñoz Morillejo, *Escenografía española,* Real Academia de Bellas Artes de San Fernando, Madrid, 1923.

(5) Jerónimo de Quintana, *A la muy antigua, noble y coronada Villa de Madrid, historia de su antigüedad, nobleza y grandeza,* Madrid, 1629.

(6) J. E. Varey, *La mise en scène de l'Auto Sacramental a Madrid au XVIe y XVIIe siecles,* en Le Lieu theatrale a la Renaissance, Centre Nationale de la Recherche Scientifique, París 1968.

(7) J. L. Flekniakoska, *La representation de l'Auto "La margarita preciosa" de Lope de Vega a Segovie, en 1616,* en "Le lieu theatrale a la Renaissence, Centre Nationale de la Recherche Scientifique, París 1968.

(8) Muñoz Morillejo, op. cit.

(9) J. L. Flekniakoska, op. cit.

(10) J. E. Varey, op. cit.

(11) J. L. Flekniakoska, op. cit.

(12) José de Valdivieso, *Doce actos sacramentales y dos comedias divinas,* Toledo 1622 (citado por J. E. Varey en op. cit.)

(13) J. E. Varey, op. cit.

(14) J. E. Varey, op. cit.

(15) Muñoz Morillejo, op. cit.

(16) Citado por Muñoz Morillejo, op. cit.

(17) Parker, *The Allegorical Drama of Calderón,* Oxford-Londres, 1943, y J. E. Varey y N. D. Shergold, *Los Autos Sacramentales en Madrid hasta 1636,* Estudios escénicos IV, Madrid, 1959.

(18) Citado por J. E. Varey en op. cit.

(19) N. A. Cortés, *El teatro en Valladolid,* Madrid, 1923.

(20) Casiano Pellicer, *Tratado histórico sobre el origen y progreso de la comedia y del histerionismo en España,* Editorial Labor, Barcelona, 1975.

(21) F. Chueca Goitia, *Historia de la arquitectura española,* Dossat, Madrid, 1965.

(22) Casiano Pellicer, op. cit.

(23) Othón Arróniz, *Teatros y escenarios del Siglo de Oro,* Editorial Gredos, Madrid, 1977.

(24) Othón Arróniz, op. cit.

(25) Sobre estos temas, véase Lucette Roux, *Mise en scene de la Comedia de Santos,* en Le Lieu theatrale a la Renaissance, Centre Nationale de la Recherche Scientifique, París, 1968.

(26) *Lo fingido verdadero,* de 1608.

(27) *La Circe,* de 1623.

(28) Para este tema, véase O. Arróniz, op. cit.

(29) O. Arróniz, op. cit.

(30) Casiano Pellicer, op. cit.

(31) O. Arróniz, op. cit.

(32) O. Arróniz, op. cit.

(33) J. L. Sánchez Arjona, *El teatro en Sevilla en los siglos XVI y XVII,* Madrid, 1887.

(34) O. Arróniz, op. cit.

(35) Henri Mérimée, *Spectacles et comédiens a Valencia (1580-1630),* Toulouse, Imprimerie Edouard Privat, 1913.

(36) O. Arróniz, op. cit.

(37) O. Arróniz, op. cit.

(38) J. Brown y J. H. Elliott, *Un palacio para el rey,* Revista de Occidente · Alianza Editorial, Madrid, 1981.

(39) Muñoz Morillejo, op. cit.

(40) J. Deleito y Piñuela, *El rey se divierte,* Espasa Calpe, Madrid, 1964.

(41) A. Sánchez Rivero, *Viaje de Cosme de Médicis por España y Portugal* (citado por O. Arróniz, op. cit.

(42) Citado por O. Arróniz, op. cit.

(43) Muñoz Morillejo, op. cit.

(44) Muñoz Morillejo, op. cit.

(45) En el Salón de Reinos se representó en 1637 una comedia de Calderón, hoy perdida, sobre las aventuras de Don Quijote. Ese mismo año se hizo una justa literaria con espléndido escenario de Cosme Lotti que representaba el Monte Parnaso (citado por J. Brown y J. H. Elliott, op. cit.)

(46) No en las que asistía de incógnito en el Corral de la Cruz.

(47) Casiano Pellicer, op. cit., y J. Brown y J. H. Elliott, op. cit.

(48) Los salones de Reinos y de Máscaras del Buen Retiro tenían balconadas, al igual que el Salón Dorado del Alcázar y éste de Richelieu (véase J. Brown y J. H. Elliott, op. cit.)

(49) Bertaut, en su *Journal de Voyage d'Espagne* (Revue Hispanique n.° 111, octubre 1929), cuenta que en la representación que se dio al mariscal Crammont en el Retiro —seguramente en una de estas salas— "El rey durante toda la comedia, a excepción de una sola palabra que habló a la reina, no movió pie, ni mano, ni cabeza: solamente volvía los ojos algunas veces a una y otra parte, y cerca de él solo había un enano (citado por Casiano Pallicer, op. cit.)

(50) Citado por O. Arróniz, op. cit.

(51) La práctica de este tipo de teatros se remonta, al menos, a 1513, cuando Pietro Roselli construye uno en el Campidoglio.

(52) Esta montaña que se abre tuvo su transposición a las comedias de santos en "la nube que se abre", según nos cuenta Alonso Jerónimo de Salas Barbadillo en *Corrección de Vicios* (Madrid, 1615), cuando dice, refiriéndose a las comedias de santos: "hay nube de casta de cebolla, con tres telas, que se abre otras tantas veces, y debajo de ellas viene alguna figura..." (citado por Julio Caro Baroja en *Teatro popular y magia,* Revista de Occidente, Madrid, 1974).

(53) Colección escogida de obras no dramáticas de Lope de Vega, Biblioteca de Autores Españoles 38.

(54) Idem de idem.

(55) En Italia el telón de boca se había usado, al menos, desde 1492 en el *Timone* de Bojardo.

130

(56) Diccionario histórico de los más ilustres profesores de las Bellas Artes en España, Madrid, 1800.

(57) En el Prólogo a su comedia *Hado y Divisa de Leónido y Marfisa.*

(58) Mme. D'Aulnoy, *Memoires de la Cour d'Espagne.*

(59) Palabras de Calderón en la descripción citada. Como se ve en el plano, en realidad no era de planta ovoidal, sin un rectángulo con un semicírculo al fondo.

(60) Mme. D'Aulnoy, op. cit.

(61) O. Arróniz, op. cit.

(62) Mme. D'Aulnoy, op. cit.

(63) Calderón, el prólogo citado.

(64) J. Deleito y Piñuela, op. cit.

(65) Citado por J. Deleito y Piñuela, op. cit.

(66) Comedias de Calderón, Tomo II, Biblioteca de Autores Españoles.

(67) Muñoz Morillejo, op. cit.

(68) J. Brown y J. H. Elliott, op. cit.

(69) Casiano Pellicer, op. cit.

(70) Pinelo, *Anales de Madrid.*

(71) Véase descripción, del mismo Lotti, en Muñoz Morillejo, op. cit.

(72) Cotarelo Mori, *Hitoria de la Zarzuela,* Madrid 1934.

(73) Casiano Pallicer, op. cit.

(74) Pellicer, *Avisos.*

(75) Casiano Pellicer, op. cit.

(76) Relación de la entrada pública del príncipe de Gales en Madrid, citada por J. Deleito y Piñuela, op. cit.

(77) J. Deleito y Piñuela, op. cit. (Donde cita la carta autógrafa de D. Jerónimo del Val al cronista de Aragón Juan Francisco Andrés, fechada en Madrid, a 3 de julio de 1648 y el Epitalamio a las felices bodas de nuestros augustos reyes Filipo y María Ana, 1649).

JUAN ANTONIO HORMIGÓN.— *Gracias Javier por tu intervención. Vamos a dar paso a dos ponencias monográficas, sobre lo que fue el local teatral público popular más difundido en el siglo XVII.*

Este es justamente el tema de los estudios tanto del profesor Middleton, como del profesor Allen, en torno al Corral de la Cruz y al Corral del Príncipe. Sólo quiero añadir que de la escenografía de Caudí, de la que ha mostrado cuatro diapositivas Javier Navarro, tengo aquí las fotos a tamaño bastante grande de las veintiséis planchas que existen en la Biblioteca Nacional de Madrid. Como no las podemos mostrar, quien las quiera ver que se aproxime.

EL URBANISMO MADRILEÑO Y LA FUNDACIÓN DEL CORRAL DE LA CRUZ

THOMAS MIDDLETON

THOMAS MIDDLETON

Fecha de nacimiento: 23 de febrero de 1933.
Nacionalidad: Estadounidense.
Experiencia laboral:
1965-1968, Research Associete (Investigador ayudante de cátedra) al Profesor Edward Hearn y Adjunto al Gerente de Producciones, Departamento de Teatro, Universidad de California, Los Angeles.
1970-1973, Teaching Associete (Profesor ayudante de cátedra), Departamento de Teatro, Universidad de California, Los Angeles.
1973-1976, Teaching Associate (Profesor ayudante de cátedra) y Consejero Estudiantil, Departamento de Teatro, Universidad de California, Los Angeles.
1976-1977, Director Ejecutivo Adjunto, Comisión de Intercambio Cultural entre España y los Estados Unidos de América, Madrid.
1977-hasta la fecha, Secretario Ejecutivo Adjunto, Comité Conjunto Hispano-Norteamericano para Asuntos Educativos y Culturales, Madrid.
Formación superior recibida:
1962-1965, Universidad de California, Los Angeles, Título Académico: B.A. Especialización: Teatro.
1965-1968, Universidad de California, Los Angeles, Título Académico: M.A., Especialización: Teatro.
1970-1972, Universidad de California, Los Angeles, Título Académico: Candidato de Filosofía, Especialización: Historia del Teatro.
1971-1973, Universidad de California, Los Angeles, Título Académico: Ph.D. (doctorado), Especialización: Historia del Teatro

Título de la tesis doctoral: **The Urban and Architectural Enviroment of the Corrales of Madrid: The Corral de la Cruz in 1600.**

Resumen de experiencia profesional:

Durante los años en la Universidad de California, Los Angeles, como profesor ayudante dio el curso **An Introduction to the Theater Arts**, o **Introducción a las artes teatrales.** El curso consistió en una introducción a la historia del teatro, cine y televisión.

También y particularmente durante los años en que fui investigador ayudante de cátedra, trabajó con el profesor Edward Hearn, especialista en arquitectura y elementos físicos de edificios de teatro en el mundo. Este trabajo le dio un conocimiento bastante amplio en la arquitectura del teatro y otros aspectos relacionados con la misma.

Lista parcial de las principales actividades realizadas en teatro:

Civic Theater de Portland, Oregon, EE. UU.: "John Loves Mary", actor; "Julius Caesar", actor.

Ralph Freud Playhouse y **The Little Theater** de Los Angeles, California, EE. UU.: "Tartuffe", ayudante técnico; "Vozzeck", actor; "The Tenor", actor; "Picnic", actor; "Tea and Sympathy", director adjunto; "This Property Condemned", actor y director; "The Lark", actor; "Baal", ayudante técnico; "La casa de Bernarda Alba", ayudante de decoración; "Mother Courage", técnico de iluminación; "Coriolanus", gerente de la compañia; "The Twins", director; "Grand' mere", director; "The Dance of Death", ayudante técnico; "Yerma", ayudante técnico; "The Drunkard", actor; "Oedipus Rex", ayudante técnico; "King Lear", ayudante técnico; "Macbeth", ayudante técnico.

Premios, condecoraciones y becas:

Cuadro de honor del decano de la Facultad de Bellas Artes, Universidad de California, Los Angeles, EE. UU, primavera del 1964 y otoño del 1964, Premio en teatro, "Oren Stein Memorial", Los Angeles, California, 1965; Premio al mejor director en obras de un solo acto, Los Angeles, California, 1966; Beca Fulbrigt en España, 1968-1969; Beca del Amo en España, 1969-1970; Beca "NDEA Title IV", Universidad de California, Los Angeles, 1970-1973; Beca concedida para la redacción de la tesis doctoral por el claustro de catedráticos de la Universidad de California, Los Angeles, 1973.

Publicaciones:

Crane, Stephen, **El rojo emblema del valor**, traducción de Micaela Misiego, comentado por Thomas Middleton. Madrid: Narcea, S. A. de Ediciones, 1971.

No pudimos encontrar (y menos mal) un proyector de cuerpos opacos. Entonces, en cada carpeta que ustedes tienen, detrás del texto de mi ponencia encontrarán las seis figuras a que hago referencia.

*   *   *

Después de un largo y fascinante viaje en tiempo y espacio, me encuentro hoy ante ustedes, un grupo de los más distinguidos miembros del teatro contemporáneo español. Es una experiencia que me acompleja un poco puesto que ya no pertenezco a la comunidad de teatro, comunidad a la que en otro tiempo pertenecí. Sin embargo, sí formo parte de esta comunidad desgraciadamente pequeña, pero exclusiva, que cree completa y entusiasmadamente que el teatro pasado, presente, y futuro, ha sido, es, y siempre será la más completa y más exigente de las artes. Es la más completa y exigente porque se compone de todas las artes además de otros elementos más mundanos que, a primera vista, parecen no tener gran cosa que ver ni con las artes ni con el teatro. ¿Qué tendrían que ver las cofradías caritativas, o la explosión de la población, o la expansión urbana con el teatro? ¿Qué tendrían que ver los decretos reales, bastante aburridos, respecto al espacio cuadrado en el interior de una casa, respecto a la colocación de sus galerías y corrales con el teatro? Pues bien, todo esto tiene mucho que ver con el teatro, particularmente con aquellos edificios que alojaban las comedias de la edad de oro del teatro español y donde se situaban en Madrid: los corrales de teatro. Para aquéllos que ya tienen conocimiento de las investigaciones e información que les voy a presentar hoy, pido un poco de paciencia; para aquéllos que hoy por primera vez oyen estos datos, espero, no solamente contribuir al conocimiento de su teatro, sino que además pueda tener una aplicación práctica para lo que ustedes intentan hacer con el teatro actual.

Hace un momento dije que ha sido un viaje largo y fascinante que me ha traído hoy ante ustedes. Ese viaje ya empezó en los años cuarenta, pero este viaje particular de investigación sobre los teatros españoles empezó en el año 1965 cuando estaba preparando mi licenciatura en el departamento de teatro de la Universidad de California en Los Angeles. En aquel tiempo, para un seminario del departamento, tuve que hacer una investigación condicionada a que fuera en una lengua no inglesa. Como tenía cierto conocimiento del castellano elegí esta lengua. Fui a la biblioteca superior de la universidad a buscar fuentes de información y allí encontré en una estantería un librito llamado *Tratado histórico sobre el origen y progreso de la comedia y del histrionismo en España,* escrito por Casiano Pellicer y publicado en el año 1804 en Madrid. Escribí el ensayo, me elogiaron por él, y desde entonces este tema me "enganchó", probablemente para el resto de mis días; la historia de los edificios de teatro de Madrid y de España de los siglos XVI, XVII y principios del XVIII: los corrales. De este ensayo hice mi tesina, que fue la traducción, primera y única, creo, al inglés con abundantes anotaciones del libro de Pellicer. De este ensayo hice mi tesis doctoral y además un libro aún sin publicar, cuya investigación fue hecha en Madrid a finales de los años sesenta y principios de los setenta, que fue presentado finalmente en inglés en el año 1976 a la

Universidad de California con el título *The Urban and Architectural Environment of the Corrales de Madrid: The Corral de la Cruz in 1600*, o, *El ambiente urbano y arquitectónico de los corrales de Madrid: El Corral de la Cruz en 1600*.

Antes de seguir, debo advertir que no he hecho mayor investigación sobre el tema desde 1976, año en que mi vida dio un giro dramático fuera del teatro, donde había sido actor, director, gerente de escena, técnico, ayudante de consejero teatral sobre arquitectura de teatro, estudiante, profesor e investigador durante los veinte años anteriores a esa fecha. Irónicamente este cambio de profesión me ha devuelto a España donde vivo desde hace seis años; pero mi trabajo actual, aunque tenga momentos dramáticos, sólo tiene que ver con el teatro indirectamente.

Para evitar repeticiones y citas durante el curso de esta presentación, quiero aclarar ahora que, las fuentes de este trabajo y lo que hoy digo están basadas en libros de texto por Ramón Mesonero Romanos, Luis Martínez Kleiser, Ricardo Martorell Téllez Girón, Miguel Molina Campuzano y Elías Tormo. También fue consultado un arquitecto: don Julián Fuentes Ortuño. Las fuentes documentales fueron Casiano Pellicer, Cristóbal Pérez Pastor, N. D. Shergold, J. E. Varey y documentos originales de los siglos XVI, XVII y XVIII del archivo de la Diputación Provincial, el Archivo Municipal y la Biblioteca Nacional, todos ellos de Madrid. También utilizé un mapa moderno de Madrid, fechado en 1961, dibujado por José Loeches, y el famoso mapa de Madrid fechado en 1656 por don Pedro Texeira.

El problema, con que me encuentro hoy, es condensar una obra de casi 300 folios en unas pocas y sucintas páginas, que espero sean de interés y utilidad para ustedes.

Como es bien sabido, en 1561 Felipe II mudó su corte itinerante desde Toledo a Madrid. Cuando Madrid llegó a ser la residencia de la corte la población aumentó mucho más allá de cualquier precedente en la historia de la España cristiana hasta el "boom" de los años sesenta y setenta de nuestro siglo. La expansión que causó este aumento de población, cambió el centro social y geográfico de la ciudad desde los alrededores de la Plaza Mayor hacia la Puerta del Sol, barrio donde los teatros públicos estarían situados poco después. Esta expansión creó problemas de vivienda, sanidad, salud, etc. Las soluciones de estos problemas afectaron también a la arquitectura civil y como consecuencia a las casas y sus corrales que se convertían con el tiempo en sus teatros.

Diversos historiadores españoles, utilizando y sintetizando documentos parroquiales de nacimientos, muertes, bautizados y personas de "confesión y comunión", y los censos de las familias que vivían dentro de las parroquias de Madrid, estiman las siguientes cifras durante el siglo XVI: en 1530, 4.775 habitantes; en 1570, 14.000 habitantes; en 1594, 46.209 habitantes, y en 1598, 57.285. Estas cifras indican que entre 1530 y 1570 —cuarenta años— la población se triplica. Probablemente el aumento mayor fue entre 1561, cuando se establece la corte en Madrid, y 1570. Después, entre 1570 y 1594 —sólo veinticuatro años— aumentó la población, de nuevo, más del triple. En los últimos cuatro años del siglo XVI aumentó más de 10.000 habitantes, que teniendo en cuenta que en este siglo la peste llegó a Madrid como mínimo dos veces —y puede que más— causando numerosas muertes y teniendo en cuenta que la mortalidad infantil en este época superaba el 50 %, para entonces era, como he dicho antes, una verdadera explosión.

Esta explosión de población, que fundamentalmente es más cantidad de cuerpos humanos, más apretados, dentro de una zona determinada, produjo la extensión de la ciudad donde la Puerta del Sol no sólo era el centro social de la ciudad, sino también su centro geográfico. Permítanme ilustrar, con la utilización de un plano moderno de Madrid sobrepuesto, una síntesis de varios historiadores y los cálculos de la expansión de Madrid desde el medievo hasta 1590 (fig. 1).

La línea sólida en el plano indica una aproximación a la muralla del Madrid medieval. El siglo XIII está indicado por una línea de guiones, y revela lo que era, entonces, una Plaza Mayor algo primitiva como centro geográfico de la ciudad. Mesonero Romanos estima que la expansión del siglo XIII comprendía la zona indicada con línea de puntos y ya incluía a la vecindad donde aparecerían los corrales en el siglo XVI —lo que quiero indicar es que posiblemente, ya en el siglo XIII, el barrio de los corrales fue un área establecida de Madrid—. La zona marcada con cruces indica los límites este, norte y oeste de la antigua parroquia de Santa Cruz, parroquia donde se establecieron los corrales. No se sabe cuándo se fundó esta parroquia, pero sí que era una parroquia antigua ya en el siglo XVI. En esa época había crecido tanto que se había dividido en dos parroquias: Santa Cruz en el norte, y San Sebastían en el sur. En 1566, sólo cinco años después de la llegada de la corte, la ciudad se había extendido aún más; está indicado por una línea de un guión y dos puntos. De esta época hay documentación que indica que la Puerta del Sol, aunque todavía no es el centro geográfico de la ciudad, ya lo era social y comercialmente, lindando con la futura zona de los corrales. La última expansión de la que me ocupo es la de 1590, indicada en el plano por una línea de un guión y un punto, y ya la Puerta del Sol era además del centro social, el centro geográfico también y, de nuevo, limita con los corrales que están unas pocas manzanas al este y un poco al sur.

He hablado de la parroquia de Santa Cruz y se podría preguntar: ¿qué tiene que ver una parroquia con un teatro? Sabemos que los corrales de teatro eran, en sus orígenes, casas privadas y corrales que se encontraban rodeados de esas casas. Para establecer el tipo de casas que existía en la parroquia, en la época en que nacieron los teatros de corral, he utilizado tablas complejas donde el número de familias alojadas en cada casa nos demuestra que la parroquia de Santa Cruz no era ni rica ni pobre, sino generalmente de clase media y con toda seguridad, las casas a su misma medida.

Dado que la terminología "clase media" como se usa hoy no se puede utilizar para el siglo XVI, creo que el barrio de los teatros de corrales era un barrio de sólidos burgueses con casas burguesas.

Con la llegada de la corte y explosión de la población en Madrid, se crearon problemas de vivienda desconocidos en épocas anteriores. Uno de estos problemas era la costumbre, algo siniestra, llamada "Regalía del Real Aposento de Corte". Hoy se mantienen diversas opiniones, entre historiadores, sobre la influencia de esta costumbre en las estructuras de las casas de la época. Pienso que no aparecería con tanta frecuencia en los documentos de la época si no hubiera tenido una influencia considerable. La Regalía, en su forma más sencilla, era un derecho señorial que databa de la Edad Media temprana, y obligaba a los dueños de casas privadas de la comunidad donde residía la corte, a alojar a ésta y su séquito, *gratuitamete*, en la mitad de la casa de cada propietario. Cuando llegó a Madrid la corte de Felipe II, esta obligación cayó sobre los propietarios de viviendas, sobre todo en aquellas que eran de dos o más plantas. En otras palabras, aquellas de fácil división: una planta para el propietario, la otra para el funcionario real y su familia. Estas casas eran conocidas como "casas de aposento".

144

A los madrileños el "privilegio" les sentó a cuerno quemado. El prestigio que la corte prestaba a la ciudad no acababa de compensarles. Desde hace siglos a los madrileños se les conoce por su forma astuta de evitar reglamentaciones poco gratas. ¡Sólo hay que mirar los problemas de tráfico y aparcamiento hoy mismo! En este ejemplo, bien merecida tenían su reputación. En seguida, después de 1561, empezaron a construir casas de una sola planta —"casas de malicia", como se dieron a conocer— que no se podían dividir en dos viviendas. La mayoría de ellas fueron construidas en la periferia de los barrios más antiguos, ya establecidos, de la ciudad. Hacia 1565, catorce años antes de la fundación del primer teatro de corral permanente, Madrid se había extendido tanto y las "casas de malicia" proliferado tanto, que Felipe II promulgó unas leyes para la construcción de casas nuevas y de renovación de las casas existentes.

Estas leyes son las guías *posibles* que nos pueden indicar la forma de construir los edificios que rodeaban los corrales, comprados para convertirlos en teatros. Como casi siempre en estos casos, los reglamentos describían lo *ideal*, y de todas formas describían lo que, entonces, se consideraban las mejores normas de construcción para casas burguesas —la casa de clase media— que, probablemente, predominaba en la antigua parroquia de Santa Cruz y en el barrio de los teatros. Un decreto de 1565 estipulaba que las casas deberían tener dos plantas, con una galería en la primera planta, orientada a una zona abierta, y un espacio mínimo de 630 pies castellanos cuadrados. (Un pie castellano era una medida exclusivamente de Castilla en aquella época, medía aproximadamente 28 cm). Otro decreto especificaba que los corrales estarían detrás de las casas cuyas fachadas daban a la calle y que debían ser suficientemente grandes según los edificios lindantes "por causa de la limpieza" —o sea sanidad—. En un pie de página a esta información de un libro de registro de 1567-1570 revelaba sólo dos casos de propietarios cuyas casas tenían el corral delante de la casa, en lugar de detrás.

El establecimiento de teatros permanentes en Madrid resultó del crecimiento acelerado de la ciudad, después de ser establecida la corte en 1561. Hasta entonces se habrían conocido, probablemente, compañías de teatro ambulantes en Madrid, aquellas "compañías de la legua", comunes en toda España, durante las décadas anteriores a los años setenta del siglo XVI. Estas compañías acostumbraban a alquilar los corrales de instituciones y casas particulares, la clase de casa donde, por ley, como hemos visto, el corral estaba situado detrás de las casas cuyas fachadas daban a la calle, y cuyas dimensiones estaban estrictamente dictadas por el tamaño del solar. La primera función de la que tenemos noticias, en un corral de Madrid, tuvo lugar el 5 de mayo de 1568, cuando un actor llamado Velázquez apareció en el corral del Hospital General. Las ventajas que suponía, tanto para los actores como para el público, hacer representaciones en lugares fijos, se hicieron pronto evidentes a las compañías de actores. Esta tendencia fue también respaldada por el rey y el Consejo de Castilla, al autorizar a ciertas cofradías a proveer sitios, al principio semifijos, y luego fijos, donde se representaran comedias.

En 1565, a los cuatro años del traslado de la corte a Madrid, los problemas causados por la enorme expansión de la población, principalmente el de sanidad, habían crecido a proporciones tales que un grupo de ciudadanos influyentes fundaron, con el beneplácito del rey y del Consejo de Castilla, la Cofradía de la Pasión y Sangre de Jesucristo, conocida como la Cofracía de la Sagrada Pasión. Tenía como objeto dar de vestir y de comer a los pobres y mantener un hospital para mujeres pobres y enfermas. La cofradía se suponía una organización económicamente independiente, sin subvenciones oficiales. Los cofrades tenían la obligación de buscar diversas fuentes de ingresos. En algún momento entre 1565 y 1572 a los cofrades se les ocurrió la idea de pedir el derecho exclusivo de proveer los locales para todas las representaciones de comedias en Madrid, utilizando los ingresos para los gastos del hospital y para sus obras de caridad. El gobierno aprobó la idea.

Dos años después de la creación de la Cofradía de la Sagrada Pasión se fundó otra cofradía con fines caritativos: la Cofradía de Nuestra Señora de la Soledad. Tenía mayores objetivos aún que la primera; objetivos que indican los graves problemas de la ciudad creciente. Entre sus propósitos estaba el de encontrar nodrizas y cobijar a niños recién nacidos y abandonados por sus madres por la pobreza y otras causas. Las más afortunadas de estas criaturas se dejaban en las puertas de las iglesias, conventos, casas de eclesiásticos ricos y burgueses. La mayoría, menos afortunada, se dejaban ahogar en pozos o aljibes, o peor, a la intemperie para ser devorados por perros y cerdos. Esta cofradía también entró en el mundo del espectáculo y pronto fue demandada por la anterior, la de la Sagrada Pasión, que consideraba un derecho único y exclusivo el de proveer los lugares donde se representaban comedias. En 1574 las dos cofradías llegaron a un acuerdo para juntar fuerzas y dividir los beneficios de sus obras caritativas: dos tercios para la Cofradía de la Sagrada Pasión y un tercio para la de Nuestra Señora de la Soledad. Finalmente las cofradías compraron sus propiedades; así nacieron los primeros teatros públicos permanentes; primero el Corral de la Cruz en 1579 y después, en 1582, el Corral del Príncipe.

Aquí es necesario aclarar un punto. Las calles donde estaban, como mínimo, cuatro de los cinco corrales, alquilados por temporadas por las cofradías, entre 1574 y 1584 (antes de fundar el Cruz y el Príncipe), aparecen en documentos del siglo XVI: el Corral del Sol estaba en la calle del Sol; el Corral de Burguillos, en la calle del Príncipe, como también el Corral de la Pacheca; el Corral de la Puente, en la calle del Lobo (hoy Echegaray); y otro, llamado Corral de Valdivieso, en una calle desconocida. Los lugares del Corral de la Cruz, en la calle de la Cruz, y el Corral del Príncipe, en la calle del Príncipe, están documentados y son hechos históricos. Las calles Príncipe, Lobo y Cruz se encuentran en el plano de Texeira de 1656 (fig. 2 y 3). La calle del Sol no aparece en el plano, pero es de suponer que estaría en los alrededores de la Puerta del Sol. Seis corrales, de los siete que están documentados en esa época, estaban situados en la misma zona, a corta distancia de la Puerta del Sol, en la vieja parroquia de Santa Cruz.

Cabe preguntarse: ¿por qué estaban los seis corrales en una pequeña zona de un barrio de la ciudad? La explicación está en que este barrio era el centro comercial y social de Madrid. El barrio donde una gran mayoría de los habitantes pululaban desde el amanecer hasta el anochecer. Las compañías de teatro querían ganar dinero, sin duda, y el mismo propósito tenían las cofradías, que tenían que mantener sus instituciones. Lógicamente buscaban los lugares por donde pasara mayor número de personas, y así poder anunciarse para atraer al público a ver una comedia. También era la zona donde las casas, sin renovaciones excesivas, tenían sus respectivos corrales detrás, fácilmente adaptados a teatros, con un escenario en un extremo del corral y suficiente espacio para el público sentado y el de pie, repartidos por el corral. Así podían, por el menor precio posible, atraer mayor cantidad de público y una asistencia numerosa —¡Si la comedia resultaba ser buena!—.

Sabemos que estos teatros-corrales se habían hecho partiendo de casas privadas y corrales. Debemos, pues, hacer otra pregunta: ¿Cómo era una casa privada, de clase media, del siglo XVI en Madrid? Que yo sepa no existe ninguna obra publicada sobre la arquitectura civil del Madrid de entonces. Pero del plano de Texeira (fechado unos cincuenta años después), de dibujos del siglo XVI y la primera parte del XVII y de dibujos de casas y calles de la ciudad, examinados junto a las leyes de construcción decretadas por Felipe II, nos podemos hacer una idea de cómo eran estas casas. Además, todavía hoy se encuentran algunos corrales civiles en Madrid, llamados popularmente "corralas". Ninguno de los corrales existentes se pueden atribuir con seguridad al final del siglo XVI, pero, sin duda, dan una idea gráfica del aspecto que tendría un corral de la época. Tengo en mente, como ejemplo, un corral de la calle Carlos Arniches en el Rastro.

La fachada principal de la casa daba a la calle. No había demasiadas ventanas. Esas ventanas tenían rejas o balcones. La planta de la calle en algunas casas tendrían tiendas y negocios, alquiladas por el propietario o propiamente suyas. Algunas casas tenían un zaguán grande o cochera. En la planta de la calle, en la parte de atrás, se encontraba la cocina y detrás el corral. Si la casa tenía las dos plantas que ordenaba la ley, una escalera interior o exterior conducía al primer piso. En el primer piso se encontraría la vivienda, en aquéllas que tuvieran negocios en la planta de la calle. Las que no tenían tiendas en la planta baja, tendrían distribuidas las habitaciones de la vivienda entre la planta baja y el primer piso. En el primer piso se encontraba la galería o "corredor", como entonces se le llamaba con frecuencia. Del plano de Texeira —que se debe de utilizar con cierta prudencia en cuanto a detalles arquitectónicos de cierta precisión— y de dibujos de la época, llegamos a suponer que la galería dando a la calle no era frecuente en Madrid. Lo más frecuente era encontrarla dando a la parte abierta de atrás: el corral. También esta impresión la apoyan los decretos de construcción de Felipe II.

Si suponemos que este tipo de casa, de clase media con su corral, se alquilaba, o quizás se compraba, para su conversión en teatro, no es muy difícil de imaginar los cambios necesarios para desarrollar actividades teatrales. La planta baja tendría una o más puertas a la calle para permitir el acceso a los diversos lugares del teatro, las habitaciones de la planta baja podían servir de administración, la cochera o zaguán podía servir de entrada principal al corral, y las habitaciones interiores de la planta baja se transformaban fácilmente para la venta de bebidas (aprovechando quizás la cercanía de la cocina), o incluso, en ciertos casos, como una zona adicional de asientos. El corral podía tener muchos espectadores si se obligaba al público a estar de pie, salvo en las orillas del corral. Al final del corral, al lado opuesto de la casa, estaba el escenario, levantado hasta casi la altura de un hombre, para permitir mejor visión a aquéllos que estaban de pie. En este caso, el espacio, bajo del escenario, se aprovechaba para máquinas teatrales, trampillas, etc. A los lados del escenario, tapados por sencillas cortinas o separaciones, había lugares para guardar el atrezo y el vestuario, y una zona en donde los actores podían vestirse.

La escalera de la casa original subía al primer piso, dónde las habitaciones que daban a la calle servían de vestíbulos para los espectadores. Cuando empezaba la función, podían, con facilidad, ir hacia las ventanas y balcones que daban al corral, desde donde podían ver el espectáculo. Si la casa tenía en esta planta una galería que daba al corral, era un lugar idóneo para situar más espectadores.

Si las ventanas y balcones, y hasta las galerías, de otras casas que lindaban con el corral se alquilaban, había más sitio aún para el público. A fin de cuentas, estos diversos usos del espacio creaban, sin necesidad de hacer un nuevo edificio, un mayor espacio público para una organización que utilizaba el teatro fundamentalmente como un negocio dedicado a la caridad.

Y finalmente llegamos al Corral de la Cruz, el primer teatro permanente de Madrid: un teatro que vio la gloria y la picaresca de la edad de oro de la literatura dramática española.

La historia del Corral de la Cruz empieza el 12 de octubre de 1579, cuando las cofradías compraron, según las escrituras de compra, "...un solar cercado y un aposento dentro de dicho solar, en la calle de la Cruz...". Otro documento fechado el 17 de noviembre del mismo año describe esta propiedad como "...una casa y solar que está en esta villa de Madrid en la calle de la Cruz...". Aparte de nombrar a aquellas personas que tenían propiedades lindando al solar y los arreglos financieros, es lo único que se dice de lo que se compró. No hay medidas ni hay descripción del aspecto que tenía la casa. Recuerdo que cuando llegué a esta parte de mi investigación pensé para mí "¡Qué buen comienzo! Con un poco de suerte podía contar con el final de esta investigación antes de cumplir los cien años!".

Las cofradías iniciaron las obras necesarias para convertir el lugar en teatro, y algo más de un mes después de la fecha de compra se inauguró con una obra de los "autores de comedias" Juan Granados y Jerónimo Gálvez el 29 de noviembre de 1579. Se continuaron las obras de reforma y mejora en el corral durante los próximos tres años. (Y ahora, uso el término de "corral" en el sentido de edificio de teatro al aire libre). Se adivina en estos documentos una evolución lenta de un teatro primitivo, a un teatro preparado para las compañías y comedias que en él se representaban. También hicieron un negocio rentable las cofradías.

A pesar de estos conocimientos, seguía sin saber las medidas de terreno que ocupaba el Corral de la Cruz. Ello me obligó a recurrir al único plano del teatro, a escala, encontrado entre documentos fechados en 1735 (fig. 4). He superpuesto mis medidas sobre él, utilizando la escala, en pies castellanos, que aparece abajo, a la derecha, en el plano. Entre la fecha de realización de este plano y la de la fundación del Corral de la Cruz, hay una diferencia de 156 años y, aunque en los documentos, antes citados, que se adjuntaban, se refieren al Corral de la Cruz —en ningún momento "teatro" ni "coliseo"—, este salto en el mismo tiempo es tan grande que no me animaba a creer demasiado en estos planos para conocer la forma original del corral. Además, en dichos documentos se hace referencia a algunas reformas del corral que no sabemos si llegaron a realizarse. También, por otros documentos posteriores, sabemos que el corral fue demolido durante los años cuarenta del siglo XVIII, aproximadamente diez años después de los documentos de 1735, para edificar un nuevo teatro al gusto italiano.

Para conocer el aspecto que tendría el corral en sus primeros tiempos, no tuve más remedio que volver a leer todos los documentos de que disponía fechados entre 1579 y 1735. Afortunadamente, en esta investigación, descubrí:

1. Entre estos años no se compró, ni vendió, más terreno para el corral. Lo cual indica que el terreno seguía siendo el mismo que el del año 1579.

2. Los documentos de 1579 a 1600 revelan una evolución del corral muy parecido al aspecto que tenía en

1735, con una de las excepciones más notables de los palcos que se advierten en la figura 4, a la izquierda del plano, inclinados hacia el escenario. El palco inclinado es una innovación del teatro italiano que llegó a España durante el siglo XVII, y no llegó a ser corriente en Europa hasta el siglo XVIII.

3. Los documentos de 1600 a 1640 indican su aspecto a finales del siglo XVI.

En el plano original de 1735 hay una línea central que divide en mitades el plano. Esta es una norma arquitectónica muy antigua. Lo que se ve a la izquierda de esta línea es la primera planta y lo que está a la derecha representa la planta baja.

Los documentos fechados entre 1579 y 1640 hacían referencia a dos cosas: al importe de reparaciones y renovaciones hechas en el corral y al dinero que se recaudaba en taquilla —el importe de los diferentes tipos de localidades—. Es decir, al importe del alquiler de "bancos", la entrada a los "tablados", "gradas", "corredores", "patios", "cazuela", "celosías", "ventanas" y "aposentos". Estas tres últimas pudieran ser el equivalente de lo que hoy llamamos palcos. Otros términos entonces utilizados en los documentos, son: "tablado" —que indica el escenario—, "alojería", "contaduría", "vestuario" y "theatro" (escrito así con "th"), que se refiere casi siempre al escenario.

Como todos saben, la palabra "cazuela" hacía referencia al lugar reservado a las mujeres. Aclaro que éstas sólo podían asistir al espectáculo, bien acompañadas, de un hombre de su familia a los aposentos o bien, solas, a la mencionada cazuela. También quisiera señalar el significado de la palabra "alojería", lugar donde se vendía "aloja", una bebida fermentada.

Utilizando el plano de 1735 y los documentos antes

mencionados, he creado dos planos que indican el aspecto que considero tendría el corral en 1600, uno, el plano de la planta baja y el otro de la planta alta o el primer piso. No puedo asegurar que esta reconstrucción fuera precisamente la suya, pero creo que es un buen paso hacia lo que ha debido de ser. La documentación se hizo documento por documento, con saltos de imaginación que conducían a callejones sin salida. No quiero cansarles con esas pesadas anotaciones y citas. No diré más que cada zona de esta reconstrucción está respaldada por documentos, algunas veces no tan claramente como quisiera, pero con frecuencia los documentos son tan claros que respaldan el plano de 1735 a la vez que mi reconstrucción del corral en 1600.

En el plano correspondiente a la planta baja se pueden observar los siguientes sectores del corral (fig. 5):

1. *Puertas*. Aunque en el plano de 1735 figuran sólo cinco puertas, en este que presento hay siete porque incluyen dos que, según un censo del siglo XVI, servían una de acceso a la alojería y otra a una tienda. He reconstruido la situación de las puertas de la forma siguiente: la primera da a la escalera que conduce a los aposentos, instalados a la izquierda del corral, en la primera planta; la segunda, a la escalera que conduce a la cazuela, también en la planta primera; la tercera, a la alojería —o a la tienda—; la cuarta a la cochera o zaguán, y de aquí se entra al patio donde se colocaban los "mosqueteros", grupo que con sus comentarios jocosos y de mofa animaba las representaciones con regularidad, y a las gradas a la izquierda del patio; la quinta puerta da directamente a las gradas de la derecha del patio; la sexta, a la tienda —o a la alojería—, que la situo, con uno de estos saltos de mi imaginación, en una especie de semisótano, debajo del primer descansillo de la escalera que conducía a los aposentos, instalados a la derecha del corral, en la primera planta;

y la séptima puerta da acceso a esta escalera. Si la casa original comprada en 1579, tenía una sola escalera, luego hubo lugar de construirse otras dos.

2. *La casa de Juan Bautista.* En unos documentos, fechados en 1586, se declara que un tal Juan Bautista habitaba y alquilaba una vivienda que formaba parte de la estructura del corral; tenía obligación de permitir el paso del público, por su casa, a las diversas zonas del local. La vivienda de Juan Bautista podría estar formada por algunas o todas las habitaciones que he señalado en el plano.

3. *El patio.* El patio se encontraba en el centro del corral. Los asientos —bancos y tablados— estaban situados en las orillas del patio, dejando el centro libre, para la mayoría del público, que estaba de pie. También había asientos en las gradas situadas a la izquierda y derecha del patio. Era, precisamente, donde se sentaban los hombres. De vez en cuando, los documentos hablan de "corredores bajos" cuando se refieren a estas zonas de gradas, y por eso creo que deben ser términos sinónimos. Al principio del patio, antes de las zonas ya descritas, había otra alojería —dentro del mismo corral— y la contaduría, donde se llevaba la administración. Sabemos que estaban situadas donde están indicadas en el plano, pero cuándo se situaron allí, es un misterio que no he conseguido aclarar. Sabemos también que en este lugar se encontraban más asientos para hombres.

4. *El escenario.* En el extremo opuesto a la entrada del patio estaba situado el escenario. Como ya dije antes, el tablado tenía la altura, aproximadamente, de un hombre. Esto permitía mejor visibilidad de aquéllos que estaban de pie y, además bajo el tablado se podía almacenar maquinaria, atrezo, etc., pudiéndose utilizar también para tener acceso al escenario por medio de

155

trampillas. En cierto período de la historia, las gradas se extendían al escenario, restringiendo la zona de interpretación. Debe de haber sido desconcertante para los actores. Finalmente esta práctica fue discontinuada por causa de las malas maneras del público.

5. *El vestuario*. Detrás del escenario, pero formando parte de él, estaba el vestuario. Vemos en el plano, a la derecha, una escalera que conduce a la parte alta del escenario, así como al vestuario de arriba.

En el plano correspondiente a la primera planta se pueden observar (fig. 6):

1. *Las escaleras*. Como ya dije antes, el conjunto de casa y corral, tenía tres escaleras que daban a la calle. Dos de ellas, bajan desde la primera planta a las entradas, sirviendo a los aposentos de izquierda y derecha. La tercera baja desde la cazuela a su entrada correspondiente, que estaba totalmente aparte, ya que daba paso, de manera exclusiva, a las mujeres.

2. *Las antesalas*. Estas zonas del teatro son las más arbitrarias de mi reconstrucción. Podían situarse en cualquier sitio de la casa original, siempre que sus paredes siguieran las líneas marcadas por los muros de construcción de la planta baja, además de asegurar la separación de las mujeres y los hombres por medio de mamparas ligeras o por vigilantes en puntos estratégicos.

3. *La cazuela*. Se encontraba al lado opuesto al escenario, en la primera planta. Era, evidentemente, la mejor zona del corral por su visibilidad. No se sabe el motivo de reservar este lugar a las mujeres. Después, en los teatros italianizantes, fue el emplazamiento ideal para el palco real. ¿Fue una deferencia al sexo débil? ¿Fue para mantenerlas separadas de los hombres? ¡Quién sabe!

4. *Corredores altos, ventanas, celosías y aposentos.*
Durante los primeros años del Corral de la Cruz, los
mencionados aposentos se llamaban realmente correderes altos. También se hablaba de varias ventanas y una
celosía. En el año 1600 existían varios aposentos y dos
celosías, desapareciendo el término de corredores altos.
De este hecho, deduzco que, la zona que al principio
estaba constituida por los corredores altos, se fue transformando poco a poco en lugares donde los ciudadanos más ricos se instalaban, convirtiéndose en espacios
semejantes a los palcos, pudiendo mantenerse, así, alejados de las clases más pobres. Estos aposentos eran
simplemente lugares cercados. Para aquella gente adinerada, que solían alquilar por temporadas sus localidades, estaban cerrados por celosías y ventanas, que se
abrían solamente al empezar la función. Nunca he podido adivinar por qué los ciudadanos más privilegiados
soportaban los peores asientos del teatro desde el punto de vista de la visibilidad. ¿Orgullo de clase? No estoy
seguro. Pueden ver ustedes que, en el plano-reconstrucción, he colocado las celosías lo más cerca posible del
escenario. No hay documentación que indique dónde
se situaban en los primeros tiempos del Corral de la
Cruz. Se puede apreciar cómo el enrejado de la celosía,
impedía la vista del escenario, a no ser que fuera
abatible o tuviera en el centro una pequeña ventana
que pudiera abrirse, independientemente de la celosía.
De todas formas, aunque quitaba la visibilidad, la cercanía del escenario haría que la situación no fuera excesivamente mala. A la izquierda y derecha de estos aposentos, pueden verse los pasillos que conducían a ellos.

5. *Planta alta del escenario y vestuario.* Al fondo del
escenario, en la primera planta, estaba situada una galería que servía a la escena, y detrás de ella, el vestuario
de arriba. Más adelante volveré a hablar de esta zona.

6. *La vela.* No está incluida en el plano-reconstruc-

ción. Se llamaba "vela" a un toldo que protegía el patio del sol, durante la representación de la comedia. También podía servir para que los vecinos de las casas colindantes no pudiesen ver el espectáculo de forma gratuita. No se dice nada de esto en los documentos; pero creo que es una idea razonable.

Quiero aclarar ahora, que las habitaciones que tuviesen ventanas y balcones que daban al corral que no pertenecían a la propiedad de las cofradías, eran alquiladas por sus propietarios, durante la representación de una comedia. Hay documentos que lo respaldan y los historiadores están de acuerdo. Había diferentes formas de tratar con las cofradías el reparto de los ingresos. En mi investigación del Corral de la Cruz, descubrí que era costumbre hacia 1636. Unos treinta años antes, no hay pruebas que avalen esta teoría. Las cofradías vigilaban muy bien su contabilidad y no mencionan, antes de 1636, nada sobre alquileres de este género.

Poco se dice del escenario en los documentos investigados. Seguramente porque este espacio no producía dinero en el sentido directo. Ahora bien, una lectura cuidadosa de las comedias que nos han llegado de aquella época y un análisis minucioso de los diálogos y las acotaciones, nos conducen a deducir que el escenario necesitaba: 1) Dos entradas como mínimo. 2) Suficiente espacio para las trampillas del tablado. 3) En el fondo del escenario, una zona donde había la posibilidad de descubrimientos rápidos o "apariencias". 4) Una zona, más alta que el tablado, para representar ventanas de primeros pisos, torres de castillos, murallas, etc., en otras palabras, cualquier espacio que estuviera situado más alto que el suelo. También se podía aprovechar para las "apariencias". 5) Una zona también más alta que el tablado, para instalar la maquinaria, y por donde pudieran aparecer o desaparecer actores y decorados. Nadie me puede convencer de que, en esta época, no hubiera una maquinaria adecuada, para hacer "volar" a los actores y decorados. En España, desde muchos siglos atrás, se conocían los complicados aparejos de los barcos de vela. No era difícil adaptar esa misma técnica y maquinaria en un edificio fijo, en lugar de una nave marítima.

¿Cómo sería la representación de una comedia en el Corral de la Cruz, en el siglo XVI, de pie, sentado o en la cazuela? Tenemos un relato apropiado en la *Philosophia antigua poética*, de A. López Pinciano, publicada en 1596:

Tres caballeros estudiosos, señores Pinciano, Fadrique y Ugo, se encuentran en una tarde madrileña en 1596. La versión española de *Iphigenia*, tragedia de Eurípedes, convertida en tragicomedia con elementos nuevos, se representa en el Corral de la Cruz. En el Corral del Príncipe se representa una comedia. Ugo prefiere ir a la tragedia, Pinciano a la comedia, y Fadrique que no tiene preferencia por ninguna de ellas, sugiere que lo echen a suerte. Sus amigos le dicen que le falta decisión. Les contesta que, en ese caso, deberán ir al corral más cercano, al Corral de la Cruz. Entran y toman asiento. Mientras esperan que la obra comience, se entregan a una larga discusión filosófica sobre los méritos de la literatura dramática, la puesta en escena de esta literatura y la necesidad del actor de ser honrado e íntegro en la interpretación de su papel. Ugo acaba de hablar, cuando se oyen afinar los intrumentos musicales, detrás de una cortina. De aquí aparecen la cabeza y los hombros de un pastor muy elegante, jamás visto en la España rural. Viste piel de oveja ribeteada con un vivo de oro y, para rematar, una capucha muy galante en forma de pico y una gola enorme, tan tiesa que gastarían fácilmente medio kilo de almidón.

Pinciano, pregunta: "¿Qué tiene que ver un pastor con tragedia?'.

Los tres señores se entregan a una animada conversación sobre la importancia del figurín apropiado. Fadrique hace un resumen del tema y Ugo, justo antes de empezar la obra, dice con entusiasmo: "No hay que tratar sino que el mejor entretenimiento de todos es la conversación del señor Fadrique. Mas dexada aparte, no es malo el entretenimiento que aquí se goza con muchas y varias cosas: con ver tanta gente unida; con ver echar un lienco de alto a abaxo, el patio digo, con un ñudo pequeño y el ver al frutero o confiterio que, deshaziendo el ñudo pequeño de metal, haze otro mayor de la fruta que le piden, y arrojándolo por alto, da tal vez en la boca a alguno que, fuera de su voluntad, muerde la fruta sobre el lienco; pues, las renzillas sobre este banco es mío, y este asiento fue puesto por mi criado, y las pruevas y testimonio dello; y el ver, quando uno atrauiessa el teatro para yr a su asiento, como le dan el grado de licenciado con más de mil aes. ¿Pues, qué, cuando a la parte de las damas andan los moxicones sobre los asientos, y alguna vez sobre los zelos? ¿Pues, qué, quando llueuen sin nublado sobre los que están debaxo dellas?

Entra, ahora, un coro que canta un romance muy apropiado para la obra: *El poder y la falta de constancia de la Fortuna*. Finalmente aparece la Fortuna, una joven con ruedas en los pies y alas en las manos. Recita un prólogo muy digno e incita a los tres amigos a un nuevo comentario sobre los pros y las contras del prólogo. Pero apenas han comenzado a discutir, les interrumpe la llegada de Clitemnestra e Ifigenia que entran a caballo por el patio. Con gran ceremonia y decoro van hacia el escenario y son saludados por Agamenón. El manto de Climnestra que cubre su caballo —en realidad una mula— simboliza la gran comitiva de caballos que le acompaña.

Comenta Ugo: "¿Para que seyscientos mulos en Clitemnestra?

Fadrique contesta: "¿Más para qué Clitemnestra en seyscientos mulos?

Se ríen los dos del doble sentido, que Pinciano no capta. Piensa preguntarlo después. La obra es larga, termina muy tarde; pero los caballeros están satisfechos. Pinciano opina que aunque fuese trágico, triste, alegre o agradable, nunca había tenido la más mínima duda sobre el final. Y se promete a sí mismo, volver otra vez a ver la obra, para comprender mejor aquello de Clitemnestra y los mulos.

Un apagón. Telón. Fin. Y muchísimas gracias.

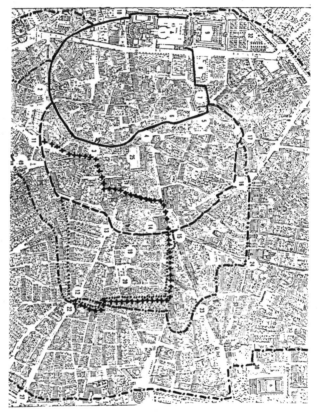

Fig. 1

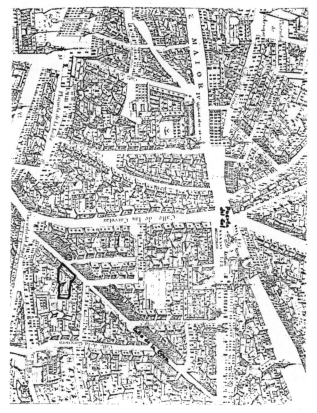

Fig. 2

Fig. 3

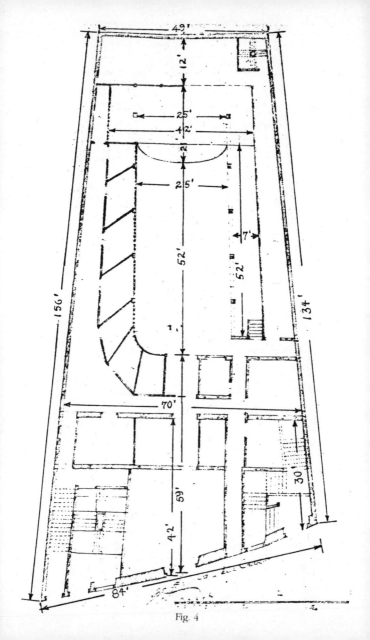

Fig. 4

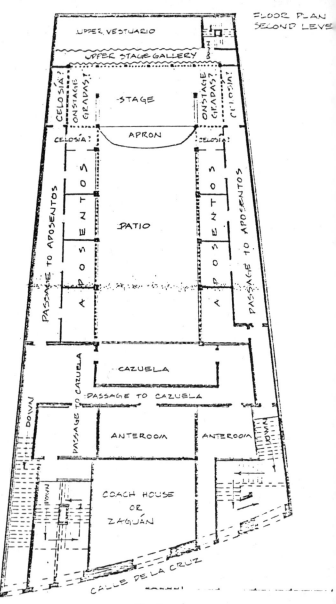

FLOOR PLAN
SECOND LEVE

UPPER VESTUARIO

UPPER STAGE GALLERY

CELOSIA? | ONSTAGE GRADAS? | STAGE | ONSTAGE GRADAS? | CELOSIA?

CELOSIA? | APRON | CELOSIA?

PASSAGE TO APOSENTOS | APOSENTOS | PATIO | APOSENTOS | PASSAGE TO APOSENTOS

CAZUELA

PASSAGE TO CAZUELA

PASSAGE TO CAZUELA

DOWN | ANTEROOM | ANTEROOM | DOWN

DOWN | COACH HOUSE OR ZAGUÁN

CALLE DE LA CRUZ

Fig. 5

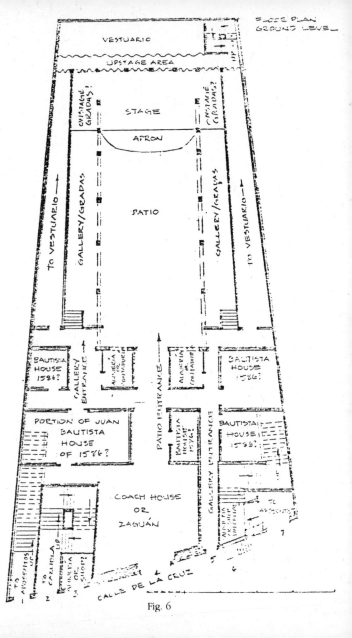

FLOOR PLAN
GROUND LEVEL

VESTUARIO

UPSTAGE AREA

ONSTAGE GRADAS ?

STAGE

APRON

GALLERY/GRADAS

GALLERY/GRADAS

TO VESTUARIO

TO VESTUARIO

PATIO

BAUTISTA HOUSE 1586?

GALLERY ENTRANCE

ALQUERIA OR CONTADURIA

ALQUERIA OR CONTADURIA

BAUTISTA HOUSE 1586?

PORTION OF JUAN BAUTISTA HOUSE OF 1586?

PATIO ENTRANCE

BAUTISTA HOUSE 1586?

BAUTISTA HOUSE 1586?

GALLERY ENTRANCE

COACH HOUSE OR ZAGUÁN

CAZUELA UP

ALQUERIA OR SHOP?

ALQUERIA OR SHOP BODEGÓN

TO APOSENTOS

TO APOSENTOS

TO CAZUELA UP

1 2 3 4 5 6 7

CALLE DE LA CRUZ

Fig. 6

JUAN ANTONIO HORMIGÓN.— *Gracias Tom. Vamos a abordar la última ponencia. Quiero señalar que hay aquí una maqueta del Corral del Príncipe que el señor Allen ha traído de Estados Unidos, hecha por él a lo largo de sus estudios. Es una maqueta desmontable y muy ilustrativa.*

EL CORRAL DEL PRÍNCIPE (1583-1744) EN LA ÉPOCA DE CALDERÓN

JOHN J. ALLEN

JOHN J. ALLEN

Educations: PhD, University of Wisconsin, 1960; MA, Middlebury College, 1957; BA, Duke University, 1954.

Positions Held: Assistant Professor, University of Florida, 1960-66; Associate, 1966-72; Professor, 1972; Visiting Professor, Rijksuniversiteit te Utrecht, 1977; Visiting Mellon Professor, Univ. of Pittsburgh, 1982.

Publications: **Don Quixote: Hero or Fool?** Gainesville: Univ. of Florida Press, Humanities Monograph No. 29, 1969. **Don Quixote: Hero or Foll?** Part II. Gainesville: University Presses of Florida, Humanities Monograph No. 46, 1979.

Don Quijote de la Mancha. 2 volúmenes. Madrid: Cátedra/N.Y.: Las Américas, 1977. Segunda edición (corregida), 1980. 3ª ed., 1981.

Forthcoming in 1983: **El Corral del Príncipe (1583-1744). The Reconstructión of a Spanish Golden Age Playhouse.** Gainesville: University Presses of Florida.

Articles: About 20 articles on Golden Age prose, poetry, and theater, 20th century poetry, etc., in **Hispania, MLN, Revista Hispánica Moderna, Thought, Crítica Hispánica, Estafeta Literaria, Anales Cervantinos,** etc.

Reviews in **Modern Language Journal, South Atlantic Bulletin, Yearbook of Comparative and General Literature, Hispanófila, Journal of Comparative Philology, Hispania, Revista de Estudios Hispánicos.**

Voy a comenzar de una vez, que nos queda poco tiempo. Dos advertencias, en cuanto al título debería ser más específico: "El Corral del Príncipe en la época de Calderón", porque el enfoque mío, después de muy breves comentarios del estado anterior, es sobre la época de Calderón. Segundo, doy por sentado que todos ustedes saben que El Príncipe, el corral del Príncipe, no es el corral de la Pacheca a pesar de el libro de Sepúlveda y a pesar de la adjudicación que proyecta ahora el Museo de Madrid.

*   *   *

Hace exactamente cuatrocientos años se estaba construyendo en la calle del Príncipe de Madrid uno de los teatros más interesantes e importantes de la Europa renacentista. El Corral del Príncipe, construido en el mismo sitio donde está hoy el Teatro Español, fue uno de los dos corrales públicos de Madrid durante más de siglo y medio, abarcando toda la producción de comedias desde la obra temprana de Lope de Vega hasta mucho más allá de la muerte de Calderón.

Los *corrales* —el Príncipe y la Cruz, abierto en 1579— surgieron como proyectos de cofradías benéficas, para financiar sus hospitales de pobres. Supervisados y, andando el tiempo, controlados por el Ayuntamiento de Madrid, funcionaban de acuerdo con las reglas y ordenanzas del Protector de Hospitales, miembro del Consejo de Castilla designado para este fin. La documenta-

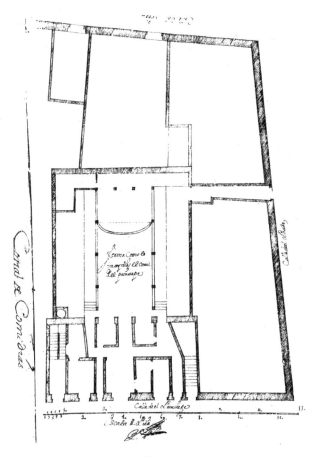

Lámina 1

ción conservada como consecuencia de este arreglo administrativo ha proporcionado casi todos los datos en que se basa la siguiente exposición (1).

Quiero bosquejar primero tres etapas principales en el desarrollo del Príncipe, antes de entrar con más detalle en el aspecto del corral en la época de Calderón, desde 1623, cuando se presentó su primera obra fechable, hasta 1651, cuando se limitó a la producción de espectáculos para la corte y autos sacramentales.

En 1582 las cofradías compraron dos casas con sus patios en la calle del Príncipe (ADPM: 34-A-3), comprendido todo en un rectángulo de unos 78 por 110 pies castellanos (Lámina 1; publicada primero en V & S 2). Cuando abrieron el corral el 21 de septiembre de 1583, habían armado al fondo del patio un escenario con tablados a cada lado donde se sentaban algunos de los espectadores, y habían añadido a las casas de la calle —casas de uno o dos pisos— un corredor o galería para las mujeres, al nivel del primer piso. Debajo esta "cazuela", en la planta baja, había dos cuartos pequeños a cada lado de la entrada principal al patio. Uno de ellos sirvió, por lo visto, de alojería, desde la cual el alojero vendía agua, fruta y aloja a los espectadores.

Después de iniciarse las representaciones, se aceleró el ritmo de las obras, ya que los ingresos empezaban a suministrar dinero en efectivo, y la construcción inicial se completó con dos aposentos para los aficionados más acomodados, y gradas laterales que, partiendo de un tránsito levantado unos tres o cuatro pies sobre el nivel del patio, subían en cinco o seis escalones hasta las paredes medianeras a cada lado (Lámina 2).

Unos 70 bancos quedaban a la disposición de los espectadores en las gradas. La ubicación de los dos primeros aposentos, costeados por el italiano Ganassa a finales de 1583, es difícil de precisar, pero es posible que hayan hecho esquina a la cazuela, a cada lado, frente al escenario. Calculo que la capacidad del corral en esta primera etapa —mosqueteros en el patio y espectadores sentados en gradas, cazuela y aposentos—, habrá llegado a mil.

En una primera modificación del corral, antes de 1602, se añadió al edificio de la fachada un tercer piso, encima de la cazuela, con siete aposentos frente al escenario, ocupando toda la extensión de 70 pies del edificio con vistas al escenario. El aposento central correspondía al Ayuntamiento, y el de al lado al presidente del Consejo de Castilla. Los dos cuartos debajo de la cazuela se adaptaron entonces para servir de aposentos, levantados unos tres pies del suelo para facilitar la vista por encima de las cabezas de los mosqueteros y del alojero y sus clientes, trasladándose este concesionario al patio inmediatamente delante, dentro de un enverjado (V & S 1, 90; Sher. 2, 221 y 258; Sher. 1. 444).

Por los años 20, ya Lope estaba en la cumbre de su fama; Tirso, Ruiz de Alarcón y los demás entregaban sus obras a los empresarios, y Calderón comenzaba su carrera de dramaturgo. El Príncipe quedaba chico. Pero, ¿cómo remediarlo? El corral estaba rodeado de casas ajenas.

*   *   *

La lámina 3 coloca el plano de Ribera (1735) entre las casas que rodeaban el corral, utilizando medidas de las propiedades vecinas tomadas en 1613 y provinientes de otros documentos posteriores (AMM: *Sec.* 3-134-38). Dadas estas circunstancias, la expansión del corral después de 1600 fue una empresa complicadísima, implicando una serie de arreglos con los dueños de las propiedades contiguas relativo al derecho de abrir vis-

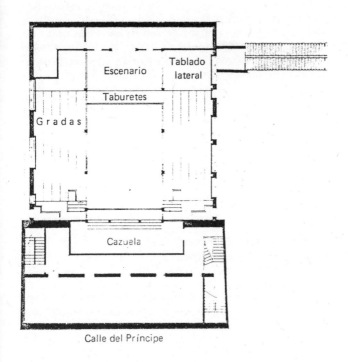

Calle del Príncipe

Lámina 2

tas desde sus casas, construcción en conjunto con ellos, y hasta la extensión lateral de los pisos superiores del corral por encima de la propiedad vecina.

La administración de los corrales durante este período estaba en manos de arrendadores que se encargaban de ellos bajo un contrato de cuatro años. Las obras de los años 1627-1636 tuvieron lugar siendo arrendador Francisco de Alegría. En 1626, Alegría y su socio presentaron el siguiente memorial al Protector:

> Decimos que a causa de que suele haber falta de aposentos y celosías en los corrales de comedias, y los señores andan buscando en qué verlas a causa de los pocos aposentos, y nosotros hemos comprado una casa en la calle del Prado que sale al Corral del Príncipe en la que se pueden abrir muy bien tres celosías para poder cumplir con señores por haber de ser muy buenos, a V.M. suplicamos que se abran y se hagan . . . . (AMM: *Sec.* 3-135-5)

Se les concedió el permiso el 12 de marzo de 1630, y se abrieron tres aposentos en los pisos primero y segundo de la casa de Alegría (11). Volvió Alegría en seguida a solicitar la licencia de abrir desvanes en el último piso de su casa, y se lo autorizaron el 3 de junio. Desde 1642 en adelante, Alegría percibió otros ingresos de la Villa en pago del nuevo paso de las mujeres a la cazuela que atravesaba su propiedad desde la calle del Prado. En 1631, los dueños de la casa (8), al lado sur del corral, vendieron a don Pedro Dávila y Aragón, marqués de Povar "un aposento en alto de dichas sus casas que estaba encima de la alcoba donde dormían, cinco varas y media por cinco y un cuarto, para que la pudiese abrir para la parte y lugar que quisiese y fuese su voluntad para ver los autos y comedias que se hiciesen en dicho corral..." (AMM: *Sec.* 3-134-51).

Al lado norte del corral, don Rodrigo de Herrera

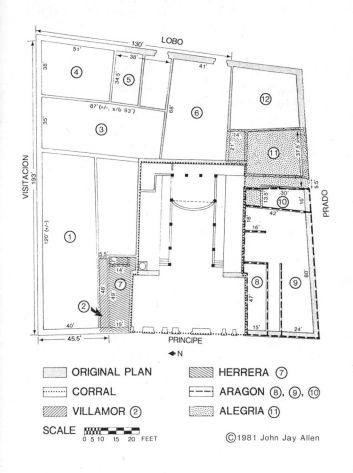

LOBO

130'

51'

38'

④

38'

35'

34.5' ⑤

87' (+/-, s/b 93')

③

VISITACION

193'

120' (+/-)

①

5.5'

14

48 ⑦

49

②

40'

15'

45.5'

PRINCIPE

◄ N

38'

6.8'

41'

⑥

⑫

14'

21'

⑪

13.5'

30'

⑩ 16'

42'

16'

16'

⑧

47'

15'

⑨

80'

24'

PRADO

5.5'

3.5'

ORIGINAL PLAN

HERRERA ⑦

CORRAL

ARAGON ⑧, ⑨, ⑩

VILLAMOR ②

ALEGRIA ⑪

SCALE

0 5 10   15   20 FEET

©1981 John Jay Allen

Lámina 3

179

compró en 1627 la casa (7), y construyó un "aposento... que labró a su costa desde una casa que compró, sin tomar sitio al corral ni quitarle aprovechamiento sino sobre lo claro que por donde se entra debajo de las gradas" (Sher. 1, 389-99). En 1635 añadió una reja, de una vara escasa, contigua a su balcón.

La lámina 4 reproduce un bosquejo de los aposentos del Príncipe encontrado entre los borradores del corregidor don Pedro de Armona para una historia del teatro que escribía en 1785 (Sher. 3, lámina 5). El bosquejo, fechado por Armona como de 1730, asigna un número a cada uno de los aposentos y desvanes del arrendamiento, e indica tanto el nombre tradicional como el dueño actual (c. 1730) de todos los aposentos de las casas vecinas. La lámina 5 sustituye por estos nombres las letras (A-R) de que me serviré en lo que sigue.

El balcón a la izquierda que hace esquina con la cazuela (A) resultó de la modificación del cuarto que Aragón compró encima de la alcoba de los dueños de la casa (8). Las rejas C ("reja grande") y D ("protectora") se abrieron en la época de Calderón, antes de 1642, cuando aparecen en un inventario de aposentos (Sher. 1, 416). La reja B ("reja nueva") no se abrió hasta 1697. En el piso superior, el aposento H, "un balcón grande de hierro" que puede haber sido el del rey en una época anterior (*Fuentes* V, 170), pertenecía en tiempos de Calderón al duque de Medina de las Torres (AMM: *Sec.* 3-134-38). Se llegaba a él por un paso desde la calle del Príncipe, entre las casas (8) y (9). G, el único aposento lateral de este lado con acceso desde dentro de la propiedad del corral —la última escalera de la derecha en el plano de Ribera—, pertenecía en la época de Calderón a la familia del marqués del Carpio, pasando del marqués a don Luis de Haro y después al marqués de Heliche, notorio rival de su vecino de aposento, Medina de las Torres, en la dirección de los

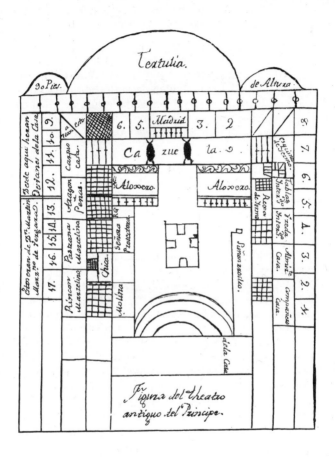

Lámina 4

espectáculos reales de Felipe IV (Sher. 1, 416, y 2, 233). Las rejas E y F y los aposentos I y J encima de ellas son los aposentos que Alegría abrió en su casa en 1629 y 1630.

Al lado derecho, el balcón que hace esquina con la cazuela (K) es la que abrió Herrera desde su casa (7), y L es la rejita que añadió en 1635. M y N abajo, y O, P, Q y R encima, comprenden la serie fabricada en el espacio contiguo al corral detrás de la casa de Villamor (2), mediante algún acuerdo entre éste, que controlaba el acceso, y los arrendadores (AMM: *Sec.* 3-474-4).

Los aposentos 1 a 7 habrán formado en las obras c. 1600 un rectángulo dentro de los 78 pies de ancho del edificio de la fachada, que se alzaba a mayor altura entre las casas de dos pisos a cada lado, encarando el escenario directamente en el tercer piso. Pero las obras de los años 30 implicaban construcciones fuera de la propiedad del corral, en conjunto con los propietarios vecinos, tal vez con la compra de vuelos, como la que consta en relación con el Corral de la Cruz en 1597 (ADPM: 34-A-2). Los aposentos G y H, a la izquierda, y los desvanes encima de ellos, y 8, O, P, Q y R, a la derecha, con los ocho desvanes superiores, se armaron de esta manera, lo que explica la anotación de "90 pies", escrita al revés en la parte superior a la derecha en el bosquejo de Armona, dato que ha dejado perplejos a los investigadores durante más de dos siglos. Como el edificio de fachada sólo mide 78 pies de ancho en la planta baja, hay que suponer que los pisos segundo y tercero sobresalían 6 pies a cada lado.

Supongo, sin que haya constancia específica en los documentos, que se dividía el último piso del edificio de fachada entre la cazuela alta y la tertulia. Consta que los desvanes 9 a 13 se designaban como tertulia a fines del siglo XVI (Sher. 2, 329).

Las láminas 6, 7 y 8 indican la disposición de los

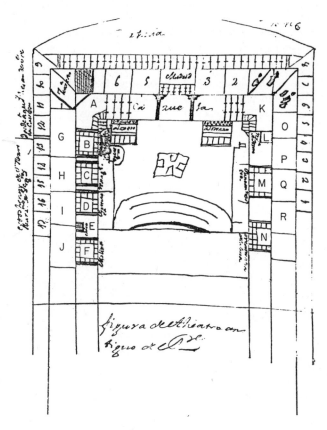

Lámina 5

aposentos en los tres pisos superiores a las gradas. Las láminas 9, 10, 11 y 12 ofrecen una impresión más adecuada del aspecto del corral por dentro. Creo que las modificaciones del corral llevadas a cabo en estas dos etapas habrán doblado su capacidad, de mil espectadores a unos dos mil.

Se ve, pues, que el Corral del Príncipe alcanzó su forma definitiva antes de la muerte de Lope de Vega. Las modificaciones posteriores fueron de mucho menos alcance: la inauguración de la reja B en 1697 (*Fuentes* VI, 235-36), la adición en el segundo piso de la fechada de un antesala para los Caballeros Capitulares en 1695 (AMM: *Sec.* 3-475-16), y la instalación de un techo de belvedere en 1713 (AMM: *Sec.* 3-134-24). El corral se mantuvo sin cambios fundamentales durante más de un siglo.

Los datos relativos al escenario, vestuarios y galerías afines, en los documentos son más bien escasos. La lámina 13 ilustra la reconstrucción de esta parte del corral. La escala del plano de Ribera establece que el escenario medía 28 pies de ancho por 14 y medio de fondo, descontando los 5 pies del saliente semicircular, que no existía en tiempos de Calderón. Numerosos documentos confirman estas medidas. Inmediatamente delante del escenario había una fila de 17 asientos levantados del patio sobre siete asnillas, llamados "taburetes", el antecedente de la moderna luneta, desarrollada ya en el bosquejo de Armona (Sher. 2, 217). A cada lado del escenario principal había un tablado con dos filas de bancos, separados del escenario por verjas. Cuando se montaban comedias de escenificación más elaborada, se quitaban estos bancos, donde se sentaban el alcalde de corte y otros espectadores, para ampliar el espacio escénico. El alcalde, que asistía en su capacidad oficial de velar por el decoro y buen orden de la sala, se desplazaba en estas ocasiones a uno de los alojeros debajo de la cazuela (2).

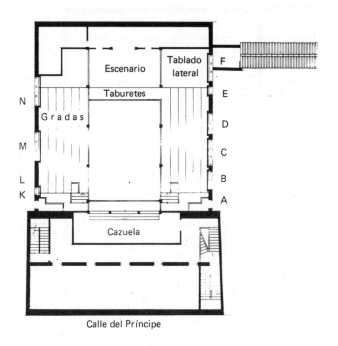

Lámina 6

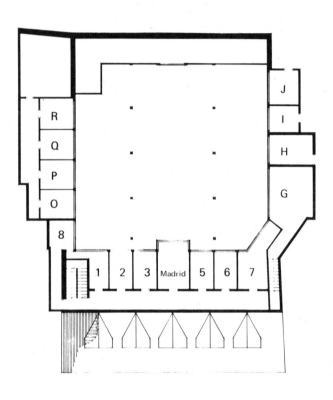

Lámina 7

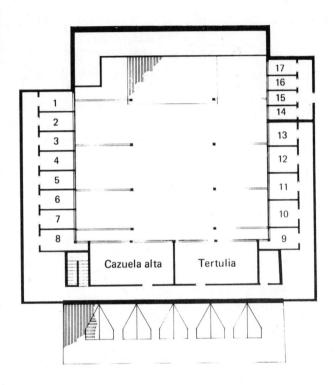

1	17
2	16
3	15
4	14
5	13
6	12
7	11
8	10
	9

Cazuela alta   Tertulia

Lámina 8

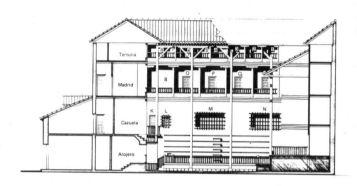

Lámina 9

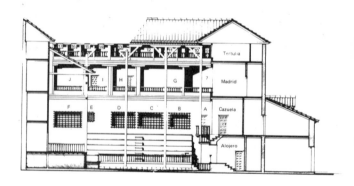

Lámina 10

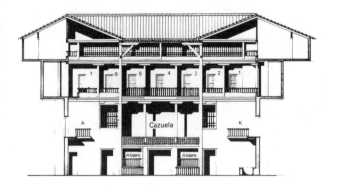

Lámina 11

Lámina 12

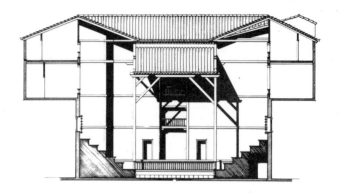

Lámina 13

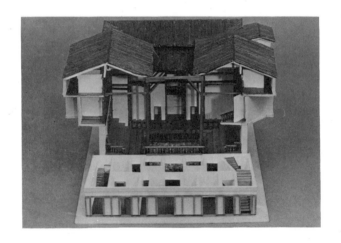

Lámina 14

Lámina 15

En la época de Calderón se presentaban los autos sacramentales en los corrales, y es fácil ver cómo los autos se podían montar allí, utilizando los tablados laterales, en estricta analogía con las representaciones de la calle, práctica ilustrada en un dibujo de Richard Southern de una escena de *La adúltera perdonada,* de Lope (1609) (Lámina 15) (3).

El vestuario "de damas" estaba detrás de los tabiques y/o cortinas al fondo del escenario. Una salida a cada lado y la abertura de las "apariencias" en el centro daban acceso a este espacio, de unos 8,5 a 9 pies de fondo. El vestuario de los comediantes y el guardarropa quedaban debajo del escenario en un espacio de 10 pies de altura. Los documentos sugieren que el escenario se levanta a un nivel de 6 pies sobre el patio, y que con 4 pies de excavación se alcanzaban los 10 de que consta el vestuario bajo.

Había dos galerías sobre el vestuario de damas, tal vez de 11 pies de altura cada una, y abiertas hasta un ancho de 8 pies (Sher. 2, 317). Creo que hay que concebir el área entre el escenario y vestuario y galerías como una superficie variable, donde se podrían montar cortinas, puertas, rejas, balcones, almenas, etc., según las exigencia de las distintas obras representadas. Había otro nivel arriba, denominado "el desván de los tornos" (Sher. 2, 197), para la maquinaria de tramoyas, pescantes, etc. Se abrieron escotillones a plomo en los pisos de las galerías sobre el vestuario para subir y bajar contrapesos. En 1652, la reparación del tablado escénico de la Cruz incluyó siete escotillones en el escenario, reflejando el uso frecuente del espacio inferior en las comedias (Sher. 2, 293). Un techo colgadizo de tejas cubriría el escenario, y otros dos las gradas a los dos lados del patio.

*   *   *

Así, según, lo puedo reconstruir yo, era el Corral del

Príncipe en la época de Calderón, el escenario donde se representaban las escenas de sus grandes comedias. Extendiéndose detrás de la fila de los privilegiados taburetes, el vulgo: unos 450 a 500 mosqueteros y tal vez 300 mujeres arriba en la cazuela detrás de ellos; otros 400 a 500 hombres más acomodados en bancos de gradas y de tablados laterales; en la fachada, encima de la cazuela, los integrantes de las entidades oficiales más ligadas a la administración de los corrales: el Ayuntamiento, el Consejo de Castilla, el regidor mayor, los secretarios del Ayuntamiento; en los aposentos laterales, unas de las familias más poderosas de España: Uceda, el privado de Felipe III; Aragón, virrey de Nápoles, dueño de seis aposentos en el Príncipe y ocho más en la Cruz; Medina de las Torres, don Luis de Haro y Heliche, los encargados de los espectáculos reales; el Almirante de Castilla: "grandes de la primera magnitud", como se les llama en algún documento (AMM: *Sec.* 3-135-16). Y en el piso de los desvanes, tapados, según aparece, con celosías, hasta 150 de los miembros menos austeros del establecimiento eclesiástico.

Quizás no se sorprenderán de que la cobranza por parte de los arrendadores del porcentaje señalado de los ingresos que acarreaban estos aposentos particulares de poderosas familias haya resultado difícil. En efecto, esta situación fue de consideración en la decisión tomada en 1735 de reemplazar los corrales con los nuevos coliseos. Los corrales constituyen en este sentido el eslabón perdido en la historia económica del teatro, entre los autores como Lope de Rueda, que circulaban entre los espectadores con el sombrero en la mano, y Burbage, que hizo construir The Theater en Londres en 1576. El Ayuntamiento no consiguió el control del acceso de que disfrutaba Burbage sino siglo y medio más tarde, al inaugurarse los coliseos.

En relación con el tema de estas Jornadas, me parece que hay que tomar mucho más en cuenta estos detalles físicos, sociales y económicos de los corrales. Empezamos a darnos cuenta, gracias a los trabajos de Othón Arróniz, John Varey y N.D. Shergold, de la naturaleza emblemática, no-mimética, de un escenario rodeado de espectadores por tres de los cuatro costados, de representaciones a la luz del día, sin telón de boca y, por consiguiente, sin verdaderos cambios de escenario: vemos las consecuencias constantemente en la especificación en el diálogo y por medio del vestuario del tiempo y lugar de la acción (4). Pero tiene que haber otras consecuencias más sutiles. Por ejemplo, si la aparición de un personaje en el escenario con una antorcha significa que es de noche, el efecto de estas complicadas escenas barrocas de confusión y equivocaciones de identidad debe haber sido muy otro del que tal vez imaginemos, en el espectador que veía todo claramente.

Concluyo, pues, con la invitación a que vengan otros a participar en esta tal vez pedestre pero necesaria tarea.

NOTAS

(1) Gran parte de los documentos de los siglos XVI y XVII han sido publicados por N. D. Shergold y John Varey. Otros quedan inéditos, junto con casi todos los del siglo XVIII. Para evitar la proliferación de notas, las referencias a todo este material se dará aquí entre paréntesis en el texto, utilizando las abreviaturas indicadas a continuación.

Documentos publicados, o representaciones de ellos: Casiano Pellicer, *Tratado histórico sobre el origen y progresos de la comedia y del histrionismo en España* (Madrid, Real Arbitrio de Beneficencia, 1804, dos tomos (Pellicer); Shergold, "Nuevos documentos sobre los corrales de comedias de Madrid en el siglo XVII", *RBAM* (1951), 391-445 (Sher. 1); Shergold "Nuevos documentos sobre los corrales de comedias de Madrid, 1652-1700", *BBMP* 35 (1959), 209-346 (Sher. 2); Shergold, "Le dessin de Comba et l'ancien téahre espagnol", *Le Lieu théatral a la Renaisance,* ed. J. Jacquot (París: CNRC, 1964), pp. 259-72 (Sher. 3); Varey y Shergold, "Datos históricos sobre la comedia y los primeros teatros de Madrid: contratos de arriendo, 1587-1615", *BH* 60 (1958), 73-95 (V. S. 1); Varey y Shergold, "Tres dibujos inéditos de los antiguos corrales de comedias de Madrid", *RBAM* 20 (1951),

194

319-20 y láminas (V. S. 2); Vrey y Shergold, *Fuentes para la historia del teatro en España. Teatros y comedias en Madrid: 1666-1687* y *1687-1699* (Londres: Támesis, 1975 y 1979) *(Fuentes* V y VI).

Documentos inéditos: Archivo de la Diputación Provincial de Madrid (ADPM); dos de las secciones catalogadas del Archivo Municipal del Ayuntamiento de Madrid, Secretaría y Corregimiento (AMM: *Sec.* y *Corre.,* respectivamente). Modernizo aquí la puntuación y ortografía de todos los documentos, tanto los publicados como los inéditos.

Muchas de las aseveraciones en lo que sigue se basan en una serie de complejas inferencias sacadas a su vez de datos dispersos de los documentos. Por consiguiente, para la explicación y defensa de tales conclusiones, tendrá el lector que consultar mi libro, *El Corral del Príncipe (1583-1744). The Reconstruction of a Spanish Golden Age Playhouse* (Gasinesville: University Presses of Florida, 1983), que saldrá dentro de unos meses.

(2) John J. Allen, "Toward a Conjectural Model of the *Corral del Príncipe", Medieval, Renaissance, and Folklore Studies in Honor of John Esten Keller* (Newark, Delaware: Juan de la Cuesta Press, 1980), p. 260.

(3) *Le Lieu téatral,* p. 272. El dibujo de Southern se basa en las investigaciones de J. E. Varey.

(4) V. gr. "The Staging of Night Scenes in the comedia", *TAH* 15 (1957), 14-16, de John Varey.

COLOQUIO

Juan Antonio Hormigón.— *Gracias John. Vamos, como siempre, ya me lo temía, justísimos de tiempo. Yo quisiera, por lo menos, que dedicáramos unos minutos a abrir el debate que continuaremos esta tarde a las seis. Indudablemente ahora sólo vamos a poder apuntarlo, pero como estamos en caliente vamos a iniciarlo por lo menos. Creo que tú, Basilio, querías intervenir.*

Basilio Gassent (Cadena SER).— *Deseo hacer tres propuestas. Una de ellas vinculada a la última que acabamos de escuchar. Que los medios informativos que aquí nos encontramos y los que no están, pero van a venir, adquiramos el compromiso de ser portavoces de esta propuesta sobre el Teatro Príncipe que me parece muy importante; o sea, que se reconstruya el corral. Que los medios informativos sirvamos ya de presión, de sana presión, para que esto se lleve a cabo. Otra: que el Ministerio, la Dirección General de Música y Teatro, debía hacer un esfuerzo para incorporar muchas de las ilustraciones que aquí hemos visto, a la edición que habitualmente se hace de estas ponencias y coloquios. Aunque sea mucho más costoso y aunque en lugar de tenerla gratuitamente como hasta ahora, tuviéramos que pagarla, porque vale la pena. Creo que es una labor de investigación y por lo tanto de conservación y de permanencia para todos nosotros, para todos los amantes del teatro, que vale la pena el que éso se registre ahí. Y como creo que me he extendido más de lo debido, la tercera la dejo para más adelante.*

JUAN ANTONIO HORMIGÓN.— *Tenemos siempre un representante de la Administración que nos escucha al fondo y que lo anota y luego lo planteará. Yo también creo que sería muy útil dar el máximo de ilustraciones. Más cuestiones, ¿tú querías algo, Enrique?*

ENRIQUE LLOVET.— *Yo entiendo perfectamente la petición al Estado que de ninguna de las maneras represento. Es evidente que tenemos complejo de siglo de oro y llevamos inmediatamente las discusiones a pedir dinero, de modo que estamos otra vez en el siglo de oro, pero quisiera lanzar alguna piedra. El Sr. Middleton se ha preguntado por qué la nobleza iba a los lugares de peor visibilidad del teatro, y el Sr. Allen casi nos ha dicho quién iba al teatro, ¿sería posible que no les interesase tanto el teatro como la creación de un club o superclub de la clase política, que no tenía en ese Madrid muchos lugares donde reunirse y que usaba el teatro como lugar de encuentros?*

THOMAS MIDDLETON.— *Sí, efectivamente. Por ejemplo, un siglo más tarde, en las casas de ópera que comienzan a crearse en Italia y que ya teníamos aquí mismo, vemos que el espectáculo que hay en el escenario tiene importancia, pero mucho más el público, particularmente el público de las galerías. Da lo mismo que sea en el corral o en teatro italiano. Que la gente fuera, la nobleza en particular, no solamente a ver sino también a ser vista, ¿no?, era parte del espectáculo. Hoy en día, por ejemplo, cuando he ido al Teatro Real, me he sentado dos veces en los palcos del proscenio, para escuchar música nada más, pero para oír música este sitio es fatal, porque la música sale hacia la sala, ¿no? Estuve en el famoso Teatro de la Corte de Suecia y* existía el mismo problema en esos palcos de la nobleza y realeza, ¿no? Tercero, lo que ha dicho usted es efectivamente parte de la contestación a la pregunta. Pero entonces llego yo, mi formación es teatral, no soy historiador ni profesor, aunque he sido profesor años anteriores, trabajé veinte años en el teatro americano y siempre tuve preocupación por la visibilidad del público. Cuando durante una época hice decorados, siempre pensé no sólo en cómo iba a ver la persona que tenía un asiento maravilloso en el centro del patio, sino también el pobrecito que está en el tercer piso, que tiene derecho a ver. Esta ha sido siempre mi preocupación y por eso me preguntaba eso. Creo que en parte se debía al orgullo de clase y en parte a lo que ha dicho usted, ¿no? Ese tipo de espectáculo era no solamente el escenario sino todo, todo el teatro, y comienza curiosamente en estos teatros algo primitivos en comparación a los teatros italianos que vinieron más tarde, pero ya comienza y tiene algo que ver con la sociología de la época y épocas ya posteriores también.

ENRIQUE LLOVET.— *Por supuesto, la clase política se presenta en los teatros, generalmente, en las cercanías de las elecciones.*

JOHN J. ALLEN.— *Yo quisiera aportar datos de los dos lados. En primer lugar se construyó la cazuela ocupando el espacio idóneo, probablemente antes de haber un interés grande. Después se ocupa, claro, lo que más cerca está por el Ayuntamiento que controla, el Consejo de Castilla que controla, los secretarios; ya está ocupado esto, ya estamos muy arriba. Segundo: la gente que compraba esas casas quería disociarse precisamente, no querían mezclarse ahí con la gentuza que allí entraba. Más allá sabemos que había, que se usaban esos cuartos, que obviamente, no eran la casa del marqués de Pobar sino de otra, que con sus celosías y etc., se* usaban para citas amorosas. Por otro lado, está medida la torre, los que estaban en el medio hasta el punto de querer matar al rey, por celos en la producción del espectáculo de palacio, ellos están ahí para ver preocupadamente lo que está pasando.

Lope dedica por lo menos cinco obras que yo conozco a distintos individuos que tienen aposentos en el teatro y una al protector López Madera, hay una relación ahí. Por eso uno las dos cosas, el desarrollo histórico que controla, hasta cierto punto, y el interés económico, pero que por otro lado también interesaba de verdad el teatro.

FRANCISCO NIEVA.— *Yo he extraído de las dos últimas ponencias una pequeña teoría de carácter social y es que pienso que los privilegiados, en este tipo de teatro, son meros observadores y no participan demasiado con sus juicios en el hecho teatral. Está el hecho de las celosías, los aposentos..., el público, el público verdadero es el juez decisivo, el público del patio de butacas de hoy y de la cazuela, etc. Los privilegiados, pienso yo, observan el espectáculo y observan a su vez al verdadero juez del espectáculo, que es el vulgo. Por eso creo que lo de Lope de Vega de "escribir para el vulgo", se ha entendido en un sentido excesivamente peyorativo, porque lo precetivo era, precisamente, "escribir para el vulgo". Creo sobre todo que los aristócratas o privilegiados, realmente, no eran decisivos en el éxito del espectáculo. Eran entes bastante pasivos en relación a lo que decidía la cazuela. Eso significa para mí el hecho de las celosías, el hecho de que el espectáculo estuviera en el escenario y fuera del escenario, el hecho de los ratones, por ejemplo, también el espectaculo de la cazuela. Todo esto era un doble espectáculo para los privilegiados, pero se mantenían alejados realmente del hecho teatral con sus juicios que no eran decisivos.*

THOMAS MIDDLETON.— *Sí, y era un espectáculo también para el vulgo. Tenemos un modismo en inglés y no sé si puedo traducirlo bien, sobre los teatros a la italiana, como el Teatro Real o el María Guerrero: "...las paredes, es decir, los pisos, están empapelados con gente".*

FRANCISCO NIEVA.— *Sí, pero eso es más típico del siglo XVIII. Yo pienso que las celosías y los aposentos para disimular al público privilegiado, que el verdadero espectáculo era el pueblo y la comedia.*

JUAN ANTONIO HORMIGÓN.— *Domingo Miras quiere intervenir.*

DOMINGO MIRAS.— *También en relación con este tema y con la pregunta que se hacía el Sr. Middleton sobre ¿por qué los privilegiados tenían los lugares de peor visibilidad? Yo no encuentro un parecido, superficial si se quiere, pero sugestivo, entre los aposentos y los antepalcos de los grandes teatros, sobre todo los dedicados a la ópera, a partir del teatro de San Carlos, que por cierto, siendo Nápoles territorio español, tenía que tener bastantes influencias consuetudinarias, al menos. Esos antepalcos cuyo ambiente para mí describe magistralmente Sthendal, en determinadas obras de carácter autobiográfico cuando recuerda sus años de juventud en Milán, como verdaderas tertulias de una clase burguesa poderosa. Si consideramos los aposentos que podían desempeñar un papel sociológico parecido, tendríamos a personas prepotentes, a nobles, que estarían reunidos entre sí —me parece que esto es lo que señalaba antes Enrique Llovet—, haciendo política, como él dijo, o haciendo chismografía; cualquier cosa podían hacer, pero en todo caso eran reuniones íntimas de personas a las que el hecho teatral les importaba de una manera muy secundaria. Esto me recuerda de* nuevo a Sthendal que dice que precisamente en aquellos antepalcos, se solía llegar al segundo acto de la ópera. Yo creo que sí, realmente, el espectáculo del pueblo, como tal asistente al teatro, es su espectáculo, pero era más bien espectáculo del pueblo entre sí, es decir, las mujeres en la cazuela se entretenían mucho viendo a los señores, me refiero a los señores de abajo, a los mosqueteros —los llamo señores en sentido amplio—, que sacaban las espadas para disputarse un asiento, y apostaban sobre cuál era más gallardo, o cuál estaba mejor en la pendencia. Los señores, a su vez se divertían mucho viendo a las señoras tirarse del pelo, etc. Pero los nobles, la gente de los aposentos, creo que si miraban hacia allá era por pura casualidad.

THOMAS MIDDLETON.— Tenemos que recordar también, creo, cómo nos comportamos ahora en los teatros. Somos muy civilizados en comparación al comportamiento de entonces cuando las señoras, las mujeres de la cazuela, tenían mucha fama de hacer ruidos con sus llaves y pitidos y gritos. Cuando el público en el espectáculo, si no le gustaba alguien, un actor que estaba haciendo un papel mal u otra cosa, lo decía en alta voz y había un movimiento sociológico mucho más unido que en los teatros que tenemos ahora, donde nos sentamos con mucha cortesía y vemos, escuchamos y después, saliendo del teatro, hablamos de lo bueno y lo malo. También, olvidamos eso, creo, en nuestras investigaciones sobre el teatro del siglo de oro y otros períodos.

JOHN J. ALLEN.—Otro pequeño detalle sobre este asunto. Cuando la condesa de Grajal heredó los aposentos de Villamayor, encontraron allí doce cuadros y unos palos de mesa de trucos, así que eso indica los otros usos de las aposentos.

JUAN ANTONIO HORMIGÓN.— *Tiene la palabra Luis de Tavira.*

LUIS DE TAVIRA.— *Javier Navarro terminaba su ponencia con una reflexión en torno a dos posibilidades, en las que pueden confluir todo este debate y esta revisión. Se trataba de una iniciativa en favor de una actitud arqueológico, de reconstrucción del fenómeno teatral del pasado. O bien, paralelo a esto, la del establecimiento y la recuperación de la esencia de lo clásico y su vigencia. Yo siento que, justamente, en esta doble propuesta, podría incluirse de alguna manera la importancia de todas estas reflexiones. Middleton hacía una muy interesante explicación del fenómeno del pasado, que a mí me parece muy justa y que ilumina mucho respecto a lo que podría derivarse de esta doble propuesta que hacía Navarro, en la medida en que se explica el fenómeno del corral a partir de una relación triple que va desde las condiciones de producción, las relaciones con el público y la determinación del espacio material que de alguna manera propició una expresión y una estética, como las reveladoras y explicativas de aquello que en un determinado momento propició el hecho teatral. Sn embargo, hay un punto en que esto se convierte en imposible por irreversible y es la imposibilidad de negar la historia. De aquí la inadecuación que yo siento de la posición arqueológica que puede derivarse de un exceso de actitud museográfica, que niega el hecho teatral en sí mismo basado en la vigencia de su naturaleza efímera o de su imposibilidad de ser reconstruido como hecho vivo, como hecho social. Lo importante de estos análisis es comprobar que, desde luego, las condiciones que en un determinado momento hicieron posible y vigente un teatro y lo propiciaron, no son las mismas condiciones de hoy. Creo que lo dicho debería llevarnos a una serie de consideraciones que explicarían mucho más todo esto, a raíz del discurso histórico, para determinar cuáles son en el presente las condiciones que están hostigando o que en otro caso propician, esta relación que hizo posible en un determinado momento el florecimiento del teatro.*

JUAN ANTONIO HORMIGÓN.— *Perdona Luis, pero sugiero que no tratemos este tema hoy, porque hoy tenemos un tema concreto y ese es el tema de todas las Jornadas, es decir, de lo que vamos a hablar prácticamente en los tres próximos días.*

LUIS DE TAVIRA.— *Sí, de acuerdo en ese sentido, pero lo que pasa es que se ha hecho hoy una propuesta concreta de reconstruir un corral y era la dimensión que me preocupaba a mí subrayar acerca de la inquietud ya señalada por Navarro, en torno a la posible reconstrucción desde la actitud arqueológica.*

JUAN ANTONIO HORMIGÓN.— *Aunque hay muchas palabras pedidas me vais a permitir que intervenga. El problema de la reconstrucción desde mi punto de vista, es un tema complejo, porque lo que hoy necesitamos es construir edificios para la práctica teatral contemporánea, conservando lo que la historia ha conservado. Si planteamos la reconstrucción de un espacio cuya condición específica va a ser la de un teatro museístico, como cuando nos referimos a Drottnilgom, cerquita de Estocolmo, estamos hablando de un teatro que se ha conservado. Cuando nos referimos a Almagro estamos hablando de un teatro que se ha conservado y por lo tanto hay que dotarlo de contenido. Eso me parece muy bien e incluso se debía de profundizar todavía más, para conseguir una determinada utilización de los espacios en su auténtica dimensión de instrumentos de trabajo. Lo que ya es más discutible, al menos para mí, es si valdría la pena reconstruir algo que no sería más que un acto museístico para un teatro museo. El debate* se tendría que situar sobre esa doble vertiente. Luego, además, hay otra cuestión que no sé si estamos discutiendo y profundizando suficientemente, es la del corral como útil de trabajo que responde a un momento histórico determinado. Ahora bien, ¿debemos de sacralizar ese local y ese utensilio de trabajo o considerarlo con una cierta distancia?, porque yo no estoy seguro de que el corral sea un instrumento de trabajo maravilloso, ni estoy seguro —bueno, de eso estoy absolutamente seguro— que comodidad no tiene ninguna. Nosotros realmente cabemos muy mal. Creo que todo esto tiene su importancia, unido a esos otros testimonios que a veces utilizamos como algo pintoresco pero que no dejan de preocuparme, y que nos permitiría saber a quién le interesa el teatro en el siglo XVII.

Si valoramos globalmente todos los testimonio que tenemos, con tanto ratón, tanto tirarse de los pelos, tanta espada, y tantas otras cosas más, yo no sé si alguien se dedicaba a oír la comedia, y digo oír, ya no digo ver porque a lo que parece, todos estaban dedicados a ver quién saltaba por el aposento, a ver quién hacía tal o cual cosa, a ver quién compraba al alojero aloja o fruta, etc. Es un fenómeno complejo que quizás también valdría la pena analizar en la medida en que el espacio teatral condiciona una sociología de la comunicación escénica. Hay una cosa que me produce un cierto espanto y es que cada vez que viene un amigo de fuera se estremece ante la plaza de Almagro y el corral. Yo lo comprendo. Del mismo modo que cuando nosotros vamos a México nos estremecemos ante las pirámides, ellos lo hacen ante los corrales. En años anteriores se ha hablado aquí de la "magia" del corral de noche, sin darnos cuenta de que, seguramente, esa magia nocturna del corral no la captaba nadie, porque la gente veía las comedias a las tres de la tarde o a las cuatro, con un sol maravilloso. La magia del corral no existía, la hemos creado nosotros porque ahora utilizamos medios luminosos artificiales y cuando se apagan, vemos el cielo estrellado y decimos: no haría falta otro decorado, hasta que al cuarto de hora no viésemos nada y todos empezáramos a desfilar a la plaza a tomar un café. Creo que todas estas cuestiones debíamos por lo menos de abordarlas hoy, en la medida en que estamos hablando del local, de la escenografía, etc., de por qué esa escenografía italiana no llegó antes y por qué después se impuso. Me parece que son temas que afectan substancialmente a la propia historia del teatro y que nos explicarían y ayudarían a analizar muchas cosas; nos proporcionarían muchos datos incluso de cómo abordar, y ahí entro ya o dejo abierta la discusión para los días próximos, cómo abordar hoy la puesta en escena de estos textos: si deben limitarse a esa condición museística, o por el contrario hay que buscar las técnicas y los modos de expresión propios del teatro de nuestro tiempo. Bueno, yo tengo mi propia respuesta que luego os daré. Ha pedido la palabra Carlos Miguel.

CARLOS MIGUEL SUÁREZ RADILLO.— *Yo quisiera expresar algo que me ha satisfecho profundamente. He estado trabajando durante varios años en la investigación del teatro hispanoamericano y precisamente muchos de los datos que los tres ponentes han presentado hoy, me han servido para aclarar una serie de conceptos que no había encontrado el modo de aclarar en relación con los corrales de México y de Lima específicamente. En ese sentido, quiero daros las gracias, porque efectivamente me han servido de luz para entender algunos detalles que me imagino que a vosotros os ha costado mucho tiempo encontrar, pero que con respecto a Hispanoamérica sí existen muchos datos, pero otros absolutamente están ausentes. Eso es todo lo que deseaba decir.*

RAMÓN CERCÓS.— *A mí se me estaba ocurriendo que la pregunta tan oportunamente planteada por Enrique*

Llovet y que nos lleva del espacio a la finalidad de por qué se escribía el teatro, coincide con lo que yo apuntaba un poco como objetivo de estas Jornadas: para qué se escribe el teatro. Se me ocurre una reflexión en voz alta que a lo mejor también es heterodoxa, pero que la voy a lanzar: por qué —me pregunto yo— existe como un puente cultural invisible entre el teatro inglés isabelino y el teatro del siglo de oro, pasando por encima de Francia. Para mí la única explicación es que se escribía para públicos diferentes; es decir, el teatro isabelino y el español, se escriben fundamentalmente, como se ha dicho aquí muy certeramente, para el vulgo, para el pueblo. ¿Por qué no el teatro francés?, por una sencilla razón, creo yo, porque existía la Academia. Hay juicios de la Academia sobre obras de Corneille, Racine, del propio Moliere..., y claro, especialmente estos autores están más encorsetados. En España, la Academia la introducirán los borbones muy posteriormente. Por eso vuelvo a insistir en que estas ponencias son muy interesantes para saber para qué se escribía ese teatro de lo que hemos dado en llamar siglo de oro. Esto nos puede llevar también a preguntarnos para quién escriben hoy los autores, concretamente en España. ¿No estarán escribiendo —me pregunto yo— en vez de para el consumidor, para la Academia? La Academia hoy, desgraciadamente o afortunadamente, no es la de las Buenas Letras, o la de la Lengua. La Academia hoy me parece que, en definitiva, son los críticos, ¿escriben los autores actuales más para los críticos que para el público? Esa es mi pregunta.

Juan Antonio Hormigón.— *Que la lanzas al éter ¿no?, ya, ya. Si algún implicado quiere responder, porque es un tema que me parece que nos va a afectar. ¿Es respuesta, Paco?*

Francisco Nieva.— *No, es para abundar de nuevo en*

207

*lo del vulgo con relación a Lope de Vega. La verdad es
que Lope quiere decir el público, el público entendido,
entendido como vulgo. Eso es lo que más confusión ha
creado en relación a lo dicho en el "Arte nuevo de
hacer comedias", y es verdad lo que señalaba Cercós
acerca de para qué se escribe hoy. Hoy día se escribe
para una clase, una clase burguesa, ilustrada, que nos
viene del siglo XIX, pero indudablemente, no para ese
vulgo, no para ese público que es más general. Ahora,
simplemente una interrupción anecdótica que me interesa mucho, puesto que estamos en una investigación
de carácter étnico también: es en relación a la aloja. Se
nos ha hablado de aloja, de alojería, pero no se nos dice
exactamente cuál era su composición. Yo supongo que
era la coca-cola de la época, y por lo que he podido
investigar consistía en una mezcla de miel, de vinagre
y agua y supongo que también con alguna mosca,
especias..., si alguien sabe más sobre la aloja...*

John J. Allen.— *Fermentada.*

Ramón Cercós.— *Voy a hacer una aportación de
cultura... localista... En Andalucía, sobre todo en algunos pueblos de la Sierra de Huelva, quizá sea por
influencia portuguesa, existe una cosa quese llama la
meloja que a lo mejor tiene cierto parecido. Es una cosa
exclusivamente dulce, hecha con miel. Bueno, a lo mejor resulta que la aloja y la meloja son algo parecido. Lo
cierto es que no lo sé, pero si esto le puede interesar al
investigador, puede investigar si la meloja tiene relación
con la aloja.*

Juan Antonio Hormigón.—*No obstante, hay una
cuestión respecto al público que sí merecía la pena
avanzar. Quiero apoyarme en algo que Paco Nieva
decía hace ya años, cuando montó "Los Baños de
Argel", y que uniría con el asunto Juan del Encina que*

hemos dejado un poco a trasmano. Parece que el primer teatro renacentista español se escribió realmente en el exilio, que fuera un teatro que no penetró en España. Es decir, que ni las obras renacentistas de Juan del Encina ni las de Torres Navarro, llegaron a calar en España de manera profunda, quedaron encerradas en determinados núcleos cortesanos e ilustrados. El Renacimiento cuando llegó a España fue también un fenómeno minoritario, eso no lo podemos negar, que no caló en las multitudes. Eso podría explicarnos el fracaso de Cervantes como dramaturgo y con ello voy a tus explicaciones de hace años en el Aula de Teatro de la Universidad Complutense. Por qué Lope, que, a mi modo de ver, es un hombre absolutamente del Renacimiento aparte de cómo escriba, por su mentalidad —yo me baso siempre en "La Dorotea" y en lo que hay en "La Dorotea" de contenido ideológico y estético— lo que hace es escribir para el público y entender que ese público está por otra labor, se lanza al camino de la satisfacción de ese público olvidando lo que eran las ideas tanto estéticas como políticas, concepción del mundo, etc., que podrían ser las de punta en aquel momento, aunque ya estuvieran relativamente en baja, las ideas más en vanguardia de su tiempo. Dentro de esa contradicción se mueve el teatro de ese período; pienso que eso habría que desarrollarlo mucho más, incluso podría descubrise por qué la aparición de eso que hemos llamado el "teatro nacional" y toda la reforma de Lope, que crea escuela y crea una forma de escritura teatral. Manuel Canseco está pidiendo la palabra.

MANUEL CANSECO.— *Creo que hay una propuesta muy interesante que ha centrado una pequeña discusión y quería que por lo menos empatáramos dos a dos. Allen hacía la propuesta, desde mi punto de vista, maravillosa, de la reconstrucción, puesto que tenemos todos los detalles, o por lo menos gran parte de los detalles, del*

Corral del Príncipe. Da igual donde estuviera ubicado, pero quiero hacer constar que hay un aparcamiento al lado del Teatro Español y que a lo mejor ese podía ser un buen sitio para reconstruirlo, no sé si tiene las medidas exactas o no.

Lo que voy a decir ahora, lo hago como director de teatro y como promotor de teatro y quiero hacer hinca-pié en esto porque no se trata por lo tanto de defender en absoluto ninguna posición de reconstrucción museística. En absoluto creo que un local condicione tanto una puesta en escena como para que no se puedan hacer determinados tipos de espectáculo que se quieren hacer en un corral, como pudiera ser el del Príncipe reconstruido, pero quiero también hacer notar que nuestro país tiene una falta absoluta y total de tradición en la cosa más rica que tenemos, que es nuestro teatro clásico. Es decir, no hay interés por parte del público, no tenemos tradición alguna en llenar los locales nunca, y nosotros llevamos seis años sufriendo de esta falta de espectadores. Sin embargo, está clarísimo que el público va a responder a los hechos sociológicos que condicionan el teatro. En las calles y plazas de Madrid, en el verano, por ser novedad, llevamos tres años en que el público acude y no hay ninguna razón especial, porque los que hacemos teatro en las calles y en las plazas de Madrid somos los mismos que lo estamos haciendo en los teatros cerrados durante el invierno, para que el hecho se haya producido. Por lo tanto, la reconstrucción de un local como ese creo que sería un hecho absolutamente novedoso, y si de alguna forma podemos atraer al público, bienvenido sea; pero por otro lado, creo que también ha apuntado un hecho tremendamente importante, no solamente porque pueda ser turístico en cuanto a su interés, sino porque nosotros podemos adquirir y renovar una tradición para dar un paso adelante. Si nosotros nos hemos dedicado desde hace unos años al clásico, es porque, yo al menos, como persona, es decir, como hombre intere-sado en el hecho teatral, no tenía una base sólida en cuanto a mi formación de teatro proveniente de las cosas que veía o que había estudiado dentro del panorama español, como para adquirir una determinada personalidad y me voy a refugiar en lo que teníamos en nuestro país, es decir, en la construcción de los clásicos, para, de alguna forma, a partir de ahora, empezar a dedicarme a otro tipo de teatro, al mismo tiempo que lo compartimos con él. Yo creo que existen esas dos vertientes, por un lado la turística, pero por otro la recuperación de público, la recuperación de repertorio, la recuperación de forma genuina de entender y de hacer el teatro de este país que podría encerrarse muy bien en un local como ese, aparte del hecho social de poder llegar a los espectadores españoles, por un lado, desde su más tierna infancia y no tenerlos prohibidos hasta los 18 ó 20 años que acuden al teatro.

También quiero hacer notar de alguna forma que en Inglaterra hay un auge teatral, o lo ha habido durante muchos años, porque han tenido una gran tradición, basada en ese fenómeno turístico del teatro en Londres.

El corral de comedias tiene aparato de tramoya, tiene posibilidad de subir, tiene aparición en apariencia, tiene escotillón, es decir, tiene lo que hoy día puede tener cualquier teatro. Todo está en qué forma se puede reconstruir eso para que se pueda adecuar a los medios que hoy tenemos. Por lo tanto quiero echar una baza en esto, que ójala se pudiera hacer, y ójala pudiéramos intervenir desde aquí.

MARGARIT FRANK.— *Quisiera volver muy brevemente sobre la cuestión del público en el siglo de oro. El vulgo creo que se podría definir negativamente como los no cultos o los no literarios, los no cortesanos, y es evidente, que para los dramaturgos contemporáneos sí era muy*

*importante también ese sector no vulgo del público.
Recuerdo ahora un prólogo dialogístico a una de las
partes de Lope donde dialogan el Teatro y un forastero
y no se cúal de los dos dice: "Nadie me podrá persuadir
que las mujeres aquellas y los mosqueteros entienden
todos estos refinamientos y las metáforas y las alusiones
mitológicas", lo estoy poniendo en mis términos, y entonces el otro contesta: "es verdad, pero algunos cortesanos y doctos habrá que sabrán agradecerle al poeta
sus estudios". Es decir, sí les preocupa. Tirso tiene otro
pasaje parecido, les preocupa mucho a los dramaturgos
el que se valorara, se apreciara todo el arte que habían
metido, ahora eso sí, arte que había metido en sus textos.*

JOHN J. ALLEN.— *Cervantes dice que vulgo es todo el
que no sabe aunque sea príncipe o señor.*

JAVIER NAVARRO.— *Creo que la señora Frank tiene
toda la razón del mundo, porque, efectivamente, todo
el teatro clásico español es de un gran refinamiento, no
solamente por la manera en que se dicen las cosas, sino
por las frecuentísimas alusiones que hay a temas mito-
lógicos y a cosas que, evidentemente, el vulgo no tenía
por qué saber. Por lo tanto, si bien detrás de las celosías,
de alguna manera, les llegaba el mensaje más directo a
estos señores que algo más sabían que los otros. También quería comentar un poco lo que ha dicho Manolo
Canseco. Primero un pequeños detalle: en el aparcamiento al lado del Teatro Español no hay sitio ni mucho menos para reconstruir el Corral del Príncipe. Luego, hablando del tema de la reconstrucción y recogiendo la alternativa que he dado al final de mi ponencia,
yo creo que, desde luego, es muy interesante que se
represente el teatro clásico aunque sólo fuera para que
la gente que quiere hacer unos montajes nada museís-
ticos o arqueológicos, realmente puedan hacerlo, porque
una cosa es leer el teatro y otra cosa es verlo represen-*

tado. No cabe duda de que ver una representación es una sugerencia mucho más rica que leer una obra, en general. Creo que hacer teatro clásico es algo que tiene evidentemente su valor hoy en día. Otra cosa es que se trate de reconstruir un corral que existió y del que hay unas reconstrucciones bastante aproximadas, pero que nunca se tiene la absoluta seguridad de cómo fue, pero no solamente por esto, sino por el valor que tendría realmente disponer de un espacio que era propio de una época. Hoy en día si conservamos como conservamos esta maravilla de Almagro, está muy bien que se haga teatro aquí, pero reconstruir otro no sé yo hasta qué punto sería de interés. Esta es mi opinión.

ENRIQUE LLOVET.— *Creo que si Lope nos oyera, le entraría un ataque de risa. Yo creo que no dijo jamás en serio lo del vulgo, ni lo de darle gusto, y en cualquier caso si, dada su vida, que todos tenemos en la memoria, estamos convencidos de que debía mentir veinte o treinta veces diarias a las mujeres, a las autoridades, a las jerarquías, a los actores... ¿cómo no nos iba a mentir en esa inefable cita que estamos empeñados en seguir? Además, hay una prueba clarísima, cuando alguna vez se distraía y se suponía que los octosílabos tan agradecidos para la garganta española, le parecían ya demasiado, y algunos de ellos le parecía pedestre, frenaba la acción y para recordarnos que de ninguna de las maneras estaba dispuesto a escribir para el vulgo, frenaba la acción, colocaba un soneto o dos sonetos y seguía tranquilamente para que no nos tomáramos en serio esa enorme tontería de que él escribía barato, porque creía que eso es lo que había que hacer. De ninguna de las maneras creo que esa sea una cita que podamos tomar en serio. Y puesto a ser heterodoxo, diré también en lo que se refiere a la reconstrucción, absolutamente inquieto por la cara de un paisano mío que veo, que yo aconsejaría que si el Estado tiene alguna* vez dinero para reconstruir un corral, recuerde la geografía de los éxitos en el siglo XVII y en el siglo XVIII. No es sólo una casualidad. Había teatro en Jerez, había teatro en Málaga, había teatro en Valencia, y voy a avanzar una razón nada erudita, porque allí hace buen tiempo. Pienso en el famosísimo clima madrileño, si reconstruimos un corral al lado del aparcamiento del Español, yo... guardaría el dinero para hacer la reconstrucción donde el clima lo permita.

JUAN ANTONIO HORMIGÓN.— *Gracias, Enrique. Como hemos llegado al límite de nuestro tiempo, cortamos ahora el debate y seguiremos esta tarde a las cinco.*

*   *   *

Nos hemos quedado esta mañana con el tema esbozado. Vamos a continuar. Tiene la palabra Guillermo Heras.

GUILLERMO HERAS.— *Una cosa que creo que debemos abordar, para mí fundamental, es la relación espacio-actor-dirección, precisamente en el mundo del corral y en relación a todo lo que se ha hablado esta mañana. Me gustaría que empezáramos el debate con una idea que, evidentemente, puede parecer un chiste pero hay muchas veces que cosas muy obvias pueden encerrar detrás otra serie de cosas. Por eso, oyendo hablar, se me ocurría precisamente hacer una pregunta, como tú dices, al éter, a ver si se puede responder. Es sobre lo que se ha propuesto esta mañana, la cuestión del levantamiento del teatro del Príncipe. Mi pregunta es: si tuviéramos que planificar ese levantamiento del teatro, ¿cómo lo haríamos? ¿con ladrillos de adobe hechos con la técnica que empleaban los albañiles en el siglo XVII o se haría con las técnicas de la arquitectura moderna?*

JUAN ANTONIO HORMIGÓN.— *Bueno, cuando Guillermo habla de levantamiento se refiere a construcción, lo que pasa es que la cabra tira al monte y lo de levantamiento del teatro es más expresivo.*

BASILIO GASSENT— *Entiendo que debiera hacerse tal como en aquella época, pero aprovechando todas las técnicas actuales por dentro, por lo que se está viendo para las representaciones que allí puedan hacerse. Un poco como lo que está ocurriendo aquí en este lugar donde nos encontramos, en Almagro. Una ciudad que ha sabido conservar todo lo característico de los siglos XVI y XVII con todo el encanto, y te encuentras, por ejemplo, con una tienda de electrodomésticos en donde, por la parte de fuera conserva todo su aspecto manchego y sin embargo, por dentro es una tienda de electrodomésticos espléndidamente dotada.*

JUAN ANTONIO HORMIGÓN.— *Sí, yo quería, como Allen va a tener que contestar, quisiera ironizar suavemente sobre el tema y preguntar si habría que descender también al estrato cuya tierra correspondiera al siglo XVII, para fabricar los adobes.*

JOHN J. ALLEN.— *En cuanto al tipo de edificio que se haría, veo que faltaría mucha conversación y mucha meditación sobre las respectivas ventajas. Por ejemplo, sobre el asunto de si queremos hacer o si yo quiero hacer afuera producciones de día. Habría que tomar decisiones económicas fundamentales, ¿cuál será el criterio?, una réplica lo más exacta, totalmente museo y por consiguiente limitada, o queremos hacer un edificio con techo, pero que parezca de día para las producciones... ¿cuáles son los fines?, ¿va a ser cobijo para una compañía de verdadero interés, seguidora de la tradición y de qué tradición?*

Lo primero que habría que hacer es ser fiel hasta donde sea posible, exactamente, al escenario y a los vestuarios y al balcón, galería y eso. Habría que ir viendo lo que no se haya explorado del todo todavía, pero de nosotros depende. Esto tiene que ser como inicialmente el corral mismo: negocio. Como se hace con el parador. Uno podría decir, no, no, el parador no es una casa de obreros, etc., tal y como dijeron, teatro moderno, hay que fomentar algo contemporáneo y que son dos cosas distintas y hay que determinar cuáles son los fines. Este parador, atrae, está destinado, obviamente, a cierto tipo de turismo, por ejemplo, que por una serie de razones quiere fomentar. Yo creo que pasa lo mismo con el corral: ¿qué es lo que se puede hacer con él?, ¿cuántas actividades puede acoger?... muchas cosas se podrían hacer si uno tuviera imaginación. Como contestación, lo más breve sería determinar funciones. Qué funciones puede desarrollar, y después ponderar la forma física adecuada, porque yo no lo veo como gasto sino como inversión.

THOMAS MIDDLETON.— *¿Puedo añadir algo? Sí. Yo creo que lo que ha dicho John es muy importante, no debes nunca crear primero un edificio y luego buscar el punto de vista de cómo quieres utilizarlo. Tienes que tener primero el punto de vista, ¿no?; es decir, por qué vas a crear este edificio, ¿queremos hacer un museo o queremos hacer un recinto donde los actores y directores de España, puedan tener un lugar donde practicar su profesión tratando los clásicos en el ambiente que tenían durante la edad de oro?, Stratford-on-Avon, por ejemplo, no lo crearon primero y pensaron después: bueno, ¿qué vamos a hacer con esto? Lo crearon con la idea fija de difundir el teatro clásico isabelino y ahora, claro, hacen obras muy modernas. No me gustaría ver la creación de este teatro simplemente para tenerlo, para decir ¡ah, qué bonito, qué tal, qué cual!, sino de* *hacer algo vital que desarrolle el teatro clásico español; eso sería lo importante.*

JUAN ANTONIO HORMIGÓN.— *Si os parece, creo que antes de pasar a otros aspectos de lo discutido esta mañana, como este tema parece que ha suscitado una cierta controversia, podíamos agotarlo y abrir un turno de intervenciones en torno a él.*

JAVIER NAVARRO.— *Yo soy arquitecto, especialista en arquitectura teatral y también hombre de teatro. Bueno, pues a pasar de todo esto, a mí no me parece buena idea gastarse un dineral en reconstruir el Corral del Príncipe. Costaría un dineral, desde luego. Yo preferiría gastar la mitad o la tercera parte de ese dineral en utilizar el Corral de Almagro, que ya lo tenemos y está en bastantes buenas condiciones; en, como decía ahora Middleton, investigar realmente sobre el teatro clásico en la doble alternativa que yo plantee al final de mi ponencia esta mañana; es decir, una labor arqueológica puede ser el calificativo, como dije, o cualquier otro, en el que realmente se desentrañe el sentido del teatro clásico dentro de las coordenadas de la época y que al mismo tiempo, dé pie para hacer puestas en escena del teatro clásico, pero desde un punto de vista mucho más actual, con mayor libertad, digamos, con respecto al texto y a la puesta en escena en general. Eso es todo lo que quería decir.*

JUAN ANTONIO HORMIGÓN.— *Paco, tu turno.*

FRANCISCO NIEVA.— *Bueno, yo creo que se pueden conciliar las dos cosas en realidad. Soy muy partidario de las adaptaciones, de las adaptaciones lo más atrevidas posibles para acercar los clásicos al público, pero también me atrae mucho el "No" japonés, que es un teatro detenido. Yo pienso que el teatro español del siglo* de oro, tanto como el teatro isabelino, necesita un monumento. Creo que este edificio, esta reproducción del corral, podía ser un monumento al enorme bloque del teatro español clásico, donde se podrían representar en su verdadera puridad a los clásicos. No se sabe cuánto duraría esa afición, o si nos interesa guardar a los clásicos en su pureza, pero que yo pudiera asistir a una representación clásica, sin que nadie tocase ese texto y en donde los actores trataran de imitar el estilo, recitación del siglo de oro, sería un elemento educacional extraordinario para los estudiosos y los estudiantes. No digo, en modo alguno, que eso fuese a apasionar, pero así como tratamos de conservar las lenguas vernáculas y que nos parecen joyas en este sentido, joyas étnicas, también lamentaríamos terriblemente que desapareciese el "no" japonés. De modo que yo no creo que pueden coexistir las dos cosas, versiones modernas que aproximan mucho los clásicos al público actual y una versión fiel, para que los estudiantes del siglo de oro no pierdan pie, que realmente sepan cómo era aquel teatro.

JUAN ANTONIO HORMIGÓN.— *Guillermo Heras, se decide a intervenir.*

GUILLERMO HERAS.— *Bueno, yo me voy a definir también. En el plano de lo ideal estoy completamente de acuedo con Paco, pero todo el mundo sabemos que en España, lo ideal es una cosa que quizá alguna vez se consiga. En este momento, dados los exiguos dineros que se dedican al teatro, el hecho de construir este corral sería algo como hacer una Disneylandia del teatro clásico; es decir, asistiríamos a toda una ceremonia pomposa y casi de folklore, de simulacro, pero que realmente no creo que aportara a corto plazo ninguna transformación, porque yo creo que ese término es muy importante en la realidad del estudio de los clásicos, pero no sólo ya desde el punto de vista de la gente que podamos creer que los clásicos están ahí para utilizarlos y para hacer con ellos una lectura totalmente contemporánea e incluso de "destripe" de esos clásicos, sino que cuando no se tiene ni siquiera una compañía nacional de teatro clásico, realmente pensar en un edificio, es realmente una cosa un tanto aventurada, aunque creo que sí que es interesante esta polémica. Y luego, ya en el siguiente tema y precisamente unido a esto, está el problema para mí puramente espacial, que creo que Juan Antonio ha tocado ya algo esta mañana, en suma, de lo que significa hoy el corral. Hay un tema que se ha utilizado también en otras jornadas y sé que levantó una cierta polémica, y es el tema de la transgresión o la subversión, hasta qué punto el espacio de un corral se puede hoy transgredir para hacer una puesta en escena actual. Es decir, ¿no condiciona de tal modo esa planta, ese espacio como realmente nos ha contado hoy Manuel Canseco? El ha tenido que prescindir de los materiales plásticos, porque evidentemente si tú metes un metacrilato ahí, pues realmente aquello es un palo terrible. Entonces realmente el espacio del corral nos está ya delimitando hacia una tarea mucho más arqueológica, aunque sea en el mejor sentido de este término. Sin embargo, ¿no es mucho más útil trabajar en otra línea en estos momentos antes que volver a miradas retrospectivas al pasado?*

JUAN ANTONIO HORMIGÓN.— *Basilio, cuando quieras.*

BASILIO GASSENT.— *Sí. Yo que esta mañana hice la propuesta de que todos los medios informativos apoyáramos precisamente esta idea, como pienso que soy un hombre que, entre mis muchos defectos, tengo acaso la virtud de mudar, como creo que la tenemos muchos de nosotros, digo que es posible que Guillermo tenga razón, que la tuviera también esta mañana Enrique Llovet, como tiene razón la propuesta que se ha hecho, como tiene razón Paco Nieva sobre lo que se ha dicho.*

Creo que, en efecto, levantar este Corral del Príncipe podría ser importante por mucho dineral que se hubiera de invertir en él. Creo que sería cosa de pensarlo, de meditarlo, y de buscar esa cosa ideal de la que aquí se ha hablado. No sé, ahí queda el tema. Aquí en Almagro hay otro teatrito que está abandonado, un teatrito romántico, del siglo pasado. Lo mismo que se hizo en El Escorial con el Carlos III, se debiera hacer aquí también, reconstruir ese teatro, aunque parece que sea apartarnos un poco del tema del teatro clásico, porque ahí se puede hacer teatro clásico y todo tipo de teatro, todo el teatro que se quiera, porque en definitiva es teatro. El tema del teatro es un tema que aunque tenga parcelas en sí, como todo en la vida, es general. Yo creo que la Administración, que la Dirección General de Música y Teatro, debiera tomar en consideración la posibilidad de que ese teatro que está hecho una auténtica cochambre, se reconstruya, porque podría ser una auténtica delicia como es el Teatro Carlos III.

JUAN ANTONIO HORMIGÓN.— *Sí, hemos pedido al Ayuntamiento a ver si lo pueden enseñar a los jornadistas. Ramón Cercós va a responder.*

RAMÓN CERCÓS.— *Este tema se ha planteado por varios motivos. En primer lugar tenemos un clima maravilloso en España, aquí puede hacer un frío pelón y pueden caer unas lluvias tremendas en este mes de septiembre. Por egoísmo del festival ya habíamos pensado que en cualquier momento, se pueda refugiar el espectáculo en ese teatro del siglo XIX. Concretamente la medida se ha tomado ya y ahora con unos fondos que tiene el Ministerio de Administración Territorial en un plan que no sé si es quincenal o cuatrienal o* trienal, para conmemorar, curiosamente, el V Centenario de la Unidad de España. Bajo este concepto se ha pedido un dinero por la alcaldesa de Almagro, por el Ayuntamiento de Almagro, a la Administración Territorial y hace cuatro o cinco días se ha pasado esto al Ministerio de Cultura para que informe. Por supuesto, hemos informado como puede suponerse muy bien, diciendo que es prioritario y espero que en un par de años esté restaurado ese teatro.

SANCHÍS SINISTERRA.— *No tengo de hecho, una opinión rotunda sobre esta especie de alternativa que se está planteando pero me gustaría aportar por lo menos algunos elementos de reflexión. Creo que todavía desconocemos demasiado acerca de la función de ese dispositivo arquitectónico que es el Corral de Comedias, como para pensar en que su reconstrucción pudiera ya de inmediato servir para poner en escena los clásicos; creo que hay una enorme cantidad de incógnitas en la relación del texto, de los textos que se conservan, con ese contexto, repito, escénico y también arquitectónico que es el corral. Creo que habría que investigar mucho más la relación entre la dinámica exigida por las comedias que conservamos y el dispositivo arquitectónico del corral aunque tengamos datos suficientes como para materializarlo. No hay que olvidar que, en definitiva, como nos han demostrado esta mañana, ese corral es en cierto modo el producto de procesos muy complejos en los que intervienen factores de todo tipo que no necesariamente redundan en su funcionalidad escénica y que es muy probable que ese espacio supusiera en muchos casos, limitaciones, constricciones al buen desarrollo de la propia práctica escénica del siglo de oro. Por otra parte, y aquí perdonadme, en fin, la oportunidad de la autocita, yo hace dos años en mi ponencia sobre la condición marginal del teatro en el siglo de oro hablaba de que, en cierto modo, el corral de comedias*

221

reproduce las compartimentaciones y jerarquizaciones de la sociedad española de los Austrias, una sociedad altamente represiva, que sabemos, y por lo tanto dado que ese contexto, esa estructuración social se ha modificado sensiblemente, resultaría un poco absurdo reproducir ese dispositivo. Por si no queda muy claro permitidme que lea la cita, aunque modestamente me autocite, decía entonces: "Igualmente la organización y distribución material del corral de comedias, con sus entradas diversas y su intrincada compartimentación en corredores, gradas, patio, aposentos, desvanes, tertulia, cazuela, etc., constituye entre otras cosas un dispositivo progresivamente perfeccionado tendente a reproducir en esa zona privilegiada de encuentros promiscuos, que es el teatro, todas las cesuras, barreras y jerarquías de una sociedad rígidamente estamental y clasista, tendente también a interceptar los poderosos flujos libidinales que el hecho escénico desencadena y que sus impugnadores plenamente conscientes de la fundamental conexión del teatro con el erotismo, denuncian una y otra vez, con el sano propósito de paliar estos ataques. Un anónimo defensor del teatro pinta el siguiente cuadro de casi conmovedora ingenuidad. Esta es una descripción, como sabemos, se contrapone a la descripción de Zabaleta: "Miren la bien distribuida planta de los corrales y en las separaciones de sus bien prevenidos repartimientos, hallarán colocada la grandeza en los aposentos, en los desvanes los cortesanos con muchos religiosos que no escrupulizan por doctos y virtuosos el verla, el hermoso peligro de las mujeres le quisiera ver tan separado en otros sitios como se mira en los corrales, el pueblo en las gradas y en el patio a la vista del autorizado, temido respeto de la justicia, bien a la vista (¿eh?, para que no se propasen), donde se mira tan temida como venerada su autoridad". Perdón, repito pero quería simplificar...

JUAN ANTONIO HORMIGÓN.— *Después de que Sanchís*

nos ha ilustrado con su saber, tiene la palabra Domingo Miras.

DOMINGO MIRAS.—*Bien, en definitiva se está hablando de la posible reconstrucción del teatro del Príncipe, del Corral del Príncipe —mejor dicho—, dando como una de sus posibles funciones la de reproducir puestas en escena de los clásicos tal cual, es decir, como una especie de museo vivo que mostrase una realidad social del pasado. Incluso porque no está de acuerdo con esta idea, concretamente Javier, ha manifestado que también es útil, que también puede ser interesante aprovechar cualquier espacio escénico como es el del Corral de Almagro; podía ser también el Corral del Carbón, para, con elementos ambientales ya disponibles, hacer reproducciones arqueológicas de las puestas en escena de los espectáculos del siglo de oro. Paco Nieva, incluso, en su intervención ha especificado, concretamente, que los actores dirían el verso como entonces se decía. En una palabra que viniera a reproducirse el hecho social de la representación teatral de entonces, que vuelve a darnos el aprendizaje, la referecia necesaria para tener un conocimiento más exacto del pasado. Abora bien, lo que yo me pregunto es si realmente por mucho que se esmerase en los detalles la solución para que fuese exactamente igual a como entonces era, se iba a conseguir algo que fuese fiable, es decir, ¿un espectáculo de entonces era igual a un espectáculo de abora?, aunque el texto sea el mismo ¿podría en efecto hacerse un espectáculo con todos los ingredientes que aquel espectáculo tenía: la loa, las comedias en sí con los entremeses en los entreactos, la jácara y el baile? Pero cuidado, porque estos elementos tenían una función muy específica. El público, dado que los asientos no estaban numerados, acudían al teatro como mínimo dos horas antes de la función para coger buen sitio, esto significa que a las doce de la mañana ya había gente que estaba* en el teatro. *Había mujeres comiéndose un bocadillo en su cazuela porque no habían comido en su casa. Había señores que se llevaban, igualmente, el vaso de vino de la taberna y lo poco que habían comido en ella, por toda comida, hasta que saliesen a la caída de la tarde. Esta gente estaba dos horas o más en el teatro, y era gente que además acudía con un ánimo de fiesta. No tanto de adquisición cultural como de asistir al recíproco espectáculo de ver a una gran masa de pueblo reunido. En consecuencia estas gentes allí, como esta mañana apunté someramente, se conducían de una manera radicalmente distinta a como impuso después la modalidad burguesa victoriana a partir del siglo pasado. Y no digamos los teatros de corte del XVIII. La forma de conducirse del público aquel, tendría que ser reproducida igualmente ahora, y por una razón, porque la forma del espectáculo estaba inspirada por el comportamiento del público. El público antes de que comenzase la función había armado ya enorme alboroto en el corral, del que estaban aislados precisamente los nobles o cortesanos en sus aposentos que, posiblemente, detrás incluso de las celosías, tenía algún tipo de cierre más hermético que les aislase. De suyo, la función para comenzar tenía como prólogo una serie de golpes que un hombre iba dando en los aposentos para prevenir a sus ocupantes. Estos hombres, por tanto, ya estaban aislados del público que, como digo, estaba alborotando de una manera creciente y que debía formar una algazara fenomenal cuando llegaba el momento de empezar la función.*

La loa, que comenzó a principios del siglo XVI y que decayó a mediados de siglo, tenía como función primordial hacer que el público se callara, ni más ni menos se trataba de que el espectador estuviese atento y con un mínimo de compostura. La comedia por su parte, tenía el gancho para el público de la intriga y el hecho de que hubiese entremeses en los entreactos, significaba que al público no se le podía dejar descansar, porque si el público descansaba reproducía la algazara y haría falta una nueva loa. En consecuencia, había que meterle un entremés que enganchase al público, dado su corta duración, no por la intriga sino por los tipos, unos tipos que el público reconociese y simpatizase de inmediato. Por el contrario, la comedia con ambiciones teóricamente más nobles, iba enganchando a través de la intriga a más largo plazo. Terminada la función, después del segundo entremés y la tercera jornada, tendríamos la jácara que se introdujo también en el siglo XVI y que prácticamente desaparece con la muerte de Felipe IV. Se puso de moda rápidamente porque el público la pedía con su insolencia habitual al grito de ¡jácara! ¡jácara!, y es más, si el público no la pedía había actores de la compañía del público para provocar la petición colectiva. Y por último, el baile, una pieza festiva que tenía la función de que el público recuperase su autonomía y volviese al estado de salvajismo en que había entrado para que su salida fuese no menos jocosa ni feliz. Todo esto, pues, esta estructura del espectáculo estaba en función del público. Reproducir esa estructura con un público formado en la escuela victoriana, yo no sé si tiene o no sentido, pero a mí me parece por lo menos, que lo que está muy claro es que al público habría que darle lecciones previas, de tipo histórico, sociológico y demás para que acudiese a esta especie de museo pensando cómo se conducía un público que ya no es él. No sé si esto queda bastante claro, pero en fin, para mí resulta evidente.

JUAN ANTONIO HORMIGÓN.—*Lo está, Domingo. Más intervenciones sobre el tema.*

JAVIER NAVARRO.— *Cuando he empleado el término arqueológico, creo que lo he utilizado en todo su valor. Un arqueólogo es un señor que descubre restos del* pasado y los analiza, para traer ese pasado y mostrarlo en el día de hoy. Ese sentido evidentemente sería el que he pretendido sugerir cuando he hablado de hacer un teatro arqueológico con el teatro clásico. Pero, por otra parte, hablando seriamente, ¿no es una cosa de locos pretender gastarse un dineral en reproducir un teatro del que, por otro lado, como muy bien han apuntado aquí, todavía no se tienen los datos suficientes como para reproducirlo con fidelidad, mientras que las Jornadas Clásicas de Almagro, al menos en su parte de representaciones teatrales, adolece totalmente del dinero necesario? ¿No sería lo lógico gastar el dinero, puesto que tenemos un corral, en traer a la gente lo suficientemente subvencionada como para que monten los espectáculos de verdad para el Corral de Almagro?

LUIS DE TAVIRA.— *Yo quisiera llevar el tema a otra reflexión que implicaría el rescate de lo que a mí me pareció muy iluminador de la ponencia de Middleton, porque el hecho en sí, la idea en sí de la reproducción de un corral, sea sociológica, sea para lo que fuere, en sí misma me parece espléndida, me parece indiscutible; pero surge el problema de "lo en sí mismo", es decir, creo que el problema varía cuando se le mete en un contexto. En la historia que nos relataba del Corral de la Cruz, lo que me quedó muy claro fue el gran testimonio histórico que aporta una lección importante respecto al quehacer teatral, por cuanto nos habla de un corral que no obedeció a un perjuicio o a una prefabricación, sino que es la historia de un teatro que fue encontrado en su lugar en el espacio urbano, y que resultó de esa búsqueda que estaba determinada por muchas condiciones ajenas a la intención previa. Esto es lo que me parece importante, el rescate de esta lección histórica de un quehacer teatral que encuentra un lugar en la ciudad y que pervive en la medida en que tiene una validez auténtica y espontánea en su*

226

contacto con el público y que desaparece en el momento en que esta validez se acaba y se transforma en otra cosa. Yo creo que el problema nos llevaría a reflexionar mucho más respecto a esta lección histórica en la necesidad del espacio teatral para nuestra ciudad, en ese amplio contexto de lo que es la función social del teatro y es ahí donde encontraría un marco realmente justo la propuesta de reconstruir o no un corral, que en sí mismo no creo que tenga objeción ninguna. Volviendo a la reflexión de Paco Nieva, yo creo que el corral previve en la medida en que está sostenido por una vigencia auténtica y espontánea por parte de una cultura y un pueblo. A mí lo que me preocuparía es intentar revertir el proceso mediante artificialidad y crear instancias artificiales que no responden a una vigencia espontánea y auténtica, porque estas no conducen a ningún lado. Entonces crearíamos instancias mitificadoras de un hecho cultural muerto, o crearíamos cultura por decreto o todas estas cosas que finalmente no funcionarán porque no están obedeciendo a una necesidad ·real, a una necesidad espiritual de manifestación colectiva. Por otro lado, yo creo que sí existe una búsqueda de los hombres preocupados por el quehacer teatral para encontrar el desahogo y la alternativa y la posibilidad de su propiciación y es en este marco en donde yo siento importante la reflexión acerca de la historia de los corrales, ¿no? Ahí está la gran lección histórica que nos debería llevar quizá a consideraciones muy distintas a las de intentar la simple reproducción museológica, aunque creo que el problema en sí es indiscutible, no tiene discusión.

JUAN ANTONIO HORMIGÓN.— Yo os pediría que intentásemos no ser redundantes porque si no nos vamos a extender mucho. También que intentásemos concretar el tema al máximo. Paco Nieva ha pedido la palabra.

FRANCISCO NIEVA.— *Yo creo que estamos tratando
este asunto con una mentalidad de país pobre: ¿cómo
emplear el dinero? No hay duda alguna de que ese
instrumento didáctico se tendría quizá, más fácilmente, si fuésemos un país rico y por tanto, por rico, más
imaginativo. Yo no estoy ni contra Disneylandia ni
contra "El pueblo español" en Barcelona, como no
estoy tampoco contra el Museo Romántico de Madrid,
ni contra la Fundación Vega-Inclán, es decir, la Casa
del Greco en Toledo, que es completamente falsa. Lo
que ocurre es que esos instrumentos didácticos se lo
proponen países más ricos que el nuestro y parece, por
otra parte, un poco peligroso enfrentarse con esos problemas con una mentalidad de país pobre. Ese capricho
quizá lo puede tener un país rico y un aristócrata, pero
no hay duda alguna de que todos deberíamos de tener
una mentalidad un poco más aristocrática, más de
país rico, para poder tener más imaginación, más libertad. Ese sentimiento de humillación de cómo emplear el
dinero, es una cosa que va muy en contra de la
imaginación, de la fantasía y todos estos caprichos
aparentemente inservibles, tienen una función didáctica y tan divertida que luego en el fondo son visitados
por cantidad de gente y se crea una entidad, algo que
no es una resurrección ni muchísimo menos. Es la
conservación, un monumento al pasado que no implica que quedemos varados en ese pasado, ni mucho
menos. Quiero, por otra parte, decir que el teatro "no"
japonés, en este momento, no lo entiende nadie, ni los
propios japoneses y que se disfruta como es lo que es
hoy día precisamente, un instrumento didáctico para el
conocimiento del teatro del pasado en Japón.*

JUAN ANTONIO HORMIGÓN.— *Alfonso Gil, por favor.*

ALFONSO GIL.— *A mí me preocupa muchísimo que
estemos hablando de reconstruir un corral de comedias*

cuando creo que hay un buen montón de gente de teatro en nuestro país, que se está planteando cuáles son las alternativas para sacar ese teatro adelante dentro, por ejemplo, de los grandes centros urbanos. ¿Cuál es la alternativa?: ¿hacer un hermosísimo viaje hacia el pasado o crear una serie de medios para que la gente que está intentando y que se está rompiendo los cuernos en este país por hacer teatro, lo pueda hacer? Sencillamente.

JUAN ANTONIO HORMIGÓN.— *Bueno, parece que las posiciones se van definiendo. ¿Hay más opiniones?*

SANCHÍS SINISTERRA.— *Ya he dicho antes que no tenía una postura definida y ahora, a medida que el discurso se va, digamos, prolongando, empiezo a ver que quizás sí que fuera interesante; como posibilidad, no tanto como instrumento didáctico como decía Paco Nieva, sino como un instrumento de investigación. Claro, cuando hablamos de reconstrucción se nos vienen unas imágenes de museo, de una especie, no sé, de glorificación de la cultura y tal, pero no hay que olvidar también que sería una herramienta interesantísima, utilizada por especialistas y casi diría incluso "para" especialistas, para poner en escena, para publicar la tridimensionalidad del texto clásico del siglo de oro. Yo ahora empezaba a fantasear con la posibilidad de un edificio de este tipo, de un dispositivo de este tipo, regentado, gestionado por un equipo de investigadores que abarquen desde la crítica textual hasta el trabajo interpretativo de recitación de versos, pasando por la maquinaria escénica, etc., y que eso fuera un laboratorio. Y repito, esto, en este sentido, empiezo a verlo con una perspectiva interesante.*

JUAN ANTONIO HORMIGÓN.— *Basilio Gassent quería decir algo.*

Basilio Gassent.— *Simplemente quería decir que lo importante sería hacer las dos cosas. Reconstruir el Corral del Príncipe y salvar la Sala Cadarso. Aquí precisamente hay varios hombres que son auténticos maestros de la adaptación del teatro clásico a nuestro tiempo. Esos clásicos si queremos que sigan siendo clásicos debemos procurar que sigan siéndolo también con nosotros, contemporáneos nuestros.*

Hugo Gutiérrez Vega.— *Creo que para tranquilidad del presidente de debates, en ningún momento nos hemos salido del tema. Yo he estado todo el tiempo pensando en las ponencias de la mañana y si ha aparecido algo concreto, creo que se ha ido transformando a lo largo de la discusión, que en ningún momento propuso usted, Sr. Allen, algo museográfico, sino algo relacionado con la investigación y sobre todo algo muy dirigido al establecimiento de una política cultural respecto a la puesta en escena de los clásicos. Paco Nieva tiene mucha razón en lo que decía. A veces sucede que nosotros pensamos como pobres de solemnidad, lo que significa que estamos adecuados al principio de realidad; pero, ¿no nos han puesto los anglosajones el ejemplo en materia de reconstrucción en Stafford-on-Avon, pongo por caso? El teatro es modernísimo. ¿Y en Conneticut? En el Strafford norteamericano tampoco se les ocurrió hacer una reproducción del globo, sino que hicieron un teatro modernísimo en donde se mueven los actores, los directores y las puestas en escena pueden ser extraordinariamente versátiles. Yo simplemente quería hacer dos pequeñas observaciones. Me parece que es difícil inventar una tradición y en occidente vivimos a base de rupturas, cosa que definitivamente no ha sucedido en países como Japón. Estoy de acuerdo con Paco en que el teatro languidece, pero, por ejemplo, la tradición del "kabuki" y la tradición del "koruri" de los títeres de Osaka, están absolutamente vivas. Lo que sucede es que los japoneses tienen la suficiente agilidad como para modernizar o utilizar los instrumentos de la técnica actual y ponerlos al servicio de la tradición. Por ejemplo, uno de los principales teatros de kabuku, el de Hiroshima en el Japón, está electrificado y tiene un escenario con un plato girato-rio, y han metido todas esas maravillas de la electrónica japonesa. Yo quería, pues, no sé si está usted de acuer-do, Sr. Allen, con lo que estoy diciendo, retomar simple-mente su argumento. Lo que usted proponía era crear algo que sería un desafío para los arquitectos teatrales españoles: la reconstrucción de un corral para estable-cer una nueva política cultural de apoyo a la difusión de los clásicos y que no fuera simplemente un centro de investigación, sino un centro de investigación y que al mismo tiempo los arquitectos lo dotaran de todos los elementos modernos para darle esa fuerza y sobre todo ese impacto en el mundo contemporáneo. Además, si vamos a hablar de las reproducciones arqueológicas, yo no sé exactamente cómo era el Corral de Almagro. Gracias a Manolo me estoy enterando ahora leyendo, pero creo que la reproducción arqueológica no es exac-ta en materia de elementos técnicos. Yo no vi ayer ninguna voladora que ahí ¿eh?, ni vi ningún escotillón y tal vez había escotillones y voladoras. Así es que si nos vamos a la reproducción arqueológica debemos hacerla en serio. Tratemos de establecer estos principios de polí-tica cultural ya que en ningún momento nos proponía usted que se construyera algo en plan de museo para que los niños lo recorrieran, sino algo vivo en lo que se refiere a una política cultural bien organizada.*

JUAN ANTONIO HORMIGÓN.— *Por supuesto el Sr. Allen va a tener que hablar ahora después de toda esta avalancha de cosas que se han dicho; pero como a veces, yo que soy moderador también quiero intervenir, voy a hacerlo ahora. Pienso que, efectivamente, yo he* suscitado un poco el debate esta mañana. Me parecía muy importante y se ve que es importante. Por lo tanto quiero dar mi opinión sobre el tema. Todo ha surgido porque tras una investigación minuciosa, ejemplar, realizada por John J. Allen, sobre cómo era el corral del Príncipe, que no conocíamos al menos en todos sus detalles, había una petición de que se reconstruyera. Incluso se ha planteado que podría haber algún lugar idóneo, la Casa de Campo, etc. Vimos también otra investigación minuciosa del Corral de la Cruz, pero al parecer tiene un nombre menos rotundo que el del Príncipe y nadie propuso reconstruirlo. Hubiera sido terrible que cada investigador de un corral nos pidiera que se reconstruyera, porque, verdaderamente, no pararíamos de reconstruir corrales.

Digamos que este es el primer punto al que añado que sería también terrible que fuésemos a reconstruir el Corral del Príncipe en donde estuvo, porque ahora hay un teatro maravilloso que se llama Teatro Español, seguramente el mejor teatro del país o por lo menos el teatro que es el más teatro del país. Sería lamentable tenerlo que derribar para levantar el corral y construir lo que estaba al lado y que ahora es la contaduría del Teatro Español. ¿Qué le vamos a hacer? Es la contaduría del Teatro Español porque compraron aquel café donde tuvo cita "El Parnasillo" en el siglo XIX, para ampliar las instalaciones y lo que estamos deseando todos es que llegue un concejal de cultura, digamos que "animoso", y compre el aparcamiento para ampliar las instalaciones del actual Teatro Español. Este es el primer punto que quería señalar. El segundo es para resumir lo que me parece que ha quedado claro en la exposición tanto de Middleton como de Allen esta mañana. Efectivamente, el edificio que tipifica el teatro español de una parte del siglo XVI y del XVII, es decir, cuando el teatro adquiere una entidad urbana y pública y tiene un local propio, no es el que surge en Italia, no es el que surge en Inglatera (a pesar de los parentescos que se puedan encontrar), no es el que surge en Francia, posee una forma específica determinada sustancialmente por la trama urbana de la ciudad. En la medida en que esa trama urbana determinaba una organización concreta de la ciudad, nacía y se ubicaba un lugar en el que llevar a cabo la práctica teatral. Todo eso en un país pobre, y no caigo en la tentación de la "pobreza" enunciada por Paco. Sé muy bien lo que él quiere decir, porque como nos conocemos hace tiempo, sé lo que media entre su sentido de la realidad y lo que son sus palabras. La verdad concreta de lo que dijiste es que éramos un país pobre en relación, por ejemplo, a la fastuosidad que se podía permitir Italia y toda la tradición del barroco italiano, o lo que se podía permitir Iñigo Jones en Inglaterra en las "mascaradas" y lo que se podían permitir otros teatros que tuvieron un desarrollo distinto. En nuestro país las cosas se llevan a un nivel de pobreza mayor y pienso que el edificio teatral no es solamente el reflejo de la moral opresiva y de la situación represiva de la sociedad del siglo XVII, lo que me parece evidente, y eso está suficientemente claro.

El utensilio —y hablo ahora tanto del escenario como del tipo de comunicación que se establece—, es decir, el local teatral como utensilio y como lugar de comunicación, es también reflejo de esa situación y el utensilio es pobre, por supuesto con todas las posibilidades de desarrollo imaginativo que se quiera, pero es un utensilio pobre y limitado. Quiero nada más recordar que la maquinaria que ese teatro admite es nimia en relación a la maquinaria que sabemos o presumimos que tenía el Coliseo del Buen Retiro, como un teatro equipado con las invenciones italianas. Por supuesto el espacio, y ese es un tema que por menos a mí me preocupa mucho desde el punto de vista de la práctica escénica, el espacio era enormemente limitado. Las medidas que

Allen nos ha dado del tablado principal del Príncipe, no hablo de los dos tablados accesorios, eran enormemente reducidas y eso supone que el juego escénico y el tipo de evoluciones estaba muy limitado por esta cuestión. Entonces surge el tema de si se debería o no reconstruir el corral. Por supuesto, creo que aquí se han apuntado cuestiones morales, de índole moral; es decir, no tenemos dinero, tenemos problemas, hay enormes carencias, etc. Pienso que si al Ministerio de Cultura se le ocurriera decir ahora, de pronto, que quería reconstruir el teatro del Príncipe en Madrid, lo que se podía organizar no está escrito en los papeles. Creo que no es por ese lado por el que hay que tratar la cuestión, y en eso estoy de acuerdo con Paco. Es decir, me parece que no debíamos hablar de dinero aunque, por supuesto, la reconstrucción dependiera del dinero. Considero que se trata de un problema de concepto más profundo y si yo me pronuncio en contra (esta mañana dije que lo diría ahora), es por razones más profundas, al menos creo que es así, y que tienen que ver por un lado, con la contingencia del hecho teatral, la contingencia del local teatral y lo que para mí representa el repertorio, los clásicos como parte del repertorio contemporáneo.

Lo que está claro es que un determinado espacio teatral, un determinado edificio teatral, responde a unas necesidades históricas y que la historia va cambiando las necesidades. No creo en absoluto que fuera algo casual o gratuito el que los corrales desaparecieran, como no fue nada gratuito que el telar bajo del siglo XVIII fuera sustituido por el telar alto del siglo XIX. Había unas necesidades a las que dar respuesta o unos descubrimientos de los que apropiarse: el tránsito de la luz de velas a la luz de gas y de la luz de gas a la luz eléctrica, fueron adquisiciones técnicas que nuestros antepasados incorporaron al trabajo teatral. Los corrales desaparecen porque hay un tránsito histórico. Cuan-

do emergen determinados problemas arquitectónicos a lo largo de la historia, aunque sean barbaridades, han surgido y están ahí. A mí me parece una aberración, personalmente, lo que hay dentro de la Mezquita de Córdoba en forma de catedral católica, pero me parecería una aberración doblemente. grave y propia de bárbaros contemporáneos si ahora, para recuperar la pureza original, tirásemos esa catedral para reconstruir la mezquita tal y como era. Ese es el testimonio de una barbarie histórica, por supuesto, pero también de un contraste de estilos.

Queda otro tema que es el del mantenimiento de los viejos locales y esa sí que es una herencia que la historia nos lega y que es necesario preservar, conservar y mantener. Me parece que a lo largo de toda esta discusión parece como si el Corral de Almagro no existiera de pronto, y yo no puedo partir más que de un hecho: ese local teatral —y esa es nuestra maravilla— existe y existe genuinamente. Yo no se hasta qué punto los ladrillos del corral conservan la tierra, yendo ya a un sentido purista absoluto, conservan la tierra original con que fueron hechos, pero lo que es evidente es que ese espacio y ese local tienen total garantía y legitimidad genuina. Si hay un corral que rescatar debe hacerse, como creo que hay que reconstruir y recuperar todos los locales escénicos legados por el pasado y que tengan un valor significativo, pero lo que no me parece coherente es la construcción de un local nuevo con una planta determinada para reconstruir algo que es perfecto desde el punto de vista del estudio, pero que ya no tiene ninguna legitimidad histórica, ni representa ninguna conservación real de algo que tenemos. Eso no quita para. que me parezca positivo, por supuesto (esto es lo que podemos discutir en los próximos días), el carácter de laboratorio que se puede dar a estos locales, sus posibilidades escénicas, aunque todo esto sea tam-

*bién discutible; es decir, hasta donde se puede llegar,
hasta donde podemos profundizar en este trabajo: ¿Tenemos o no tenemos una tradición que nos haya legado unas formas determinadas de representación? No
hay que olvidar que el teatro "No" puede languidecer o
no ser comprendido, pero hay una escuela de actores
del "No", que siempre han seguido una normativa, una
escuela y un código. El "No" que yo vi en Venecia hace
ocho años, era el mismo "No" en cuanto a procedimien-
to de trabajo, que el que hacían hace ocho siglos. Nosotros hemos roto esa tradición. Los actores de hoy utilizan
procedimientos diferentes a los del siglo XVII, formas de
dicción distintas, formas de trabajo distintas, procedimientos escénicos distintos.*

*Siempre que queramos utilizar estos espacios será
empleando una determinada óptica respecto a ellos,
pero que nadie sueñe con hacer arqueología en estos
teatros porque la arqueología va a dejar a la vista sus
costurones por todas partes, entre otras cosas porque
utilizamos proyectores de luz artificial, sistemas de am-
plificación electrónica, etc. Por último llegamos a toda
la información dada por Domingo Miras, que es, me
parece, suficiente y en la que no quiero insistir. Hay
algo que no podremos reconstruir jamás y es el comportamiento y mentalidad del público contemporáneo de
estos espectáculos. No creo que valga la pena redundar
en esta cuestión. Todas estas son las razones por las
que pienso que ese encomiable deseo de Allen no es
viable. Es doloroso decir esto, porque en estos momentos
se considera el padre de la criatura: no hay en el
mundo arquitecto alguno que haya hecho el Príncipe,
el Príncipe es de John J. Allen, lo cual me parece legítimo porque es fruto del amor que siente por lo que ha
descubierto, ha trabajado y ha reconstruido. Todo eso
que es verdad, no·quita para que en un plano absolutamente consciente no nos podamos ni siquiera plantear la discusión. Cuando lo que tenemos es un local*

legítimo, que es el Corral de Almagro, no pararé de insistir en que si hay algo que debemos dotar de vida real es esto y ahí sí que entraría en el tema del dinero, para ver de qué modo y manera podía articularse un trabajo continuado aquí. Lo demás, perdonadme, son sueños. Lo que hoy tenemos que hacer es teatro de nuestro tiempo, entre otras cosas, porque si algo tenemos planteado en el teatro de los últimos veinte años es una renovación total del espacio, de la concepción del espacio. El espacio empieza a ser una cuestión vital en la puesta en escena, a mi modo de ver, y creo que justamente lo que el corral representa es una concepción diametralmente opuesta del espacio; es una estructura vertical frente a una profundidad horizontal que es la que domina en el espacio teatral contemporáneo.

JOHN J. ALLEN.— *Intentaré buscar la validez de todo lo que se ha dicho, aunque soy de una parcialidad enorme, como se ve. Quisiera solamente tocar los puntos relevantes, pertinentes. Para cualquier decisión sobre este tema. Primero ha surgido varias veces el Corral de Almagro. Respecto a lo que yo tenía en mente tiene dos problemas: lo chico y lo lejano. No se puede crear lo que yo proponía en cuanto se condicione a este lugar, porque hay que importar espectadores, importar actores, etc. Tampoco sirve para centro de investigación porque aquí habría que traer los documentos que están en los archivos de Madrid, y en ningún otro sentido creo que sirva. Podemos reproducir el acontecimiento que era una comedia en el corral, es un poco el problema del Quijote de Pier Alain. Ahí Borges no propone una reescritura del Quijote sino una lectura. Yo creía que la idea de este congreso era tratar de acercarse a los clásicos para establecer una base, como han hecho los ingleses, creo, con bastante éxito, para modernizarlos, porque no se puede modernizar sino sobre un conocimiento de lo antiguo. Creo, francamente, que los ingle-*

ses no han reconstruido El Globo porque no saben cómo era; todavía discuten problemas fundamentales. Lo curioso en mis investigaciones es que demuestran que son iguales o casi iguales el corral y el teatro isabelino. Los ingleses han establecido también algo que ha sido expuesto aquí y es el desarrollo independiente del edificio teatro, del espacio escénico y del vestuario. Creo que esto está bastante aceptado por los estudiosos ingleses; antes no lo veían porque se trataba de un espacio convertible.

Es el mismo caso del teatro. Así que se podría plantear el problema en escala menor diciendo, vamos a tratar el espacio escénico con fidelidad, con espectadores en los laterales, etc., y vamos a jugar un poco con el edificio o usando un espacio ya establecido, hay varios grados de aceptación de lo que está establecido. En cuanto a la producción y a reproducir el acto teatral tal como era para mí, personalmente, como encargado de dar un curso sobre la comedia, que ver en el Centro Colón una obra con un entremés entre los actos me abrió los ojos, empecé a entender por qué había tanta recapitulación al principio de cada acto en el siglo de oro, claro. Lo entiendo y creo que lo enseño mejor y mientras más se acerca a lo que era sin llegar nunca a serlo, más entendemos, más podemos enseñar y más podemos construir una producción moderna pero partiendo de esa base firme. Teatro y centro urbano; hubo conexión antes y ahora se intenta sacar teatro del centro urbano. Esta mañana surgió la pregunta de por qué esa demora en la aparición de la "comedia", después de Encina y Torres Naharro, la razón es que la corte hasta 1561 no va a Madrid y comienza a crearse la sociedad necesaria para que haya teatro, lo mismo que en Inglaterra. Tiene que haber una cierta sociedad para que el teatro exista, lo que no existe en términos modernos aquí, existe en Madrid. Pero voy a seguir: hay algo que me molesta un poco: hemos pasado una *etapa así en Estados Unidos que nos ha dejado tan pobres, tan pobres de historia en todos los sentidos. Tiramos lo poco que habíamos tenido en los años sesenta, años de la relevancia. Todo tiene que pertenecer de inmediato al hoy, al presente, y yo quisiera al menos advertir que en esa línea de pensamiento se quedan en lo superficial; hay que buscar el pasado para comenzar de nuevo. Todos sabemos eso, me parece, que está en el aire, una cosa que creo que es fundamental es que para hacerlo mal, mejor es no hacerlo.*

JUAN ANTONIO HORMIGÓN.— *Quisiera tranquilizar a Allen porque me parece que por las caras que veo y por los gustos que yo conozco de algunos de los presentes, aquí estará, seguramente, el cien por cien de los mayores defensores del pasado histórico español, el que existe, el que nos han dejado. No vamos necesariamente a reinventarnos un Madrid galdosiano, sino a conservar el Madrid galdosiano que queda, que no nos han tirado. Lo que no podemos es reconstruir lo que ya no existe, esa es mi preocupación, vamos, es lo que quería manifestar exclusivamente. ¿Hay más cuestiones respecto a esto?*

THOMAS MIDDLETON.— *Yo quería decir una cosa muy muy corta sobre todo lo que hemos hablado esta tarde de reconstruir o no reconstruir el Corral del Príncipe o un corral parecido. Yo creo que la pregunta fundamental es: ¿Si reconstruimos el corral, esto va a ayudarnos a formar actores, con una formación adecuada, con técnicos adecuados, con directores adecuados para desarrollar el teatro español? Yo soy extranjero, obviamente, vivo aquí hace ya unos años y tengo una frustración constaste: cuando participo en el teatro como público, veo diariamente un talento increíble, pero increíble, en este país, pero por alguna razón, quizá porque soy extranjero y no lo entiendo, está disperso por todas partes. No hay algo que lo agrupe y me gustaría ver un desarrollo en que el teatro fuera otra vez la corriente principal del país, con una historia tan larga, tan rica, tan vital. Esto es lo que me lleva al Corral de Almagro, esto es un sueño, es el único teatro público de esta época que existe en toda Europa, igual que en Elche, con el Misterio. En este país hay tesoros que son increíbles, otros países no los tienen y nunca los tendrán, pero aquí, otra vez, las cosas están dispersas, no utilizamos lo maravilloso que tenemos para poner en marcha y desarrollar los talentos que hay ahora mismo en este país. Regresando una vez más a la discusión de esta tarde, yo diría sí a la reconstrucción del corral si va a servir para hacer estas cosas, para ayudarnos a aprender, a conocer el teatro clásico en todos sus aspectos, incluyendo la formación de actores. Hacerlo entonces sería buena idea, pero quizá hemos de pensar en el dinero; esto es un sueño y va a costar reconstruirlo. Porque el dinero puede utilizarse de otra manera más eficaz para conseguir este desarrollo. Yo sé lo que el país puede hacer, porque como he dicho y repito hay talento a todos los niveles. Nada más.*

JUAN ANTONIO HORMIGÓN.— *Si alguien quiere hacer referencia a esto todavía, no importa, pero lo que me pregunto es si hay algún tema más, porque las ponencias de esta mañana han sido algo más que si se construye o no un corral. Realmente hubo una cuestión, pienso, muy interesante, que fue el análisis de la totalidad de espacios teatrales en el siglo XVII y la correlación entre escritura, entre literatura dramática y espacios. Eso no se ha tocado, y no sé si alguien quiere decir algo en torno al tema.*

SANCHÍS SINISTERRA.— *Yo tenía unas preguntas pendientes que esta mañana no quise plantear porque estábamos un poco hostigados por el estómago. Son tres* temas muy distintos y creo que van dirigidos a los tres ponentes de esta mañana, por lo menos les afectan a unos más y a otros menos. Uno de ellos tiene que ver con urbanismo y se refiere a ese remedio tan peculiar, si he entendido bien, que sucede con la incrustación en barrios populares de ese espacio altamente cargado de todo tipo de intereses y ahí me referiría tanto a los intereses económicos como al interés social y político que tiene para la clase gobernante esa especie de cala, de contexto social que es el teatro. Me gustaría saber en qué medida afecta, por ejemplo, al desarrollo del conjunto urbano esa presión y repito, en un barrio popular, de un espacio altamente cargado de significación e interés, sociopolítico, etc., ¿en qué medida afectó el hecho de que los cortesanos fueran a ese espacio, implicó una transformación de ese espacio?, ¿en qué medida la ciudad se modifica y no sólo la ciudad determina la estructura del local teatral, sino en qué medida el local teatral significa una modificación al menos de la dinámica de crecimiento, de desarrollo de la ciudad?, este es un tema.

El segundo tiene que ver con la escenografía del teatro barroco, en la que me parece que se confunden, no sé si en las exposiciones o si se confundían ya, se fundían ya en la realidad, dos principios estéticos en cierto modo opuestos, que van a estar en pugna durante, prácticamente, el siglo XVII y parte del XVIII y que se van a resolver de un modo determinado en el XIX. Son los dos principios que, simplificando mucho, denominaría, el principio que he dado en llamar ilusionista que incorpora las aportaciones de los descubrimientos de la óptica y luego de la perspectiva. Es decir, todos los aspectos de la escenografía que se basan en el principio de la verosimilitud, de crear este efecto de ilusionismo, de verdad, por una parte y luego un principio contrapuesto que yo llamaría quizá el principio de la fascinación, el efectismo, el efecto de prodigio que funciona a partir de toda esta maquinaria que produce efectos sorprendentes de apariciones, desapariciones, elevaciones, etc., ¿no? Estos son dos principios que yo creo que son francamente opuestos y que determinan dos dramaturgias, dos concepciones del teatro que probablemente se manifiesten de una manera más clara en el teatro cortesano y el teatro que voy a llamar burgués o urbano. Yo quería saber si estos dos principios son realmente distintos, o si se articulan en algún tipo de dialéctica, o si realmente la evolución diferenciada desarrolla el mismo sentido y con los mismos sentidos el principio de la verosimilitud que dará paso a lo que hemos llamado el efecto de verdad, del siglo XIX, el teatro realista, y que se basa en los descubrimientos de la pintura renacentista y que el principio del efectismo, del prodigio, que tiene lugar con todo ese maquinismo y mecanización también de la escena, que dará lugar, pues, a todo el teatro de magia del siglo XIX, por ejemplo, entre otras cosas. Y ya la otra pregunta, muy concreta, es saber si hay alguna investigación monográfica sobre la figura de Gamasa, ese misterioso personaje al parecer determinante de la evolución de nuestro teatro. Estas son mis tres preguntas.

JOHN J. ALLEN.— *En cuanto a la tercera, yo tengo un artículo sobre Gamasa que viene en el boletín "... Spain History", creo, le puedo dar la cita si le interesa. En cuanto a la segunda, los dos tipos de teatro, la historia del teatro inglés, del teatro isabelino y posterior, sería igual en los corrales, y el teatro emblemático, es decir, el teatro emblemático de Shakespeare, "Globo", corral y el teatro ilusionista mimético, nuevo estilo perfectilista italiano y creo que, bastante convincentemente, la historia del teatro inglés de este período tiene mucho que ver con la puesta en escena moderna y las luces y lo que decíamos en la pregunta de antes, no se representa la realidad, no se trata de representar la realidad, y esto tiene que ver también con el final de la obra, tiene que ver con un montón de cosas que han surgido. Ahora, hay que encontrar los efectos, yo creo que eso sí está en los dos lados, son estilos de efectos. La maquinaria del corral parece un desarrollo último de las posibilidades de máquinas medievales, mientras la maquinaria nueva es la del renacimiento italiano que consiste en ver qué complicada máquina podemos hacer, hasta el punto de que el ruido de la maquinaria fastidiaba a Calderón.*

JAVIER NAVARRO.— *Bueno, yo contestaré a las dos primeras. En cuanto a la influencia que haya podido tener el fenómeno concreto y físico de los corrales en el desarrollo urbano de Madrid, es un tema que habría que investigar y no creo que sea muy evidente. Sería cuestión más de un estudio socioeconómico que de un estudio urbanístico en sí de trama urbana y desarrollo físico de la ciudad. Quizá indirectamente, a través de la sociología y la economía se pueden encontrar algunas causas pero yo no tengo datos suficientes. No creo que haya un estudio concreto sobre el tema pero sería muy interesante hacerlo. Respecto a la segunda creo que ha sido un poco la tesis fundamental de mi ponencia de esta mañana. Está bien claro que a lo largo del siglo XVII convivieron en España las dos tendencias que son además hasta cierto punto antagónicas. La supervivencia del teatro medieval que es un teatro efectista de prodigios, tratando de impresionar al espectador, pues a partir de la "boca del infierno", es un ejemplo muy claro, y de otros trucos, luego entronca naturalmente con un planteamiento barroco, emblemático, simbólico y alegórico, del cual Calderón es la cumbre; en donde todo tiene un sentido. El público de entonces estaba acostumbrado a entender esto que se da desde el primer momento de los corrales, evidentemente, como supervi-*

vencia del teatro medieval. Despues, a partir de la década de los años veinte es cuando Cosme Loti y Fontana vienen a España y empiezan a hacer sus otros prodigios, en la visión perspectiva de la escena. Ya he citado esta mañana una serie de referencias de cómo aquello causó enorme sorpresa incluso en el propio Lope y Calderón, en todo el mundo, no digamos ya en el espectador normal porque realmente no estaban acostumbrados a aquello, sí lo estaban a aquella lectura simbólica medieval y barroca española concretamente. De pronto aquello es un código diferente que les maravilla hasta el punto de que como veíamos en los dibujos para "La fiera, el rayo y la piedra", de Gomar y Mayuca, que son ya muy tardíos, del año 1690, todavía los artistas españoles menores no habían realmente desarrollado un técnica en cuanto a la elaboración del propio dibujo. Esta es la corriente italiana que viene a España y que naturalmente acaba dominando a la otra porque no crea una supervivencia antigua y, evidentemente, ya a partir del siglo XVIII en que todavía se mantienen los autos sacramentales por un lado y los corrales por otro, pero ya se derriban los corrales y se transforman en coliseos a la italiana, utilizando toda la técnica de bastidores y telares para crear la visión perspectiva de la escena.

JUAN ANTONIO HORMIGÓN.— *Yo le pediría a Domingo Miras que mañana plantee la pregunta desde el escaño, pero mañana. Es que me parece que hay ya un tono moribundo por parte del personal, llevamos ocho horas de trabajo y te pediría que la guardes para mañana. Vamos a concluir porque realmente estamos muy cansados. Hasta mañana.*

II JORNADA

"NUESTROS CLÁSICOS COMUNES"

VISIÓN PANORÁMICA DEL TEATRO BARROCO VIRREINAL COMO EXPRESIÓN DEL MESTIZAJE HISPANO-AMERICANO
Carlos Miguel Suárez Radillo

SOR JUANA Y EL BARROCO MEXICANO
Hugo Guitiérrez Vega

TEATRO E IDENTIDAD NACIONAL: LA PUESTA EN ESCENA DE LOS CLÁSICOS EN MÉXICO
Luis de Tavira

COLOQUIO

JUAN ANTONIO HORMIGÓN.— *Vamos a empezar la segunda sesión de las Jornadas. Es para mí muy gratifi-
cante cumplir uno de los deseos que he tenido desde
hace tiempo. Consistía no solamente en lograr que amigos mexicanos participaran de una manera individual
en ciertos trabajos que hacemos en España, sino en
dedicar una mesa a una problemática mexicana que
en este caso, además, está tan llena de contenidos y de
curiosos datos. Confieso que hasta no estar en México
no comprendí hasta qué punto existen todos esos datos;
cuál es la problemática de nuestros clásicos, que yo
llamo comunes porque pienso que lo son, y porque
pienso que así son sentidos desde el doble plano que he
planteado o que he propuesto que debatamos. Se trata
no sólo de saber como se escribió o como nació una
literatura barroca mexicana sino también de cómo se
proyectan hoy estos clásicos comunes sobre la realidad
teatral mexicana, bien, a eso vamos a dedicar la sesión
de trabajo. Comenzará hablando Carlos Miguel Suárez
Radillo que aunque no es español de nacimiento, es
español de adopción. Después tenemos a dos amigos y
compañeros mexicanos, Hugo Gutiérrez Vega, que va
por la vida diciendo que es actor, cosa que yo no dudo,
y siempre lo dice con voz seria como ayer tarde, pero
que además es agregado cultural de la Embajada de
México en España, quiero decir que hay que conocer
esas dos vertientes, es el enviado cultural de los Estdos
Unidos Mexicanos a España. Luis de Tavira es actualmente director del Departamento de Actividades Teatrales de la UNAM y director de escena, como Hugo, es
también poeta y muchas otras cosas en las que no me
alargo porque tendríamos que emplear toda la mañana. Vamos a empezar ya, rapidito, y espero que sea
una mañana fructífera.*

VISIÓN PANORÁMICA DEL TEATRO BARROCO VIRREINAL COMO EXPRESIÓN DEL MESTIZAJE HISPANO-AMERICANO

CARLOS MIGUEL SUÁREZ RADILLO

CARLOS MIGUEL SUÁREZ RADILLO

Nacido en La Habana, Cuba, en 1919, es doctor en Pedagogía por la Universidad de su ciudad natal y Master of Arts por Hunter College, Nueva York, y ha ampliado estudios en varios países europeos con becas del British Council, el Institut Catholique y Universitá de Perugia, entre otras instituciones, así como del Instituto de Cultura Hispánica (hoy de Cooperación Iberoamericana) y la Dirección General de Relaciones Culturales, en España. Radicado en Madrid desde 1957, introduce el teatro hispanoamericano contemporáneo como director de su grupo Los Juglares, Teatro Hispanoamericano de Ensayo, estrenando treinta y cuatro obras de autores de diversos países. Entre 1959 y 1962 dirige el Teatro Nacional de Juventudes, de la Sección Femenina, y posteriormente diversas compañías profesionales. Asimismo participa en numerosos festivales, como el Primer Festival de Teatro de Cámara de Madrid (1959), con los premios de dirección y mejor conjunto, el Premier Festival du Theatre d'Avant-Garde, en Bruselas (1960) y el Primer Festival de Teatro Nuevo, en Madrid (1960), con el premio al mejor conjunto. Ha sido miembro del jurado en el Primer Concurso al Premio Tirso de Molina, Madrid (1963), el Primer Festival Latinoamericano de Teatro Universitario, en Manizales, Colombia (1968); el II Festival Centroamericano de Teatro Universitario, en San José, Costa Rica (1971) y el II y IV Festival de Teatro del Siglo de Oro, en El Paso, Texas, USA (1977 y 1979). Entre 1965 y 1970 realiza un viaje de investigación teatral por todos los países hispanoamericanos, base de su posterior labor de difusión teatral a través de artículos y libros. Entre 1970 y 1972 dirige en Caracas el Teatro de los Barrios, primer proyecto sistemático de promoción social a través del teatro, sobre el cual dicta conferencias y seminarios en casi todos los países europeos e Israel hasta 1975, así como en numerosas universidades norteamericanas.

Radicado nuevamente en Madrid, amplía su bibliografía que incluye ya los siguientes libros: **Trece autores del nuevo teatro venezolano** (Monte Ávila, Caracas, 1971); **Teatro Selecto Hispanoamericano Contemporáneo,** con O. Rodríguez Sarinas, antología en tres volúmenes (Escelicer, Madrid, 1971); **Un niño,** poema y variaciones en prosa (Escelicer, Madrid, 1972, y Playor, Madrid, 1976); sus versiones de **Comedia para asesinos** y **Visitantes de la muerte,** de James Endhard; **Proceso a cuatro monjas,** de Vladimiro Cajoli; **Una noche de mayo,** de Vittorio Calvino; **La Belle Epoque,** de Achille Saitta; **Mis noches de París,** de Anna Bonacci, y **Teatro Infantil de María Clara Machado** (Colección Teatro, Escelicer, Madrid, 1961-1972); **Temas y estilos en el teatro hispanoamericano contemporáneo** (Litho Arte, Zaragoza, 1975); **Itinerario temático y estilístico del teatro contemporáneo español** (Playor, Madrid, 1976); **Lo social en el teatro hispanoamericano contemporáneo** (Equinoccio, Universidad Simón Bolívar, Caracas, 1976); **La caracola y la campana** (Colección Nueva Poesía, Playor, Madrid, 1978); y dos piezas teatrales: **Las andanzas de Pinocho,** con Fernando Martín Iniesta, y su versión castellana de **Pluft el fantasmita,** de María Clara Machado (Don Bosco, Barcelona, 1981). En 1980 obtiene Mención Especial en el Concurso a Premios Cultura Hispánica, del Ministerio de Cultura de España, por su libro **El teatro barroco hispanoamericano** (José Porrúa Turanzas, Madrid, 1981), cuya edición se realiza con la colaboración de la Junta Coordinadora de Actividades y Establecimientos Culturales de dicho ministerio, y acaba de terminar su libro **El teatro neoclásico y costumbrista hispanoamericano,** otra historia crítico-antológica, para el cual le concede el Ministerio de Cultura una ayuda a la creación literaria en 1981. Ha publicado así mismo más de cincuenta artículos en revistas españolas e internacionales y prologado numerosos libros de teatro, poesía y ensayo.

Aparte de varias series sobre teatro para Radio Nacional de España, ha presentado ponencias en diversos congresos, como el XVII Congreso del Instituto Internacional de Literatura Iberoamericana (Madrid, 1975); Conference on Iter-American Women Writers (San José, California, 1976); Congreso de A.A.T.S.H. y A.E.P.E. (Madrid, 1977); Conference of Latin American Studies Association (Pittsburgh, Pennsylvania, 1979); II Congreso de Escritores de Lengua Española (Caracas, 1981); Jornadas sobre Teatro Clásico (Almagro) y I Jornadas Culturales Iberoamericanas (Santiago de Compostela, 1982).

En realidad el título que yo he dado a esta ponencia es un poquito diferente al que aparece en el programa, yo le he titulado "VISION PANORÁMICA DEL TEATRO BARROCO VIRREINAL COMO EXPRESIÓN DEL MESTIZAJE HISPANO AMERICANO".

*   *   *

Superada la incesante movilidad que caracteriza la presencia de España en América a lo largo del siglo XVI, comienza a producirse en ésta, con los albores del siglo XVII, una penetración cultural española cada vez más intensa, ya que se ejerce sobre colonias asentadas y con territorios más o menos delimitados, que se manifiesta en la imposición de estrictas normas político-administrativas y de una rígida ortodoxia católica garantizada por el Tribunal de la Inquisición y en la expansión de un estilo, el barroco, con el cual la poesía, la prosa en general, y el teatro en especial, inician en España una etapa de máximo esplendor entre los años finales del siglo XVI y primeros del XVII. Al nacer Calderón de la Barca, en 1600, como afirma Max Aub,

"viven y escriben, coinciden o disienten estilísticamente, sus amigos o enemigos, numerosísimos escritores entre los cuales destacan dramaturgos como Lope de Vega, Cervantes, Quevedo, Tirso de Molina, Ruiz de Alarcón, Vélez de Guevara, Guillén de Castro, Juan de la Cueva, Mira de Amescua... He aquí por qué el teatro ocupa un lugar tan preponderante dentro de la literatu-

253

ra del siglo de oro español. En el período que éste abarca los espectáculos se hacen masivos y la escenografía —que alcanza un extraordinario desarrollo— sirve de marco a las ideas y las formas, cada vez más complejas, de la obra teatral" (1).

Como estilo que libera a las expresiones artísticas en general de las normas clasicistas del Renacimiento —haciéndolas eminentemente teatrales en el sentido de móviles y comunicativas—, el barroco enriquece sensorialmente a toda la literatura, ya que, como señala Orozco Díaz,

> "entraña en su morfología y expresividad un desbordamiento de todo el extremo y apariencial, excitador y halagador de los sentidos, en especial el de la vista, pero buscando precisamente esa vía sensorial a impulso de la más grave inquietud de vivir: cual es el sentimiento de la fugacidad del tiempo. Arranca del espíritu y busca el espíritu, conmoviendo y penetrando a través de la vía de los sentidos" (2).

Al teatro en particular lo enriquece llevándole a romper con la estaticidad del teatro medieval, cuyas esencias filosóficas recupera, sobre todo en lo que al sentido de la fugacidad de la vida se refiere; destruyendo la mesura de la comedia y la tragedia clásicas, e incorporando todas las demás artes al espectáculo a través de medios expresivos —escenografía, tramoya, luces, música, etc.—, capaces de atraer a grandes masas de espectadores tanto en España como en América, donde en principio llega con Lope de Vega, Guillén de Castro, Montalbán, Mira de Amescua... y más tarde, en proporciones nunca igualadas, con Calderón de la Barca, seguido por Agustín Moreto, Rojas Zorrilla, Bances Candamo, Zamora, Cañizares y otros.

Pero no es posible atribuir el extraordinario desarrollo alcanzado en América por el barroco en general

—ni siquiera por el teatro barroco en particular—, a la influencia de sus cultivadores españoles. Según señala acertadamente Arrom,

> "porque teniendo el barroco esenciales rasgos en común con la visión estética y religiosa de aztecas e incas, en América se le aceptó como un inesperado reencuentro con lo propio" (3).

Y según Luis Alberto Sánchez, en relación con la literatura,

> "porque su barroquismo no puede ser tercamente imputado, como se estila, a causas exógenas, ni mucho menos a la acción de un solo escritor, por grande que fuere. Sería pueril pretender explicarlo sólo por la imitación de Góngora. Por debajo de lo visible circulan siempre ocultas corrientes. América era barroca desde que nació. La civilización maya, la preinca, la de Chanchán, la guaraní, la chibcha, la tolteca, lo prueban" (4).

Dos vertientes, pues. La una, impuesta por una influencia estilística externa que respalda una férrea represión. La otra, preexistente desde que en América florecieran las altas culturas e incluso las intermedias a lo largo y a lo ancho de ella. Como resultado de ambas, un barroco hispanoamericano, esencialmente mestizo, que, si en la arquitectura y en la escultura se regodea en volutas que modelan animales, frutos y flores genuinamente americanos, en la literatura y por ende en el teatro —cuya existencia previa a la conquista no es posible negar—, ofrece entre otras características la exhuberancia verbal, la fabulación, la alegoría y la apariencia; que expresa lo más auténtico y entrañable del propio acervo artístico y cultural, razón esencial de su prolongada vigencia en América; que constituye la síntesis de una voluntad estética paralelamente a la cual irá gestándose una voluntad política que, a medida que se afiance la sociedad criolla en el continente, se proyectará hacia la aún muy posterior independencia.

Entre los muchos ejemplos que podrían ilustrar cómo el teatro barroco virreinal expresa el mestizaje hispanoamericano, he escogido sólo algunos, en razón de la brevedad. Corresponde el primero a Juan Ruiz de Alarcón, nacido en México en 1580 u 81 y muerto en Madrid en 1639, a quien Menéndez y Pelayo niega su mexicanidad, entre otras razones, por la que él califica como

> "...la total ausencia de color americano que se advierte en sus producciones..." (5)

A lo que responde Arrom, con indudable agudeza criolla, que si

> "en sus comedias no halló tunas, zapotes y aguacates... es porque escribiendo para el público de Madrid y desarrollando asuntos que no ocurren en la meseta mexicana no tenía por qué incrustar en su versificación localismos que hubieran resultado a lo mejor incomprensibles y fuera de lugar. El criollismo de Alarcón no hay que buscarlo en las cosas que mira, sino en la perspectiva con que las mira" (6).

Aparte de su laicismo, que le diferencia de casi todos los dramaturgos españoles de su época, y del fundamento esencialmente racionalista de sus comedias, esa perspectiva distinta aparece en su diseño de la personalidad de los criados, que no son los graciosos habituales, confianzudos y un poco truhanes, sino seres humanos dotados de dignidad y buen juicio. Así, en *La verdad sospechosa,* al presentar a su servidor Tristán a su hijo don García, dice

Don Beltrán
No es criado el que te doy, / más consejero y amigo./

Don García
Tendrá ese lugar conmigo./

Tristán
Vuestro humilde esclavo soy./ (7).

Y en *Las paredes oyen,* al desvalorizar ante su criada Celia a su pretendiente, sólo porque es feo y desgarbado, dice la voluble

Doña Ana
Celia, ¡si don Juan tuviera / mejor talle y mejor cara!/

Celia
Pues ¡cómo! ¿en eso repara / una tan cuerda mujer? / En el hombre no has de ver / la hermosura o gentileza: / su hermosura es la nobleza; / su gentileza, el saber./ (8).

Nacido en la Puebla de los Angeles en 1612 y muerto en México en 1688, el jesuita Matías de Bocanegra, en su *Comedia de San Francisco de Borja* —escrita en 1640 para el homenaje al virrey Marqués de Villena—, nos deja, a través de una versificación marcadamente calderoniana, una amplia muestra de contenidos ideológicos barrocos. Aunque la acción de la comedia transcurre toda en España, su carácter mestizo queda definido plenamente en la acotación final del autor y en los versos que la cierran.

"Rematóse toda la fiesta con un mitote o tocotín, danza majestuosa y grave hecha a la usanza de los indios, entre dieciséis agraciados niños, vistosamente adornados con preciosas tilmas y trajes de lama de oro, cactles o coturnos bordados de pedrería, copiles o diademas sembradas de perlas y diamantes, quetzales de plumería verde sobre los hombros... A lo sonoro de los ayacatztles dorados, que son unas curiosas calabacillas llenas de guijillas, que hacen un agradable sonido, y al son de los instrumentos músicos, tocaba un niño cantor, cantando él solo los compases del tocotín, repitiendo cada copla la capilla, que en un retiro de celosías estaba oculta".

He aquí algunas de esas coplas, en las que se entrecruzan expresiones de sentido imperialista y frases de exaltación del paisaje local.

Capilla

Salí, mexicanos, / bailá el tocatín, / que al sol de Villena / tenéis en zenit./

Niño cantor

Su sangre cesárea, / cual rojo matiz, / dorado epiciclo / rubrica en carmín./

Capilla

Salí, mexicanos, / bailá el toquetín, / ...

Niño cantor

En vuestra laguna / la rosa y el jazmín / ya se acreditaron / de idalio pensil./

Capilla

Salí, mexicanos, / bailá el toquetín,/ ...

Niño cantor

De vuestras campiñas / el verde tabí / de espigas de oro / por tosco maíz../

Capilla

Salí, mexicanos, / bailá el toquetín,/ ... (9).

Nace Juana de Asbaje y Ramírez —inmortalizada como sor Juana Inés de la Cruz—, en 1651 en la hacienda de San Miguel de Nepantla y muere en México en 1695. Su admiración por Calderón la lleva no sólo a cultivar ocasionalmente una versificación muy cercana a la suya sino, incluso, a introducir versos de él en algunas de sus obras, y constituye uno de los más claros ejemplos de la transculturación entre los dramaturgos barrocos hispanoamericanos. Muestra de ella puede ser su Loa para el *Auto de El divino Narciso,* de 1688, en la cual, como señala Alfonso Méndez Plancarte,

"con humanísima comprensión y sobrenatural lucidez, evidencia el fondo de razón que había en los sacrificios humanos y en la antropofagia ritual de nuestros aztecas.

y lo canta, salvado y sublimado con infinita supremacia, en el Sacrificio y el Banquete Eucarísticos" (10).

Sirva de respaldo a estas afirmaciones un fragmento del diálogo entre *Occidente,* que aparece vestido de indio galán; *América,* de india bizarra, y la *Religión Cristiana,* de dama española. Al defenderles ésta, frente al *Celo,* vestido de capitán armado, le dicen sucesivamente *América* y *Occidente:*

América

Si el pedir que yo no muera, / el mostrarte compasiva, / es porque esperas de mí / que ˙me vencerás, altiva, / como antes por corporales, / después con intelectivas / armas, estás engañada; / pues aunque lloro cautiva / mi libertad, ¡mi albedrío / con libertad más crecida / adorará mis deidades!/

Occidente

Yo ya dije que me obliga / a rendirme a tí la fuerza; / y en esto claro se explia / que no hay fuerza ni violencia / que a la voluntad impida / sus libres operaciones; / y así, aunque cautivo gima, / ¡no me podrás impedir / que acá en mi corazón, diga / que venero al gran Dios de las Semillas!/

Religión

Espera, que aquésta no / as fuerza sino caricia. / ¿Qué Dios es ése que adoras?/

Occidente

En un Dios que fertiliza / los campos que dan los frutos; / a quien los cielos se inclinan, / a quien la lluvia obedece / y, en fin, es El que nos limpia / los pecados, y después / se hace manjar que nos brinda. / ¡Mira tú si puede haber, / en la deidad más benigna, / más beneficios que haga / ni más que yo te repita!/

Religión

(APARTE) ¡Válgame Dios! ¿Qué dibujos, / qué remedios o qué cifras / de nuestras sacras verdades / quieren ser estas mentiras? / ¡Oh, cautelosa serpiente! / ¡Oh, áspid venenoso! ¡Oh, Hidra, / que viertes por siete bocas, /

de tu ponzoña nociva / toda la mortal cicuta! / ¿Hasta
dónde tu malicia / quiere remedar de Dios / las
sagradas maravillas? / Pero con tu mismo engaño,
/ si Dios mi lengua habilita, / te tengo de convencer./ (11).

Naturalmente, el convencimiento se produce. Pero
ello no resta mérito al planteamiento de su libre albedrío por parte de *América,* a la exaltación de su dios
por parte de *Occidente,* ni a la valiente identificación
que sor Juana establece entre ese Dios y el de los
cristianos en su significación eucarística.

A fecha indeterminada —aunque por múltiples razones ubicables en el siglo XVII, en pleno período barroco—, y a un autor desconocido que la escribe en un
dialecto mixto de castellano y náhuatl, con algunas
palabras en mangue, corresponde la comedia satírica
bailada *El Güegüense o Macho Ratón,* representada hasta finales del siglo pasado en algunas localidades de
Nicaragua. Su argumento puede resumirse en pocas
palabras: a la llegada del gobernador Tastuanes se encuentra el Cabildo tan empobrecido que no puede
atenderle, por lo cual ordena al Alguacil que, de grado
o por fuerza y para que le divierta, traiga a su presencia
al Güegüense, que tiene fama de rico y de gracioso.
Cumpliendo la orden, el Alguacil sostiene con el Güegüense un largo diálogo en el que éste se burla del
lenguaje cortesano y de la etiqueta colonial, burla que
continúa en un diálogo con el Gobernador, ante el cual
se presenta sin licencia, proclamando entre bromas y
veras la igualdad de los hombres y la estupidez que
supone el acatamiento a la autoridad. Después de diver-
tir al Gobernador bailando varias veces con sus hijos,
don Forsico y don Ambrosio, el Güegüense abre su
tienda, aprovechando la ocasión para protestar contra
los excesivos tributos impuestos al pueblo. Finalmente,
pide para su hijo don Forsico la mano de Suche Malin-

che, hija del Gobernador, celebrándose la boda como cierre del espectáculo.

En el desarrollo de este argumento aparecen, mezclados entre sí, elementos indígenas, mestizos e hispánicos. De los primeros cabe destacar la propia estructura de la pieza, en la que se suceden diálogos breves y reiterativos, interrumpidos por catorce danzas; el repetido truco utilizado por el Güegüense de hacerse el sordo, tan usual en el primitivo teatro náhuatl; la coreografía colectiva; la ausencia del sentimiento amoroso —la proposición matrimonial se produce como un simple trato de negocios—, y, finalmente, el consiguiente silencio de los pocos personajes femeninos. Entre los elementos mestizos se encuentran el uso de máscaras —predominantemente indígena aunque no ajeno al teatro hispánico—, y los nombres de los personajes principales: Güegüense es un vocablo náhuatl —huehuentze—, castellanizado, que significa anciano venerable, utilizado con sentido irónico, y Tastuanes es un adjetivo peyorativo del cargo de gobernador que implica una burla a su rango o categoría. Por último, entre los elementos hispánicos encontramos una gran abundancia de palabras y expresiones castellanas arcaicas; la presencia destacada del gracioso o pícaro; las referencias a bailes, monedas, productos, hábitos culturales —la estructura, por ejemplo—, y, sobre todo, el establecimiento reconocido de instituciones y cargos políticos a los cuales satiriza.

Venciendo la tentación de extenderme en la ilustración de esta comedia me limitaré a traer aquí unos fragmentos del diálogo inicial entre el Güegüense y el Gobernador, a quien en principio aquél dirige los saludos rituales que le ha enseñado el Alguacil. Pero al tratar de imponerle el Gobernador el protocolo oficial, de rienda suelta a su picardía yéndose por la tangente y burlándose de él.

Gobernador

Pues Güegüense, ¿quién te ha dado licencia para entrar a presencia del representante del rey en la provincia?

Güegüense

¡Oh, válgame Dios, señor gobernador Tastuanes! Cuando yo estuve por esas tierras adentro, por los caminos de México, por Veracruz, Verapaz, Tecuantepec, arriando mi recua, guiando a mis muchachos, ora don Forsico que llega ante un mesonero y le pide que nos traiga una docena de huevos; vamos comiendo, y descargando y vuelto a cargar y me voy de paso; y no es menester licencia para ello, señor gobernador Tastuanes.

Gobernador

Pues aquí sí es menester licencia para ello, Güegüense.

Güegüense

Válgame Dios, señor gobernador Tastuanes, viniendo yo por una calle derecha me columbró una niña que está sentada en una ventana de oro, y me dice: Qué galán el Güegüense, qué bizarro el Güegüense. Aquí tienes bodega, Güegüense; entra, Güegüense; siéntate, Güegüense; aquí hay dulce, Güegüense; aquí hay limón. Y como soy un hombre de tan gracejo, salté a la calle en un cabriolé que con sus adornos no se distinguía lo que era, lleno de plata y oro hasta el suelo; y así una niña me dio licencia, señor gobernador Tastuanes.

Gobernador

Pues una niña no puede dar licencia, Güegüense.

Güegüense

¡Oh!, válgame Dios, señor gobernador Tastuanes, no seremos tontos, no; seremos amigos y negociaremos mis fardos de mercaderías de ropa. En primer lugar tengo cajonería de oro, cajonería de plata, ropa de Castilla, ropa de contrabando, güipil de pecho, güipil de pluma, medias de seda, zapatos de oro, sombrero de castor, estribos con lazo de oro y plata, y muchas hermosuras que pueden satisfacer al hábil gobernador Tastuanes... Permítame ofrecerle esta jeringuita de oro para curar al Cabildo Real del señor gobernador Tastuanes.

Gobernador
Para tu cu... erpo, Güegüense (12).D.

Ajeno a todo contenido religioso y rebelde y burlón ante la autoridad colonial, *El Güegüense* constituye una auténtica prueba del mestizaje racial y cultural vigente ya en América durante el período barroco, no sólo en el lenguaje, sino en algo tan importante o más: la actitud del hombre americano ante la imposición de unas formas de vida que, habiéndole sido ajenas, comienza a asimilar y transformar. Como pieza teatral debe su existencia al choque y la fusión, casi simultáneos de dos mundos y dos culturas, entre los cuales se mueve, cuya síntesis refleja su personaje central, que es a la vez un ser humano vivo, pues como afirma Pablo Antonio Cuadra,

> "el Güegüense parece llegar a su obra como un ser con existencia anterior a ella, como un tipo que viene del pasado y del pueblo —probablemente un viejo personaje que formó el antiguo y desaparecido teatro aborigen— y salta al escenario del nuevo teatro mestizo y bilingüe, y al actuar, también él se mestiza y completa en sí mismo el primer boceto satírico del nicaragüense" (13).

Entre 1629 y 1632 nace de dos humildes labriegos indígenas, en la provincia indiana de Aimaraes, Juan de Espinosa Medrano, apodado "El Lunarejo", que muere en el Cuzco en 1688. Su *Apologético en favor de Luis de Góngora,* escrito en 1660, le sitúa como el máximo representante del culteranismo en el Perú. Su obra dramática de autoría comprobada la forman dos piezas esencialmente distintas entre sí: la tragicomedia bíblica *Amar su propia muerte,* escrita en castellano y en línea de las comedias de enredo de Calderón, y el auto sacramental *El hijo pródigo,* escrito en quechua, en el que se equilibran plenamente su formación sacerdotal,

263

su condición de escritor culterano y las esencias indígenas de su personalidad. Aunque la influencia de estas
últimas, como señalan José Cid y Dolores Martí de Cid,

> "Vá más allá del vocabulario peculiar, con las alusiones
> a la fauna y a la flora... o la referencia a algunas costum-
> bres..." (14),

nos limitaremos, en razón de la brevedad, a ilustrar el
mestizaje que refleja este auto, según la versión de
Federico Schwab, con la relación de comidas y bebidas
autóctonas que, para satisfacer sus necesidades, pide
U'Ku, personaje alegórico que representa al *Cuerpo* de
Hurin Saya o *Cristiano,* el protagonista.

> *U'Ku*
> ...Yo digo que vengan sopa y jugos, / charqui, conchas
> y gelatina, / maíz sancochado y ensalada, / estofado,
> maíz dulce y habas, / carne no nacida y legumbres, /
> mazorcas, frejoles cocidos, chicha dulce, / hongos, hu-
> mitas y porotos, / paltas, ensalada de chichi, papas y
> frutas secas, / chicha de maní, amarilla y blanca./... (15).

Cercana ya la mitad del siglo XVIII, cuando el teatro
barroco peruano ha llegado a su plena decadencia,
aparecen dos autores que anticipan nuevos aires de
delicioso sabor local. Nacida en Abancay en 1696 y
muerta en Cajamarca en 1748, sor Josefa de Azaña y
Llano nos deja, en un manuscrito felizmente hallado
por Rubén Vargas Ugarte, cinco coloquios compuestos
para recreación de sus hermanas del convento. En uno
de ellos, el *Coloquio a la Natividad del Señor,* parece
seguir las huellas de Gómez Manrique, aunque suavizando la crudeza de éste por las aún incipientes influencias del rococó e introduciendo en su diálogo vocablos
de auténtica cepa criolla. Así, en su interpretación del
discurso del Angel hace de la Virgen una honesta doncella limeña, al decir de ella la pastora,

Gila

...Que nunca iba a la Alameda, / que minuetes no bailaba, / ni traía saya la cola, / aunque a la Luna pisaba./ ...

Y pinta auténticos pastores andinos en el diálogo entre Menga y

Sileno

Señora, ¿es verdad que han dicho, / que las ovejas y cabras / parirán, y darán leche / que corra hasta por la plaza? / ¿Que los pájaros saldrán / con la pluma tan dorada. / que le haga yo a Menga de ellas / un abanico de gala?/ ...

Menga

...Yo lo que preguntaré / serán cosas de importancia; / y es, si le vendrá a mi hijo, / el mayor, una Garnacha. / Y si mi hija, la chiquita, / ha de ser mujer de facha; / también si mi hijo, el llorón, / aquel feo y de mala gracia / lo azotaré, porque no sea, / un tonto como su Taita./

Sileno

Menga, trata de tener / un poco de politaca, / y no hablar así de un hombre, / que te estima y te da galas. / ¿Siempre no me estás pidiendo / te traiga cinta encarnada, / y te doy mírame lindo / aunque de totoras lo haga?/

Menga

Poy yo algún tercio de leña, / para andar entotorada? / ¿No basta que esta pollera traiga tan desarrapada / y ni un mongil le previenes / a una mujer de mi cara?/ ... (16)

El que más tarde será fray Francisco de Paula del Castillo y Tamayo, también conocido como *El Ciego de la Merced,* nace en 1716 en Lima, donde muere en 1770. Si en sus obras teatrales largas predomina el ya decadente culteranismo, en sus romances y piezas breves abundan elementos costumbristas y picarescos, evidentes en su *Entremés del Justicia y Litigantes,* que Arrom define como

"la más sazonada de sus obras (con la que) deja bien
sentada su fama de ingenioso en la gracia y soltura del
diálogo. Y de buen conocedor de los habitantes de las
callejas de Lima en los firmes trazos con que dibuja a
los litigantes, (que) anticipan con éxito, dentro de sus
circunstancias americanas, a los personajes de Ramón
de las Cruz buscará crear el ambiente madrileño de
majas y manolos. Queda, pues, esta obra como puente
teatral que, salvando siglo y medio de barroquismo,
une la antigua tradición entremesil con el nuevo saine-
te costumbrista que estaba al florecer" (17).

El personaje central del *Entremés* es un Alcalde, que
enterado por su Escribano de que un reo al que ha
mandado a ahorcar es inocente, comienza a dictarle un
auto suspendiendo la ejecución. La irrupción sucesiva
de varios litigantes le impide continuar, hasta que, cuando ya parece que la orden de suspensión llegará tarde,
entra el Reo huyendo del Alguacil y, como todo entremés que se precie de serlo, éste acaba felizmente.
Veamos un par de reclamaciones como breve ilustración
del texto. Sea la primera de la de un patán,

Patán

... Pero dígame osté, señor Josticia, / ¿no se podrá
acordar vuesta pericia / de aquel caso fatal de mi
pollino / por el que yo, hecho un asno, pierdo el tino,
/que habiéndolo prestado / a Antón Pereyra, lo volvió
matado? / ... Este pollino fue hijo de una burra /
(óigame y no se aburra) / tan hermosa y tan brava /
que aun a Venus y a Palas coces daba. / Esta fue, pues
su madre; / del Escribano el burro ése es su padre./

Y la segunda y última, la de una vieja muy rota.

Justicia

Señora, buenos días ¿qué se ofrece? / (APARTE) Cada
visita mi impaciencia crece./

Esto es para despacio referido: / escuche VM que no me ha conocido. / Yo soy la madre, déjeme decirlo, / del mozo que solía a VM. servirlo./

Justicia

Buena mujer, ¿no puedes esperarte / siendo ahora imposible el despacharte?/ ...

Escribano

... Y el acabar es ello, / porque está en mucho ahogo cierto cuello./

Vieja

Si es por ahogos, también yo los padezco/ y tanto ahora aumentan que fallezco/ ... porque en todos los días de mi vida / no he visto, señor, tan abatida / y tan atropellada / como ahora de una china descarada / ...

Alcalde

... zuítate de aquí, vieja del infierno, / con tu caso o perol de fuego eterno / ... (18)

Cerrando las ilustraciones del tema de este trabajo me referiré a Santiago Pita, el primer dramaturgo cubano, que nace en fecha desconocida en La Habana, donde muere en 1755. Su comedia *El Príncipe jardinero y fingido Cloridano,* publicada en Sevilla entre 1730 y 1733 y estrenada en el coliseo habanero en 1791, constituye el más acabado ejemplo —dentro de la literatura dramática hispanoamericana—, de la evolución del barroco hacia el rococó, a la vez que una anticipación del posterior teatro criollo o vernáculo cubano. Su acción se desarrolla en la Tracia, donde el príncipe Fadrique enamorado de la princesa Aurora por un retrato, trabaja como jardinero con el nombre de Cloridano, acompañado de su criado Lamparón.

La clave para la interpretación de esta comedia nos la da Rine Leal al decirnos que

"si Fadrique y Aurora se mueven en un universo ilusorio y artifical, hecho de pura literatura e imitación, Lamparón y Flora (la criada de Aurora) caben perfectamente en el mundo americano del autor. Ambos simbolizan el choteo destructor que corroe el mundo paradisíaco de Tracia, donde los únicos caracteres de carne y hueso son los de baja extracción moral y social, los únicos verdaderos y creíbles de la obra. ¡Cosa extraña y excepcional en el teatro español del siglo XVIII!... *El Príncipe jardinero* es la obra menos española, más burlona y corrosiva de todo el repertorio de su momento, porque precisamente es ya cubana en su choteo" (19).

Sirva de ejemplo de estos señalamientos el monólogo de Flora —seguramente uno de los que más gustaba a los espectadores de la época, aunque escandalizara a los moralistas en el que plantea, con encantadora desfachatez, confesando su amor por Fadrique, la oposición entre la honra y el gusto... dediciéndose por éste.

Flora

¡Qué bien dicen que el amor / es una dulce agonía / que empieza como deseo / y acaba en melancolía! / Desde que este jardinero / estos jardines cultiva / (de decirlo me avengüenzo) / el alma me tiene herida. / Ya de mi amor le informé / con cautelosa noticia, / ...pero ahora en esta ocasión / me hace amor tantas cosquillas, / que con pocas pretensiones / me daré por bien servida, / y plegue a Dios no le ruegue, / aunque le pese a mi honrilla, / que las leyes del honor / las tengo ya aborrecidas. / ¿Dónde hay paciencia que baste / para tanta honra maldita? / ¿Qué por ser honrada yo, / y porque el mundo no diga, / haya yo de sentenciarme / a una lastimosa vida, / peleando con mis deseos / y venciéndome a mí misma? / Esto supuesto, yo vengo / con cautelosa malicia/ a buscar a Cloridano / ahora que estoy bien prendida, / y a ponérmele delante / como quien le ruega y brinda. / ... Si no se rinde no es hombre, / porque estoy, a fe, tan linda, / que ha de abrasarse de amores / si él a la cara me mira. / ¿Habrá en mi auditorio dama / tan airosa y tan pulida? / Yo

apuesto que más de cuatro / embusteras presumidas /
de las que me están mirando, / están rabiando de
envidia./ (20).

Coincidiendo con el auge inicial de un nuevo estilo,
el neoclasicismo —a cuya sombra florecen las primeras
muestras del teatro costumbrista de finales del siglo
XVIII y principios del XIX—, aparecen los primeros
coliseos en América.

"A la ciudad de México, que gozara de privilegio de
poseer el primer corral de comedias en 1597, corresponde el de disponer del primer auténtico coliseo
desde 1753. El de Lima define su estructura administra-
tiva en 1771. Y la construcción del coliseo de La Habana, en 1776, abre paso a las sucesivas edificaciones de
los de Buenos Aires, en 1783; Caracas, en 1754; Monte-
video y Bogotá, en 1793; Guatemala, en 1794; La Paz,
en 1796, y Santiago de Chile, en 1802. Sin embargo, el
teatro barroco mantiene su vigencia en el gusto del
público. Y esa vigencia se explica porque, como decía
al principio, el barroco no sólo expresa lo más auténtico y entrañable del acervo artístico y cultural español,
sino también del acervo artístico y cultural americano.
Y es quizá en el teatro, arte de participación colectiva
por excelencia, en el que se hace su síntesis definitiva"
(21).

NOTAS

(1) Max Aub, *Manual de historia de la literatura española,* p. 266,
Akal Editor, Madrid, 1974.

(2) Emilio Orozco Díaz, *El teatro y la teatralidad del barroco,*
p. 17, Editorial Planeta, Barcelona, 1965.

(3) José Juan Arrom, *Esquema generacional de las letras hispano
americanas,* pp. 48-49, Inst. Caro y Cuervo, Bogotá, 1963.

(4) Luis Alberto Sánchez, *La literatura peruana,* t. II, p. 433,
Ediventas, Lima, 1966.

(5) M. Menéndez y Pelayo, *Historia de la poesía hispanoamericana*, t. I, p. 57, C.S.I.C.-Aldus, S. A., Santander, 1968.

(6) J. J. Arrom, *Esquema generacional...*, op. cit., p. 58.

(7) J. Ruiz de Alarcón, *La verdad sospechosa*, acto I, esc. 1, en numerosas ediciones de fácil acceso.

(8) J. Ruiz Alarcón, *Las paredes oyen*, acto II, esc. 4, en numerosas ediciones de fácil acceso.

(9) Matías de Bocanegra, *Comedia de San Francisco de Borja*, pp. 377-378, en *Tres piezas teatrales del virreinato*, UNAM, México, 1976.

(10) A. Méndez Plancarte, prólogo a *Obras Completas de sor Juana Inés de la Cruz*, t. III, p. LXXXII, Fondo de Cultura Económica, México, 1955.

(11) Sor Juana Inés de la Cruz, *Loa* al Auto de *El Divino Narciso*, en *Obras Completas*, t. III, pp. 3-13.

(12) *El Güegüense o Macho Ratón*, en *Teatro Folklórico Nicaragüense*, de Francisco Pérez Estrada, Editorial Nuevos Horizontes, Managua, 1946; en *Cuadernos del Taller de San Lucas*, núm. 1, Granada (Nicaragua), 1942, versión castellana de Emilio Álvarez Lejarza, pp. 7-122; en *Teatro Indio Precolombino*, de José Cid Pérez y Dolores Martí de Cid, Aguilar, Madrid, 1964, y en versión directa de Carlos Mántica Abaúnza, en *El Pez y la Serpiente*, núm. 10, Managua, invierno 1968-1969.

(13) Pablo A. Cuadra, *El Nicaragüense*, p. 75, Ediciones Cultura Hispánica, Madrid, 1969.

(14) J. Cid Pérez y D. Martí de Cid, Estudio de *El hijo pródigo*, de Juan de Espinosa Medrano, en *Teatro Indoamericano Colonial*, pp. 489-503, Aguilar, Madrid, 1970.

(15) J. de Espinosa Medrano, *El hijo pródigo*, en Teatro Indoamericano Colonial, op. cit., p. 439.

(16) Josefa de Azaña y Llano, *Coloquio de la Natividad del Señor*, en *De nuestro antiguo teatro*, de Rubén Vargas Ugarte, pp. 236-238, Inst. de Investigaciones Históricas de la Universidad católica del Perú, Lima, 1943.

(17) J. J. Arrom, *Historia del teatro hispanoamericano (Epoca Colonial)*, p. 110, Ediciones de Andrea, México, 1967.

(18) Fray Francisco del Castillo, *Entremés del Justicia y Litigantes*, en *De nuestro antiguo teatro*, op. cit., pp. 262-275.

(19) Rine Leal, *La selva oscura*, t. I, pp. 116-117, Editorial Arte y Literatura, La Habana, 1975.

(20) Santiago Pita, *El Príncipe jardinero y fingido Cloridano*, pp. 51-53, Consejo Nacional de Cultura, La Habana, 1963.

(21) C. M. Suárez Radillo, *El teatro barroco hispanoamericano* (Ensayo de una historia crítico-antológica), Colofón al t. III, pp. 655-656, Editorial José Porrúa Turanzas, Madrid, 1981.

JUAN ANTONIO HORMIGÓN.— *Gracias Carlos. Vamos con Hugo Gutiérrez Vega y su ponencia.*

SOR JUANA Y EL BARROCO MEXICANO

HUGO GUTIÉRREZ VEGA

HUGO GUTIÉRREZ VEGA

. Nació en Guadalajara, Jalisco, México, en 1934. Ha publicado diez libros de poesía; cinco libros de ensayo y numerosas traducciones de poesía y teatro en editoras argentinas,
mexicanas y españolas. Obtuvo el Premio Nacional de Poesía
de México en 1976. Su poesía ha sido traducida al ruso,
rumano, italiano e inglés.

Es actor y director de teatro. Fundador y director de los
Cómicos de la Legua de México. Director del **Teatro Latinoa-
mericano** de Roma. Director del **Teatro en Español** de la
Universidad de Londres. Actor del Teatro Universitario de
México.

Fue consejero cultural de las Embajadas de México en
Roma y Londres y actualmente es consejero cultural de la
Embajada de México en España. Fue rector de la Universidad
Autónoma de Querétaro, director de la Casa del Lago y direc-
tor de difusión cultural de la Universidad Nacional Autónoma
de México, de la cual es profesor titular.

PUBLICACIONES

Poesía: **Buscado amor** (Losada, Buenos Aires). Con prólo-
go de Rafael Alberti, 1965. **Desde Inglaterra,** (Universidad de
Guadalajara), 1970. **Samarcanda y otros poemas** (Cuadernos
Hispanoamericanos de Madrid), 1972. **Resistencia de particu-
lares** (Editorial Era), 1974. **Cuando el placer termine** (Premio
Nacional de Poesía, 1976) (Editorial Joaquín Mortiz), 1977.
Cantos de Plasencia (Editorial Hiperión), 1977. **Antología Bi-
lingüe** (Español-Italiano, Instituto Italiano de Cultura Roma-
México), 1978. **Poemas para el perro de la carnicería** (UNAM),
1979. **Tarot de Valverde de la Vera** (EDAF-Madrid) 1980, (Edi-
ción de Arte). **Tarot de Valverde de la Vera** (Colección Poesía
Nueva, Madrid), 1981. **Meridiano 8-0** (I.C.I. Madrid, 1982).

Ensayo: **Ramón López Velarde** (UNAM), 1976. **José Carlos
Becerra** (UNAM), 1977. **Efectos de los medios de comunicación** (UNAM), 1974. **Información y sociedad** (Fondo de Cultura Económica), 1975. **Los medios de comunicación social**
(UNAM), 1976. **El teatro soviético** (Universidad de Guadalajara), 1974. **El teatro de Bulgakov** (UNAM), 1973. **Poesía italiana
moderna y contemporánea** (UNAM), 1976. **Teatro mexicano**
(Salamanca, 1982). **El cine de Buñuel** (Salamanca, 1982).

Ha publicado numerosos ensayos sobre poesía mexicana,
en revistas de México, España, Italia y Rumanía.

Yo voy a hacer una síntesis de mi ponencia, tomando en cuenta que una gran parte de los temas, han
sido ya tratados y de una manera formidable, por
Carlos Miguel. En realidad, me voy a limitar a hacer
una serie de observaciones. Creo que la palabra inglesa
es mucho más precisa porque es más ambigua, digamos
entonces: "observations" sobre el barroco.

Para entender el barroco americano o para
aproximarse a él, es necesario partir del teatro indígena
y de los pocos testimonios que nos quedan de las representaciones de los mayas y de los grupos nahuatls del
altiplano de México; tenemos que partir de una idea
central: el amor por el rito, por la ceremonia, por la
sacralización de todas las actividades políticas y humanas que tenían los indígenas. En el caso de los mayas,
el vestuario, los adornos, la decoración, están indican-
do ya una voluntad de estilo. Los penachos de plumas
de quetzal, los cascos de madera labrada, todo esto lo
encontramos representado en los prodigiosos murales
de Bonanpak. Por supuesto que los estudiosos europeos
nos han dicho que Bonanpak es la Capilla Sixtina
americana, pero nosotros que somos un poco menos
eurocentristas, decimos que la Capilla Sixtina de Roma
es el Bonanpak de Europa. Las túnicas multicolores, las
joyas de fabricación elaborada, son algunos de los
elementos constitutivos de la vida ceremonial del pueblo
maya. Sabemos que en la cultura maya había cómicos,
el nombre que tenían era "baldzames" que significa
más o menos "mimos chocarreros". Estos cómicos cum-

275

plían un papel importantísimo en todas las fiestas y ceremonias. Ponían una especie de subrayado irónico, sarcástico, cuando hablaban los grandes sacerdotes. Esto está indicado ya, esta ambivalencia, en la cultura mexicana, especialmente de la zona antillana, en la zona del Caribe. Figúrense ustedes, mientras el sacerdote lanza una homilía solemnísima, allí, enfrente de él, el mismo chocarrero se burla de lo que está diciendo. Siempre oscilamos entonces entre la solemnidad y el sarcasmo, aunque últimamente, para desgracia nuestra, nos estamos inclinando por la solemnidad. Los cómicos chocarreros, adoraban a "KukulKan". Y a continuación paso a mi ponencia.

*   *   *

Una buena parte de la vida de los hombres y de las sociedades está presidida por los ritos. Los grandes acontecimientos, las ceremonias cívicas, los actos académicos, el acontecer diario y muchos momentos de las vidas individuales precisan de un aparato ritualizador que, en último análisis, sigue conservando el carácter que el hombre primitivo imprimió a sus ritos la iniciación, a sus ceremonias y actos propiciatorios. Todo es teatro, conviene decir en este año en el que están presentes, de manera especial, Calderón de la Barca y su "Teatro del Mundo". Los pueblos de Mesoamérica tenían una sólida estructura ceremonial y sabían solemnizar, con gran, aparato, los momentos fundamentales de la vida en sociedad. Tal vez convenga recordar, en primer término, a la más sofisticada de las cosmovisiones mesoamericanas, la maya.

Los mayas movían sus vidas por las selvas del sur de México y de la América Central, así como por la inmensa planicie de la península Yucateca. Constructores de grandes ciudades, de templos incrustados en la vegetación verdinegra de la selva, de pirámides enhiestas en los llanos de roca calcárea, sus ritos eran complicados y vistosos. Tal vez su vestuario sea el más rico, el más cargado de simbolismo de los vestuarios mesoamericanos. Penachos de plumas de quetzal, cascos de madera labrada, túnicas multicolores y joyas de fabricación elaborada, son algunos de los elementos constitutivos de su vida ceremonial.

Sabemos que en su cultura, los baldzames (farsantes o mimos chocarreros) cumplían un papel muy importante en todas las fiestas y ceremonias. Estos "cómicos de la legua" adoraban a Kukul-Kan, la serpiente emplumada, el dios terrestre y celeste que la cultura del altiplano mexicano adoró con el nombre de Quetzalcoatl "Balzam-Balzam es el nombre que los mayas daban al teatro, englobando en esta noción los conjuros ceremoniales, los ritos iniciaticos, las tragedias basadas en acontecimientos histórico-míticos y el juego de que los baldzames que entretenían al pueblo y que sabían burlarse y criticar las costumbres de la época.

Después de la quema de códices y de documentos mayas, realizada por fray Diego de Landa, en la terrible pira de Maní, la investigación sobre su teatro se quedó huerfana de fuentes originales. Gracias a la tradición oral conservamos los restos de la gran obra teatral de esa cultura, el "Rabinal Achí" (El Varón de Rabinal), o "Baile del Tun". Esta obra fue transcrita en 1850, después de un arduo trabajo de reconstrucción en el cual la tradición oral en lengua quiché jugó un papel definitivo. En esta obra, que cuenta la historia del Varón de Rabinal, y de su prisionero, el Varón de los Quiché, hay fábula, cárácteres, diálogos largos y difíciles, canto, danza y espectáculo ritual. La obra es una alegoría de ritual del sacrificio gladiatorio que la cultura nahoa conocía con el nombre de "temalácatl" y es, además, una explicación de las luchas que originaron la creación del mundo y del hombre, que muestra una gran precisión en materia de cronología, así como en sus cómputos del tiempo dividido en 28 veintenas que suman 360 días. Estos, más los 5 días aciagos que no se computan, forman el año solar de la cultura maya. El Varón de los Quiché es sacrificado en la piedra solar y con él mueren las tinieblas, anunciándose la llegada de un nuevo sol. La princesa Piedra Preciosa, representación de la primavera y los Caballeros Aguilas y Tigres, son, junto con los varones protagonistas, los personajes de un drama-ballet impregnado de contenidos religiosos y de una enorme angustia por explicarse los misterios de la vida, la muerte, la creación y la destrucción del mundo.

Se conservan algunos cantos sagrados de los náhuatls en el Manuscrito de Cantares Mexicanos ordenado por Angel María Garibay. Estos cantos muestran formas dramáticas embrionarias y, sin duda, se representaban todavía a la llegada de los conquistadores. Fray Toribio de Benavente habla en sus crónicas de una extraña representación teatral que contempló en las escalinatas de la pirámide de Cholula. Tal vez el canto de "la ida de Quetzalcoatl" sea el más importante de este rudimentario ciclo dramático. Un cantor-narrador, el coro que repite estribillos, algunos príncipes y sacerdotes y un pequeño conjunto de mimos-farsantes, son los personajes de un acto dramático que termina con esta lamentación: "sólo queda en pie la casa de las turquesas: la casa de serpiente que tú dejaste erguida allá en Tula: Vamos a gritar". Este tono se inscribe dentro de la atmósfera poética de los cantores nahoas del grupo "Flor y canto". Recordemos que Netzahualcóyotl, el rey poeta de Texcoco: "sólo venimos a dormir, sólo venimos a soñar. No es verdad, no es verdad que venimos a vivir en la tierra".

Los conquistadores y especialmente los encargados de la evangelización, utilizaron las representaciones teatrales, en los primeros años de la colonia como aparato ideológico y medio de catequización. Conscientes del amor a la farsa y al rito que caracterizaban a la cultura indígena, decidieron que el género que más convenía a su proyecto ideológico era el del autosacramental. Para el efecto, construyeron capillas abiertas en los atrios de las iglesias y formaron compañías teatrales de indígenas dirigidas por frailes catequistas. (Advierto, antes de seguir adelante, que mi intención es descriptiva y que utilizo el análisis ideológico como hipótesis de trabajo. Lejos de mí las elementales calificaciones peyorativas). Tenemos referencias poco claras sobre una representación de "El Fin del Mundo" en lengua náhuatl, celebrada en la Ciudad de México, y Motolinia nos habla de una graciosa puesta en escena, también en náhuatl, efectuada por los indios de Tlaxcala en 1538 y titulada: "La Caída de Adán y Eva". Estos espectáculos multitudinarios terminaban con el bautizo de los indígenas conversos, y con grandes manifestaciones litúrgicas que deslumbraban a los indios tan aficionados a la pantomima y al boato sacerdotal.

En 1539, se representó, en Tlaxcala, el auto de la "Conquista de Jerusalén". Participaron en esta puesta en escena más de 5.000 indígenas que mimaron, cantaron y declamaron la historia de las batallas entre moros y cristianos. He tratado los temas relacionados con las primeras manifestaciones teatrales que se dieron al término de las conquistas, porque muchas de ellas se encuentran aún vivas, aunque, por supuesto, han sufrido una buena cantidad de modificaciones que no sólo no las han deteriorado, sino que las han enriquecido con los elementos de una cultura mestiza penetrada por múltiples influencias de los más variados orígenes. La tradición oral ha mantenido vivos, aunque ya casi agónicos, los dos grandes ciclos del teatro religioso mexicano: el de la natalidad y el de la pasión. Estos corresponden al teatro de inspiración medieval que los misioneros pusieron al servicio de su proyecto ideológico en los primeros años de la evangelización. Como en las farsas populares andaluzas, el teatro religioso de México se expresa a través de palabrotas y conserva su frescura, su ingenuidad y sus peculiares interpretaciones de los misterios de la fe. Veamos algunos ejemplos: En una pastorela (auto de Navidad) del Bajío (llanura central de México), los pastores anuncian alegremente: "ya parió María, ya parió José, parieron los pastores y el niño también". En otra pastorela de la misma región aparece (y que los señores antropólogos culturales averigüen las razones profundas de este anacrónismo) Hernán Cortés. Un pastor agitado y nervioso, informa: "ahí viene Hernán Cortés. Traí a los indios en Chinga", y, ante la pregunta: "¿y quién es ese cabrón?" responde: "es un viejito barbón con ojos como de gringa".

En un auto de Navidad de Jalisco, el arcángel Gabriel da muestras inequívocas del alto concepto que de sí mismo tiene. Aparece, en lo alto de una columna, ataviado con unas falditas de colores chillones, adornado con una peluca rubia y esgrimiendo una espada plateada con mistión de plátano. Lo rodea un coro de ángeles que preguntan: "¡Quen como tú, Gabriel, quen, quen?" y responde el Arcángel de la Anunciación, bajando la vista e inflando el pecho: "Pos nadien, pos quen". Las interpretaciones de los misterios de la fe están impregnados de una especie de sincretismo, circunstancia presente en la mayor parte de las culturas de los países de América latina. Así, en un coloquio que celebran los indios de los Altos de Chiapas, el arcángel Gabriel es objeto de esta original alabanza: "Gabriel, Gabriel, eres tan grande que merecites ser la Madre de Dios". Las pastorelas navideñas del Bajío, tienen una construcción laberíntica, llena de interpretaciones libres y de una graciona confusión de los grandes temas de la Historia Sagrada. Luzbel, en el momento de ser arrojado a los infiernos por el armado arcángel Miguel, se queja a lo mexicano: "Detén tu brazo, Miguel. Qué tisnadazo me has dado", y el ermitaño es siempre un personaje burlón y pícaro que se presenta, valiéndose del albur, juego de palabras mexicano de retorcido fondo sexual: "Yo soy un pobre ermitaño vestido de pura jerga, que cada dos años bajo a que me pelen la...". El ciclo de la pasión del Señor tiene su momento culminante en las representaciones populares de Ixtapalapa, antigua comunidad indígena devorada por la tentacular ciudad de México. En ellas se representa la siguiente escena: Jesucristo reza en el Huerto de los Olivos cuando llegan a detenerlo los soldados romanos. Un apóstol le avisa: "Que hay te buscan". Pregunta Jesucristo: "¿Quién me busca". "Unos soldados", contesta el apóstol. "Ah, pos diles que nostoy, que salí para un asunto", ordena Jesucrito. La perspicaz alusión al miedo sentido por la persona humana de Jesucristo, fue, desde hace algunos años, censurada por el clérigo revisor del espectáculo.

Durante el virreinato, la actividad teatral tuvo una gran importancia social. A los pocos años de terminada la conquista, en las ciudades de México, Puebla, Valladolid, Mérida y Querétaro, empezaron a trabajar los corrales de comedias en los que se representaban obras españolas y entremeses, pasos, bailes y jácaras escritos por algunos dramaturgos criollos. González de Eslava, Juan Ruiz de Alarcón y sor Juana Inés de la Cruz, son las figuras centrales del teatro virreinal. El primero fue autor de coloquios espirituales, —loas— y entremeses. Desgraciadamente se han perdido sus piezas profanas y sólo conservamos sus obras religiosas, censuradas por la Inquisición, frías y bien construidas, y algunos graciosos entremeses que comentan las costumbres de la Nueva España. Tal vez más interesantes que González de Eslava, dramaturgo oficial y jefe de propaganda del virreinato, sean Juan Pérez Ramírez, nacido en México.

en 1545 y autor de una comedia pastoril-alegórica: "Desposorio espiritual entre el Pastor Pedro y la Iglesia Mexicana" que es la primera obra teatral escrita por un nativo de la Nueva España. Parece ser que Ramírez era amigo de Juan de la Cueva, el dramaturgo español que vivió en México durante tres años. De la Cueva, el precursor de Lope de Vega, hizo algunos comentarios sobre el trabajo dramático de Pérez Ramírez, reconociendo en ellos la influencia que sobre él ejerció el dramaturgo criollo.

El gran monumento de esplendor del virreinato lleva el signo del barroco, entendido éste como una cosmovisión complementada por el pensamiento racionalista y por los primeros brotes de cientifismo. A pesar de que la Corona decidió, de común acuerdo con la Iglesia, mantener a las colonias bajo la atmósfera teocéntrica de la Edad Media que el concilio de Trento intentó perpetuar a través del predominio de la filosofía escolástica, en la Nueva España y en el virreinato del Perú, el pensamiento racionalista se abrió paso y florecieron, a pesar de los embates inquisitoriales, la filosofía y la ciencia empíricas. Este hecho demuestra —en contraposición a los nuevos discursos del hispanismo cerril— que no se trataba de colonias en el sentido estricto de la palabra, sino en extensiones de la metrópoli en las que se daban, de una manera simultánea, los conflictos que sacudían a la capital del enorme imperio.

Bernardo de Balbuena inicia su poema "Grandeza mexicana" de la siguiente manera:

"De la famosa México el asiento,
origen y grandeza de edificios,
caballos, calles, trato, cumplimiento,
letras, virtudes, variedad de oficios,
regalos, ocasiones de contento,
primavera inmortal y sus indicios,

Gobierno ilustre, religión, Estado,
todo en este discurso está cifrado."

Y cuando habla del teatro novohispano, así lo
describe:

"Fiesta y comedias nuevas cada día
de varios entremeses y primores
(dan) gusto, entretenimiento y alegría.

Se refería a los acitivísimos corrales, a los autos y
coloquios sacramentales que se representaban en los
actos públicos y ceremonias civiles, a los túmulos impe-
riales y reales que se levantaban en las ocasiones fune-
rarias, a la cosmovisión teatral que informaba todos los
aspectos de la vida novohispana. No olvidemos que el
barroco es la etapa de madurez del Renacimiento y que
implica una voluntad de estilo de vida que se adaptaba
a la perfección, a la exuberancia y al individualismo
característicos de la sensibilidad española. El barroco
mestizo lleva al delirio esta voluntad estilística. Las
iglesias barrocas de México y Ecuador, la poesía gongo-
rina de sor Juana, el racionalismo de Sigüenza, la presencia de Calderón en el teatro de la misma sor Juana y
algunos aspectos de la obra dramática de Juan Ruiz de
Alarcón, testimonian el estallido provocado por el contacto entre el barroco europeo y las formas del pensamiento y de la creación del mundo precortesiano que
latía poderosamente debajo de la superestructura virreinal. Creo que en este momento se consolida la cultura
mestiza, signo inicial y permanente de la América de
lengua española.

Diuturna enfermedad de la esperanza,
que así entretienes mis cansados años
y en el fiel de los bienes y los daños
tienes en equilibrio la balanza;
que siempre suspendida, en la tardanza

283

de inclinarse, no dejan tus engaños
que lleguen a excederse en los tamaños
la desesperación o la confianza;
¿quién te ha quitado el nombre de homicida?
Pues lo eres más severa, sí se advierte
que suspendes el alma entretenida;
y entre la infausta o la felice suerte,
no lo haces tú por conservar la vida,
sino por dar más dilatada muerte.

Este soneto de la Monja novohispana, Sor Juana Inés de la Cruz podrá servirme de introducción —así lo espero— a estas pequeñas observaciones sobre el significado del barrroco en México y sobre la influencia que tuvo en el desarrollo cultural y político del país. Creo que no exagero (y, por otra parte, no está mal iniciar una charla con una exageración) al afirmar que la mayoría de las naciones iberoamericanas nacieron bajo el signo del barroco y, que en esa controvertida etapa histórica, modelaron su sensibilidad y su visión de la realidad del mundo.

Pienso, con Leonard, que el barroco no es solamente un estilo arquitectónico o artístico. Es una cosmovisión, una forma de enfrentarse a la realidad, el sello —o, en mejores palabras, el clima espiritual, de una época histórica—. El barroco, entendido como un modo de vida, no ha sido suficientemente estudiado. La mayor parte de los historiadores se han detenido en el fenómeno artístico y no han querido ir más allá de las suntuosas columnas salomónicas, las hojas de acanto, las curvas obsesivas, el terror al vacío, el amor por la decoración y por la creación de "remolinos dentro de remolinos".

La época barroca que abarca todo el siglo XVII y se prolonga hasta mediados del XVIII, época en la que las grandes curvas del estilo y las abigarradas superficies se entregaron al delirio rococó, tuvo, en muchos aspectos, un carácter de precursora de los grandes cambios del pensamiento humano. En ella se engendró el racionalismo del siglo XVIII, se incubaron las inquietudes científicas y se inició el cuestionamiento del escolasticismo tridentino.

Para muchos historiadores españoles, el siglo XVII representa la bancarrota del poder imperial, el principio del declive de la hegemonía española. Los reinados de Felipe III, Felipe IV y Carlos II son considerados, por estos autores, como la antesala de una decadencia propiciada por malos consejeros, voraces validos e incansables enemigos europeos dedicados a socavar los cimientos del imperio.

Conviene recordar que, mientras los países de la llamada Europa del Norte, de la mano de la Reforma, preparaban, por medio de sus actividades comerciales, financieras y pirateriles, el advenimiento del capitalismo y de las nuevas formas imperialistas España se había encerrado en su monasterio medieval, constituyéndose en defensora de una ortodoxia religiosa que repugnaba a las mentes dispuestas a estudiar científicamente las realidades del mundo y del hombre. La crisis económica de España; sus derrotas militares; el paulatino cambio en la correlación de las fuerzas europeas; la prepotencia de la clase noble que lesionó al poder real español y la aparición de la gran burguesía comercial en la Europa del Norte, son algunos de los datos que nos permiten intentar un análisis de esta época tan cargada de complejidades y de contrastes.

Para Europa, el siglo XVII significa el crecimiento de los anhelos de cambio y de modernización. Kepler, Galileo, Harvey, Boyle, Malpighi, Bacon, Descartes y Newton, entre otros, representaron el pensamiento científico que aspiraba a cancelar el mundo medieval y a ampliar la confianza en la razón humana.

España se convirtió en la defensora del tradicionalismo, en eso que han dado en llamar —hasta hace muy poco tiempo— "la reserva espiritual de Occidente". Tal vez pensó que, para la conservación del Imperio, el único camino posible era la intransigencia, la defensa a ultranza de los temblorosos muros del mundo a punto de caducar. El concilio de Trento canceló cualquier posibilidad de acuerdo o de negociación con el Norte e inauguró una peligrosa actitud maniáticamente defensiva. La segunda mitad del siglo XVII frustró, en gran medida, las esperanzas de libertad de investigación y de experimentación que se dieron en la primera mitad del siglo.

Pero no quiero incurrir en los lugares comunes del análisis de las realidades españolas, en los que frecuentemente incurren los estudiosos anglosajones, expertos en tirar siempre las primeras piedras. Esos sabios señores generalmente se olvidan de Calvino y de sus entusiastas quemas de herejes, de la persecución de brujas que presidió la vida de sus colonias americanas y del puritanismo, que estableció una feroz censura. Evito, por tanto, los discursos peyorativos y no tomo demasiado en cuenta los sesudos anatemas lanzados por los que sólo ven la paja en el ojo ajeno.

Antes de pasar al análisis del barroco americano, intentaré establecer los rasgos esenciales que tenía en la Península. En primer lugar, el barroco implica una intensa agitación del espíritu, una especie de frenesí que busca y no encuentra salida, Roateu y Sánchez y Escribano dicen que el barroco es "una continua polémica entre la manera católica de vivir y una mezcla de los ideales del medioevo con los del Renacimiento". Es, por lo tanto, una constante contradicción, una dicotomía no resuelta, una ansia espiritual que se frustra continuamente. Por otra parte, al ser, como afirma Américo Castro, "la verdadera forma y plenitud de España", sus matices son incalculables: al lado de los místicos se desarrolla el crudo materialismo de la picaresca; frente a la rigurosa moralidad del poder eclesiástico se levanta el deseo de libertad en las costumbres y en las relaciones humanas. Tal vez, este conflicto, esta dolorosa dicotomía estén en la raíz de ese segundo siglo de oro de la cultura española que floreció en la primera mitad del XVII y que no es, como pretenden algunos, una simple prolongación del clima espiritual del siglo XVI. El barroco, al ver frustrada su esperanza por el recrudecimiento de la represión ortodoxa, buscó salida en la ornamentación y calmó sus inquietudes con el bálsamo de las formas retorcidas, los juegos verbales, las superficies doradas, las tumbas cubiertas de flores y de hojas de milagrería y presididas por la calavera todopoderosa. La vida barroca es un sueño con un despertar encadenado, el grito de dolor de Segismundo menos libre que las bestias.

Sería exagerado decir que el barroco fue un movimiento heterodoxo. Era, sin duda, un producto de la ideología dominante y, en lo que se refiere a las artes, tuvo siempre el apoyo oficial. Muchos problemas tuvieron los artistas contestatarios con el aparato del Estado. No olvidemos que el arte tiene un carácter perturbador, pero sería absurdo afirmar que las grandes obras de la cultura de esa época se hicieron, necesariamente, a contra corriente. Ya he señalado antes que los infinitos matices del barroco nos obligan a ser cautelosos en materia de generalizaciones.

Dice Kilemen que el mundo barroco tenía "contrastes extremos, una magnificencia arrogante mezclada con la miseria sin esperanza, un ascetismo estático unido a la indulgencia carnal". La presencia de la muerte corona los grandes monumentos barrocos, detrás de los resplandecientes retablos brillan siniestramente las fosforescencias del osario.

Santa Teresa, San Juan de la Cruz, Cervantes, Lope de Vega, Tirso, Alarcón, Calderón, Quevedo, Góngora, Gracián, El Greco, Zurbarán, Murillo, Velázquez, Sor Juana Inés de la Cruz... Los nombres llenarían el resto de esta charla, son los personajes que animaron uno de los momentos fundamentales de la cultura humana. Todos ellos representan a una época perturbada por graves preocupaciones y, sin que esto implique el deseo de mitificarlos para volverlos estatuas de los parques, rescataron una parte esencial de la herencia cultural española. Leonard nos obliga a reflexionar cuando asegura inteligentemente que Don Quijote de la Mancha es el libro cumbre del pensamiento humanista, el más alto alegato a favor de la confianza en la condición del hombre. Dice textualmente: "Después del concilio de Trento, los moralistas, opuestos a Platón, censuraban la optimista creencia del humanismo en la perfectibilidad del hombre. Esta idea, utópica, según ellos, era contraria a la doctrina del pecado original; pero el genio de Cervantes fundió estos conceptos contrarios en una síntesis formada con las contrastadas figuras del hidalgo manchego y de Sancho Panza."

Tal vez el rasgo más importante de los primeros años del barroco fue su voluntad de cuestionamiento de la dialéctica formalista y verbalista de la escolástica, para buscar un método empírico capaz de desarrollar la inteligencia. En esto fue precursor del racionalismo del siglo XVIII, del cientifismo y, por último, de la Ilustración. Sin embargo, la mayor parte de sus esfuerzos se estrellaron contra el grueso muro de la escolástica oficial. Y digo "la mayor parte" porque buenas mañas se dieron los pensadores barrocos para evitar los zarpazos de la censura. La ornamentación multicolor y el lenguaje sinuoso, fueron los caminos escogidos para burlar las estrechas vigilancias.

Concluyendo: El barroco es un modo de vida, un

arte oficial y contestatario, una provocación y, a veces, un aparato de la ideología,, pero es, sobre todo, la suntuosa, delirante y mitológica historia de una frustración, de un desencanto que se refugia en el estoicismo, de un ansia de vida y de alegría que desemboca en la realidad dura de la calavera y la tibias cruzadas que coronan el túmulo de columnas salomónicas, de lámina de oro y de hojas de acanto derrotado. La historia, en fin, de una preciosa derrota.

* * *

EL BARROQUISMO DE SOR JUANA

En dos partes dividida
tengo el alma en confusión:
una, esclava a la pasión
y otra, a la razón medida...

En esta cuarteta, Sor Juana nos deja el testimonio de la "dualidad funesta" que padecía. Dualidad que marcó su vida y su obra.

El puritanismo de la corte virreinal y el machismo de la moral social, se interpusieron en la carrera científica de Juana de Asbaje y la obligaron a buscar en el convento la paz necesaria par saciar su angustiada curiosidad por saberlo todo.

Tal vez en las largas pláticas que sostenía con Carlos de Sigüenza y Góngora, en el locutorio del convento, la monja descargó el pesado fardo de sus angustias y contradicciones. Estas "encontradas correspondencias", estas tensiones del ser dividido, se hacen patentes en un temprano soneto:

Al que ingrato me deja, busco amante;
al que amante me sigue, dejo ingrata;
constante adoro a quien mi amor maltrata;
maltrato a quien mi amor busca constante.
Al que trato de amor, hallo diamante;
y soy diamante al que de amor me trata;
triunfanté quiero ver al que me mata
y mato al que me quiere ver triunfante.
Si a éste pago, padece mi deseo;
si ruego a aquel, mi pundonor enojo;
de entrambos modos infeliz me veo.
Pero yo, por mejor partido, escojo
de quien no quiero, ser violento empleo,
que, de quien no me quiere, vil despojo.

Este juego de contradicciones; esta perplejidad expresada con sinceridad e ingenio; esta presencia del fracaso, la derrota y la muerte son constantes de la poesía de Sor Juana y son, también, rasgos fundamentes de nuestra poesía barroca.

Como dramaturga fue sor Juana seguidora de Calderón de la Barca. Pero debo hacer una precisión respecto a su auto sacramental "El divino Narciso". En esta obra hay claras influencias tomadas del auto calderoniano "Eco y Narciso" y Ovidio está presente en el tema y en algunos giros del lenguaje. Sin embargo, en la loa del auto, sor Juana introduce elementos precolombinos. Me refiero a un grupo de aztecas que adora al dios de las semillas y que comulga con pedazos de un pan de maíz que reproduce la figura del dios mexica.

Sor Juana habla de una especie de premonición de la comunión católica surgida en medio de lo que la cultura oficial del virreinato llamaba "idolatría". Esta loa es nuestro primer ejemplo de teatro mestizo. No hay en sor Juana intenciones condenatorias o paternalistas. Tampoco incurre en la algarabía de la exaltación. Deja el testimonio de la cultura pre-colombina y, adelantándose a su tiempo, se asoma al tema de las coincidencias en los sueños colectivos, los ritos mágicos y la conducta religiosa.

Sor Juana, unos años antes de su muerte, acaecida durante una de las muchas epidemias que asolaron la capital del virreinato, se deshizo de libros e instrumentos científicos, quedándose, tan sólo, con un Cristo y su breviario. En lo alto del retablo barroco se instaló la calavera, la inquietud intelectual y artística derivó hacia el misticismo, hacia la acitutd estoica...

> Teniendo por mejor, en mis verdades,
> consumir vanidades de la vida
> que consumir la vida en vanidades.

Sor Juana escribió autos, loas, villancicos, comedias, sainetes, bailes, saraos. Su producción dramática puede dividirse en dos grandes ciclos: teatro sacro y teatro profano.

Durante muchos años la crítica española ignoró a la monja novohispana. Ni González Pedroso ni González Ruiz en sus magnas recopilaciones recogen obras de sor Juana. Apenas le dedican algunas menciones superficiales, demostrando así su cerrado peninsularismo. En cambio, Mesonero Romanos, en su Indice de Comedias publicado en 1859, cita algunos autos y comedias de la llamada "Monja de México", aunque comete equivocaciones en los títulos y, como de costumbre, le atribuye obras que no escribió y le quita otras que aparecen registradas en los recuentos hechos en la Nueva España.

Al lado de "El divino Narciso", debemos mencionar "El cetro de San José", "El mártir del Sacramento", "Loa de la Concepción", "Loa a los años del Rey", "Loa en las huertas" y la "Loa a los años del virrey marqués de la Laguna".

En su teatro sacro la presencia de Calderón de la Barca es muy notable y las referencias mitológicas dejan constancia de la descomunal información que la monja manejaba con soltura y desparpajo.

Quisiera, para terminar, centrar la atención en sus comedias y sainetes, especialmente en "Los empeños de una casa" y "Amor es más laberinto".

Dice Monterde que "Los empeños de una casa" constituye, con sus loas, entremeses y sainetes, un programa completo del teatro barroco mexicano". Sor Juana alude a personas y hechos de la corte virreinal y lo hace con gracia y comedimiento, aunque a veces se va de la lengua y clava sus flechas sarcásticas en los lomos de algunos graves personajes de la corte. El juego teatral, a pesar de su estructura laberíntica, es lineal y sencillo y, de alguna manera, coincide con las técnicas de los dramaturgos poslopistas.

"Amor es más laberinto" es, en el sentido más estricto, una comedia histórica. Sus personajes: Minos, rey de Creta, Ariadna, Teseo, Lidoro, tomados de la mitología, se mezclan con pícaros de la corte y con criados y criadas típicos de la comedia española.

Comedia de enredos, llena de humorismo y de gracia verbal. Pieza ligera que culmina con una manifestación de desencanto frente al amor humano que complica la vida y enturbia los ánimos:

> ¿Qué es aquesto, cielo injusto?
> ¿Qué es lo que pasa por mí,
> que lo acierto a padecer
> y no lo sé definir?
> ¡Ay de mí,
> que mal sabe hablar quien sabe sentir!

Gracias al pasmoso trabajo de Alfonso Méndez Plancarte, ha llegado a nuestras manos este caudal del teatro barroco de México.

Los mexicanos seguimos representando, con fortuna desigual, el teatro de sor Juana y esperando que un director de escena, culto y audaz, nos entregue la verdadera imagen de este teatro español, mestizo y, fundamentalmente, barroco. No olvidemos que lo barroco forma un gran país imaginario, cultiva una sensibilidad que es, a la vez, graciosa y febril, rompe fronteras y construye en el espacio una realidad oscilante entre la tragedia y el deslumbramiento.

JUAN ANTONIO HORMIGÓN.— *Muchas gracias. Vamos todavía a escuchar la tercera ponencia y luego hacemos el descanso. Luis, tu turno.*

TEATRO E IDENTIDAD NACIONAL: LA PUESTA EN ESCENA DE LOS CLÁSICOS EN MÉXICO

LUIS DE TAVIRA

LUIS DE TAVIRA

Nacido en México D. F. en 1948. Licenciado en Humanidades Clásicas y Filosofía. Licenciado en Arte Dramático en la Facultad de Filosofía y Letras de la UNAM.

Ha sido profesor en la Escuela Nacional de Arte Teatral del INBA de México, en la Universidad Iberoamericana, en el Centro Universitario de Teatro, en la Loyola University de Nueva Orleans, en el Acting Workshop on Institute of The Arts-Roma, en la Escuela Nacional de Artes Plásticas. En 1979 fue nombrado director del Centro Universitario de Teatro. En la actualidad es director de Actividades Teatrales de la UNAM, asesor y maestro de actuación del Ballet Nacional de México, vocal de la Asociación Mexicana de Teatrología y Crítica, representante mexicano en la sección de Teatro para Estudiantes ITI/UNESCO.

Como director de escena comenzó sus trabajos en 1972 con **Apostasía**, de Luisa Josefina Hernández. Ha montado obras de Ghelderode, fray Luis de León, Katzantzakis, Buchner, Odetts, Shelley, Brecht, Guzmán, Stoppard, Calderón, López Velarde, etc. Obtuvo los premios de la crítica al mejor director en 1978 y 1980, y al "mejor espectáculo" por **La honesta persona de Sechuan** (Brecht, 1979) y **Leoncio y Lena** (Buchner, 1980).

Ha participado en numerosos congresos internacionales y ha sido jurado en varios festivales. Para el Canal 11 de TV., realizó **Impromtu para tumba en llamas**, de Stoppard-Tavira, y **Prometeo encadenado**, de Esquilo. Ha publicado numerosos trabajos y estudios. Entre sus libros figuran dos de poesía, **Crónicas de viaje** y **Tarde perpetua**. En 1982 apareció su volumen de teoría teatral, **Un teatro para nuestros días**.

Como autor ha estrenado **Missa solemnis** (San Francisco, 1974), y su adaptación de **La sombra del caudillo**, de M. L. Guzmán.

Quisiera comenzar, antes de entrar en la ponencia, con un agradecimiento y un breve señalamiento acerca de la significación de la presencia de mexicanos en estas Jornadas.

Quisiera en primer término agradecer profundamente al Ministerio de Cultura, a la Dirección General de Música y Teatro, al Organismo Autónomo, el hecho no sólo de la invitación, sino del apoyo solidario que hace presente nuestra voz entre ustedes en un momento difícil para los mexicanos, que quizás hubiera culminado fácilmente con la ausencia.

Considero de suma importancia el hecho de que en el seno de esta reflexión acerca de la tradición que nos define, se de un lugar a la voz de los mexicanos. Por lo tanto al hacerlo y al estar entre ustedes lo hago con plena conciencia de lo que ésto significa. No han sido a lo largo de la historia las señales de la solidaridad y del diálogo precisamente las que han caracterizado nuestra reflexión sobre nuestra cultura y nuestra historia. Por ello me emociona profundamente estar aquí, entre ustedes, y lo agradezco en todo lo que ésto significa.

Ya existe un precedente anterior a este diálogo que está manifiesto en muchas realizaciones. Quisiera destacar la que se llevó a cabo el año pasado, en México, en torno a la efemérides calderoniana, y que implicó concretamente la presencia de Juan Antonio Hormigón en las Jornadas Calderonianas, a través de una estrecha colaboración de la Universidad Complutense y la

Dirección General de Teatro con la Universidad Nacional Autónoma de México. Para iniciar estas conversaciones y llegar al pasmo de tanta coincidencia voy a leer mi ponencia. El tema en el que me centro es el del teatro y la identidad nacional para derivarlo al problema de la puesta en escena de los clásicos en México. Comienzo con un epígrafe de Alfonso Reyes.

*   *   *

"... buscar el pulso de la patria en todos los momentos y en todos los hombres en que parece haberse intensificado; pedir a la brutalidad de los hechos un sentido espiritual; descubrir la misión del hombre mexicano en la tierra, interrogando pertinazmente a todos los fantasmas y las piedras de nuestras tumbas y nuestros monumentos.

Un pueblo se salva cuando logra vislumbrar el mensaje que ha traído al mundo; cuando logra electrizarse hacia un polo bien sea real o imaginario, porque de lo real e imaginario está tramada la vida".

ALFONSO REYES

Roto el vínculo de la tradición, suprimido el movimiento que articulaba las afirmaciones culturales del pasado en las transformaciones históricas que van de antiguas a nuevas dominaciones, se produce, la ilusión equívoca de un arte desenraizado, sin rumbo ni referencia, separado de la participación popular.

Por ello resulta insatisfactorio el intento de explicar el fenómeno de la crisis cultural actual, y en el caso que nos ocupa, el de la problemática teatral, apelando a la carencia de tradición en unos casos o a la tolerancia que demanda un arte inconsistente que se construye en la pretensa búsqueda de su identidad.

Afirmar la ruptura o pérdida de la tradición difiere de negar la tradición. Rescatar y defender la identidad nacional, implica decir algo muy distinto que buscar la identidad. De aquí que la conciencia del rompimiento con la tradición no quiere decir necesariamente que no sepamos quíenes somos, quíenes fuimos, sino más bien cuánto hemos perdido, cuánto debemos recuperar, cuáles son las condiciones del emplazamiento con el reencuentro que nos devuelva la posibilidad del diálogo de la historia, que nos descifre los signos del porvenir.

La identidad nacional como pregunta abierta provoca la lúcida respuesta de Ignacio Ramírez *el nigromante*: "Si nos encaprichamos en ser aztecas, terminaremos por el triunfo de una sola raza, si nos empeñamos en ser españoles nos precipitaremos en el abismo de la reconquista".

Por ello Gastón García Cantú ve en esta dolorosa amalgama "la raíz en la cual los mexicanos conciliamos nuestro origen; la virtud que hace posible recobrar las culturas prehispánicas y conquistar la tradición del humanismo occidental. El pueblo mexicano es antiguo por la profundidad de su pasado y joven por su acceso a la cultura universal".

La ignorancia y el olvido han sido el saldo de la penetración cultural del colonialismo que ha acompañado permanentemente a la lucha por la construcción de la nacionalidad. De aquí que la mayor parte del patrimonio teatral de la Nueva España y del México independiente permanezcan inéditos en el México de hoy —imagen elocuente de nuestras empresas culturales resulta la amnesia que padece la *Ifigenia Cruel* de Alfonso Reyes—. Difícilmente podrá encontrarse un pueblo que abandone en el olvido y en las rutas sin rumbo el esplendor de su cultura. La dependencia espiritual que implica la necesidad de la aquiescencia de europeos y norteamericanos se revierte, frente a la ignorancia a la que ellos se abandonan, como autodesprecio entre nosotros.

Por esta razón no deja de ser sorprendente recordar lo evidente. El teatro mexicano nace en el esplendor del siglo de oro español. El florecimiento barroco encuentra en México innegables aportaciones que lo enriquecen aún más: la potencia cultural de una nacionalidad que se funda en la generosa aceptación que nada resta del sincretismo mexicano, que Ramón López Velarde describe en su elogio a Cuauhtémoc.

> "Joven abuelo escúchame loarte
> único héroe a la altura del arte.
> Anacrónicamente, absurdamente,
> a tu nopal, inclínase el rosal;
> al idioma del blanco tú lo imantas
> y es surtidor de católica fuente,
> que de responsos llena el victorial
> zócalo de cenizas de tus plantas".

El teatro de la Nueva España, consiste en el apogeo de una sólida edificación cultural por la que transitan Lope, Tirso, Cervantes, Calderón, Juan Ruiz, que si mexicano, español, que si español, mexicano, o el caso inverso Bernardo de Valbuena, el primer poeta "genuinamente americano", nacido en España. Pero sobre todo los grandes dramaturgos del criollismo y mestizaje que hicieron sufrir al arte lo que sufrieron las razas desposando en la forma poética del barroco al náhualt con el castellano y en la escena, al niño Dios con el pastor indígena. Entre ellos se salvan del anonimato de un teatro que por eminentemente popular no rendía culto al autor: fray Andrés de Olmos, Juan Pérez Ramírez, fray Luis de Fuensalida, Hernán González de Eslava, fray Antonio de Ciudad Rodrigo, fray Martín Giménez, Lorenzo el Otomí, Pedro de Morales, Juan Sánchez Baquero, Juan Bautista Correa, Eugenio de Salazar, Juan de Cigorondo, Sor Juana Inés de la Cruz, Francisco de Leiva, Cayetano Javier de Cabrera y Quintero, entre muchos otros. Estos y aquellos, casi todos, olvidados e inéditos.

El teatro de la Nueva España fue primordialmente de evangelización y se arraigó en el pueblo que a la fecha mantiene viva su tradición al celebrar las fiestas paralitúrgicas que recuperan el antiguo sentido que le dio nombre y patronato, que conserva el misterio de una violentación original que se opone frente a la deriva de un nuevo sin sentido histórico.

Esta capacidad imantadora y de síntesis de la cultura española impone al teatro español del barroco una transformación semejante a la que se produjo entre el teatro griego y el romano. A la capacidad de asimilación se añade la resistencia a perder la riqueza de las manifestaciones propias. Ya Juan de la Cueva daba testimonio de la persistencia de los elementos prehispánicos en las danzas de conquista que acompañaban las representaciones del teatro español. Más tarde se representaba a los autores peninsulares añadidos, precedidos por *aplausos panegíricos* interrumpidos por danzas o coloquios concluidos por loas de nueva invención, cuando no reescritos en nahuatl y castellano:

> "En sus cantos endechan el destino
> De Moctezuma la prisión y muerte
> Maldiciendo a Malinche y su camino.
> Al gran Marqués del Valle llaman fuerte
> Que los venció, llorando desto, cuentan
> toda la guerra y su contraria suerte".

El teatro de la evangelización, según las descripciones de Motolinía y las revisiones de Rojas Garcidueñas, consistió en un teatro de masas, donde figuraron ejércitos completos, combates mezclados con danzas y milagros, siempre presente la embestida de Santiago alanceando infieles y decidiendo el triunfo. Fueron habituales las representaciones en los patios vastísimos, capaces de contener multitudes, las amplias explanadas almenadas, en el corazón de los emplazamientos urbanos, en torno a la fachada barroca de los templos que funcionaba idealmente como eje escenográfico de la representación.

Buena parte del patrimonio teatral de la colonia permanece vivo en la tradición oral y en la escenificación rural. La menor parte se encuentra consignada en el *Indice de las obras de teatro y diálogos representables de la sección de manuscritos de la Biblioteca Nacional.* Excepcionales casos han alcanzado su revisión y edición contemporánea.

Menos de cinco se han representado en algún teatro de ciudad, como puesta en escena convencional, en este siglo.

El tránsito de la colonia a la independencia encuentra su experiencia teatral en las obras de Fernández de Lizaldi; teatro de la ilustración, visionario utópico de amargura premonición para la nación recién fundada.

Sobre el escenario de una patria renovada campea la picaresca y nace un personaje: *el payo*, ciudadano del tránsito entre una provincia suvertida y una polis que se desnacionaliza: de la república al imperio, del imperio a la dictadura; de la reforma al imperio del príncipe austrohúngaro; y una vez más de la reforma reconquistada a la dictadura afrancesada y agringada. Salvo el romántico Fernándo Calderón, o Eduardo Gorostiza y unos cuantos más, los escenarios mexicanos son ocupados por las compañías teatrales de las *divas* españolas, italianas y francesas lanzadas a la aventura del triunfo fácil de hacer la América sobra una nación en lucha por sí misma y sobre una cultura devastada. De esta querella permanece candente el testimonio de Ponciano Arria ga: "No olvidamos ni queremos olvidar el dulce título de mexicanos, aunque la venganza y la calumnia a todos los rencores de partido colmen nuestra existencia de maldiciones y amarguras".

Sin embargo, este tránsito también suscita tradición en virtud del revertimiento de la derrota en el triunfo del sincretismo que "imanta" y es "surtidor" de nuevas fuentes de identidad. El 7 de diciembre de 1844 se estrena por primera vez en México, en el Gran Teatro, la "obra cumbre" del "insigne poeta" don José Zorrilla. Desde entonces, de modo ininterrumpido hasta la fecha, sometido a las más indescriptibles metamorfosis, *Don Juan Tenorio* se representa en varios escenarios del país, en la obligada ocasión de la celebración del día de muertos. Ya en la crónica de aquel memorable estreno, el revistero de *El Siglo XIX* consignaba la clave de su éxito mexicano: "... la vista del panteón iluminado por la luna, es lo más imponente, lo más magnífico que puede idearse. Las demás mutaciones se hicieron con destreza, y hay algunas muy bellas; se nos asegura que ha sido mejor montada en México esta pieza que en los teatros de Madrid. Por nuestra parte creemos que será difícil llevar la perfección y el lujo a más alto grado".

En 1880, Manuel Gutiérrez Nájera consigna tristemente furor por el *Don Juan Tenorio* que campea sobre el vacío teatral mexicano: "... ¡Ah! me equivoco... la sola verdad teatral que hemos tenido es el *Don Juan Tenorio...* Pero el *Don Juan Tenorio* es una obra que hará las delicias de todos los pollos cursis que se figuran durante la presentación otros tantos *don juanes*, que será todo cuanto se quiera, menos un drama visible fuera del día dos de noviembre. Mudad el Tenorio de la estación en que las hojas caen a la estación en que las hojas retoñan, y el público se divorciará del héroe sevillano, por incompatibilidad de humor... *Don Juan*, como los trajes ridículos, es una cosa propia del día de muertos. Tiene que venir con los dobles y los responsos, acompañado de un coro de cartujos, entre el áspero silbo de los cierzos de noviembre... Para escuchar con gusto aquellos versos, que repiten sin equivocarse hasta las butacas del teatro, necesito estar forrado en un ancho sobretodo de diciembre, con las manos hundidas en guantes afelpados y titiritando de frío a pesar de todo. Un *Don Juan Tenorio* sin el invierno es una cosa insoportable. ¡Lástima que el reloj de mi amigo Boron, al revés del reloj de Passepartout, adelante tanto!"

El sentir tolerante y lastimero de Gutiérrez Nájera acierta: en el futuro la representación del *Tenorio* se liga estrictamente, exclusivamente, aunque no por ello menos obligadamente, a la ceremonia incidental del día de muertos.

Dos son las representaciones que perviven con suficiente vigencia en la tradición popular: el *Don Juan Tenorio* y *las Pastorelas*. Las dos se ligan a la tradición prehispánica del culto a la muerte y el culto al nacimiento de la vida.

La amalgama del texto español canonizado y los rituales populares no podría ser más compleja.

En el teatro clandestino que surge con la revolución en las tandas de la carpa el *Don Juan* de Zorrilla, versión romántica del clásico de Tirso, se convierte en materia mecánica, vehículo idóneo de la paráfrasis política que lo hace vigente.

Así, Armando de María y Campos, consigna y compila una inmensa variedad de Tenorios:

El *Tenorio antirreeleccionista,* el *Tenorio Maderista, El Tenorio agrarista, El Tenorio convencionalista, El Tenorio carrancista,* etc., cuya representación se acompaña, en ocasión del 2 de noviembre, con la publicación de las *calaveras políticas,* viñetas y versificaciones satíricas contra los personajes que protagonizaban la farsa mortal de la vida pública del momento.

Las *Pastorelas* ofrecen la interpretación maniquea del melodrama y aportan el personaje más eficaz y atrayente del teatro popular: *el diablo*. Será que el devenir de la historia contradice el triunfo de la teología. López Velarde hace constar su herencia:

> "El niño Dios te escrituró un establo
> y los veneros de petróleo el diablo".

De la revolución mexicana surgieron las iniciativas de una tercera revolución cultural en torno al intento nacionalista. Si de ese ensayo cultural surgió el muralismo y la escuela mexicana de pintura, la música nacionalista, la narrativa de la revolución, nada relevante aconteció en el teatro, al menos inmediatamente.

En parte quizá por la naturaleza compleja e integradora del teatro frente y respecto de los otros lenguajes artísticos. Quizá el florecimiento teatral dependa del desarrollo de los otros lenguajes artísticos. La madurez de la literatura y la plástica y la música de alguna manera, si no necesaria, si propiciatoria, condicionan la expresión suntuaria y aglutinadora del hecho teatral. Por otra parte, el modo de producción teatral, implica mayores y más complejas transformaciones para posibilitar el cambio.

Salvo la iniciativa embrionaria de *Los Contemporáneos* y de otros grupos universitarios, las condiciones de una renovación teatral mexicana habrían de darse mucho después.

Todavía en la época de los 30, prevalecen en los escenarios mexicanos las características del teatro del porfiriato. Teatro de la alta burguesía, diletancia de postín, repertorios europeizantes a cargo de compañías españolas o compañías mexicanas que seguían el mismo modelo, centradas en el culto al divismo y la improvisación: Virginia Fábregas, M.ª Teresa Montoya, Margarita Xirgu, los hermanos Soler.

El exilio español supuso una ligera catalización en el proceso del teatro mexicano. Confirmó la validez de una búsqueda de contemporaneidad y enriqueció en alguna medida la confrontación teatral del tema mexicano. En este exilio enriquecedor llegaron Cipriano Rivas Cherif, Max Agub, Alvaro Custodio, León Felipe, Amparo Villegas, entre otros.

A la preocupación por la mexicanidad respondieron las iniciativas autorales de Novo, Usigli, Gorostiza y otros; pero su proposición dramatúrgica seguía fielmente, como frágil reflejo, los modelos de un drama europeo que agonizaba prematuramente ante las corrientes renovadas de la escena contemporánea. Más tarde, sus discípulos, Carballido y Magaña, fortalecidos por el hallazgo de esas corrientes, bajo la fiebre de la crisis de la función del texto en el teatro harán las más sólidas propuestas de la literatura dramática mexicana de este siglo.

Sin embargo, la renovación del teatro mexicano no se dio ni sólo ni principalmente en la instancia de los autores. La chispa surgió del roce escénico, en la puesta en escena, a través de la proposición de los directores, cuando éstos asumieron el reto de la creación y abandonaron la función ancilar de ilustradores de textos, suscitaron la creación actoral que abandonó la triste función de la mera declamación para revivir el hecho teatral, vigente y a la altura de nuestros días. Ello implicó la conspiración de artistas plásticos y músicos, que revolucionaron el edificio teatral, la escenografía y la música escénica. Semejante fenómeno creó un nuevo público, desembocó en la creación de las onstituciones teatrales del sector público y suscitó el movimiento de vanguardia y creación de nuevos cuadros de hombres de teatro.

En este movimiento renovador jugó un papel decisivo la preocupación incitadora de volver la atención a los clásicos. Su confrontación inusitada, casi siempre irrespetuosa, suscitó el mecanismo renovador a partir del diálogo que va de la vuelta a la tradición para propiciar la vanguardia.

La reconsideración de los paradigmas de una tradición interrumpida nos devolvió la vigencia de la búsqueda en el terreno de lo propio. La confrontación con el pasado subrayó la diferencia histórica e hizo vislumbrar el presente. A partir de la pregunta por los valores de nuestro teatro clásico surgieron las preguntas por nuestro teatro de hoy ya que esta época no se diferencia menos de otras épocas de lo que cualquier época se diferenció de otra anterior.

El inicio de esta preocupación se dio entre los universitarios en 1956. Juan José Arreola, Octavio Paz, Elena Garro, Héctor Mendoza, Juan Soriano, Leonora Carrington, León Felipe, José Luis Ibáñez, entre otros, crearon "una confabulación entre escritores, directores, pintores, músicos y actores, con la intención de poner en escena tanto el teatro de vanguardia como de rescatar la tradición hispánica". En la presentación del segundo programa de "Poesía en voz alta" se hacía el siguiente planteamiento:

"El teatro que vamos a presenciar, producto de entusiasmo común, de la labor de equipo, sin "estrellas", producto de un auténtico taller universitario es, en verdad, teatro popular. Se funda en el gran lenguaje, y éste nunca ha sido posible sin un pueblo —comunidad referida a quehaceres valiosos, colectividad con dimensiones— que lo dispare, de abajo arriba, hasta las manos del espíritu creador. Estamos acostumbrados al lenguaje sórdido, metropolitano, del teatro pequeño burgués: teatro para la masa —para la comunidad desnuda de atributos, mera suma aritmética de sus individuos— en que la palabra es ordenada, estéril, de arriba abajo. El idioma llevado a su expresión más alta vuelve a ser el idioma original, común y comunicable.

El idioma en que todos pueden reconocerse y reconocer a los demás. Esta es, ha sido y será la intención primaria del teatro. Sí ahí su función liberadora y unificante...".

Poesía en voz alta, se enfrenta a la moda de un realismo y un nacionalismo teatrales que no iban más allá de un deformador costumbrismo melodramático. Asumir la confrontación con los textos clásicos españoles y novohispánicos supuso mucho más que un inicial propósito de teatro poético. Provocó la crisis del concepto clásico y dimensionó el hecho teatral más allá de la literatura.

La primera consecuencia de la recuperación de la tradición, cuando se sitúa en la perspectiva histórica y cuando se intenta crear un teatro vigente, es decir vivo y no museológico, es la desmitificación que escandaliza a los adoradores del culto al clásico.

Lope mismo en el desafío de su época afirmaba:

"Y cuando he de escribir una comedia,
Encierro los preceptos con seis llaves;
Saco a Terencio y Plauto de mi estudio,
Para que no me den voces; que suele
Dar gritos la verdad en libros mudos;
Y escribo por el arte que inventaron
Los que el vulgar aplauso pretendieron".

La mitificación de una obra de arte canonizada está condicionada por una serie de prejuicios acerca del arte. Estos prejuicios se refieren a valores relativos: Belleza, verdad, genio, etc., salidas de una verdad relativa al presente, estos prejuicios deforman el pasado. El pasado ya no está ahí, esperando ser descubierto.

El miedo al presente mitifica al pasado. El pasado no es un lugar en que pueda vivirse. La mitificación cultural del pasado implica una doble pérdida. La obra de arte resulta inaccesible y el pasado pierde su relación con el presente.

Sin embargo, hoy vemos el arte del pasado como nadie lo vio antes.

Por ello, aunque el texto dramático permanezca intacto, su representación en el pasado ya no existe. Y en el presente es irrepetible. Esta es la gran enseñanza de la puesta en escena de los clásicos: el teatro no es el texto. La vigencia del texto clásico conlleva su transformación, su recreación.

De la experiencia de *poesía en voz alta* y de su rompimiento en la controversia frente a lo clásico, se rescata juntamente lo novedoso: la puesta en escena.

Su fundador fue Héctor Mendoza, profético propiciador de vanguardias que padece en sí mismo la síntesis de sus conquistas: dramaturgo, director de escena, organizador teatral, maestro de actores y directores, desatador de espejismos y hallazgos, recorre la tortuosa ruta de la búsqueda más contradictoria y lúcida del teatro mexicano de la segunda mitad del siglo. De la experiencia de *Poesía en voz alta,* Mendoza transita hacia la puesta a prueba de la avanzada contemporánea del teatro épico.

Lleva a cabo las primeras puestas en escena brechtianas en México.

El encuentro con Brecht confirma y consolida su posición frente a los clásicos y los presupuestos para la construcción de un teatro nuevo. Entonces regresa al montaje de las obras del siglo de oro español, punto de arranque de nuestra tradición y se proyecta hacia la más consistente vanguardia: el éxito de su montaje de *Don Gil de las Calzas Verdes,* culmina e inaugura una escena renovada, atrae un nuevo público, sintetiza los hallazgos estéticos de una búsqueda iniciada por él y seguida y llevada a más por José Luis Ibáñez, Juan José Gurrola, Ludwik Margules, Héctor Azar, Juan Ibáñez, Julio Castillo, creadores del teatro mexicano moderno, a quienes habrán de seguir las nuevas generaciones. De los años sesenta hasta la fecha el interés por nuestros clásicas ha producido un fenómeno insólito: en 25 años se han montado más obras del barroco español y mexicano que en los 150 años anteriores.

Sin embargo, el montaje "irrespetuoso" y desmitificador de las obras de nuestra tradición ha resultado en la posibilitación de hallazgos audaces que afrontan nuevos desafíos. Entre ellos el inaplazable encuentro con nuestra realidad histórica. La construcción del teatro nacional de auténtica participación popular.

Lo único que ha permanecido inalterable en el teatro de todos los tiempos ha sido su efecto; pero ese efecto se realizó sobre hombres siempre distintos y de manera siempre distinta.

La recuperación del diálogo vigente con los contenidos de la tradición ha propiciado el ensanchamiento de un continente renovador para nuestra definición cultural.

COLOQUIO

Juan Antonio Hormigón.—*Han sido magníficas las intervenciones de nuestros ponentes de la mañana. El debate puede discurrir por donde se prefiera, pero me parece que hay un tema que ha sido muy tratado y es toda la problemática del barroco mexicano, que como habéis apuntado es muy amplia, que no solamente afecta al campo de la literatura teatral o al hecho teatral, sino a una serie de manifestaciones artísticas mucho más variadas y sobre todo a una forma de entender el mundo. Digamos que ese sería un punto que me parece ha sido tratado por los tres ponentes de forma bastante amplia, pero que quizá abra expectativas para proseguir discusión. Hay un segundo tema que no creo que haya sido suficientemente tratado, aunque ha sido esbozado en su sentido abstracto, es el de la identidad nacional. A mí me pareció muy sugerente, hoy la ha anunciado Hugo también de otro modo, al hablar de la comunidad de fuentes que tenemos todos los países y pueblos de habla hispánica. Este es un fenómeno verdaderamente sorprendente por lo menos para los peninsulares o españoles de aquí, o como los queramos llamar o como nos queramos llamar. Es seguramente mucho más impresionante que para los hispanoamericanos que quizá tienen más viva, aunque a muchos nos sorprenda, esta relación de identidad. Pero en cualquier caso, en aquellas discusiones mexica-*

nas se plantearon las cosas de un modo bastante más contundente, y se hizo en referencia a lo que es la cultura, las formas culturales hegemónicas, basados por supuesto en el dominio multinacional y en la acometividad económica de lo que hoy en México se llama el vecino del Norte, y nosotros llamamos, normalmente, los Estados Unidos. Y claro, eso se hace siempre en México sin que haya americanos. Por eso a mí me encantó tener en la primera mesa y en la tercera amigos de Estados Unidos y en la segunda mexicanos, porque me dije, por una vez van a estar todos juntos y a ver qué pasa, y nosotros en medio, no sólo en medio sino interviniendo. Creo que es un problema muy serio, por supuesto; es una cuestión que me parece que puede ser muy interesante porque uniría con otras que nuestros amigos del norte de América plantearon, respecto a la tradición, a lo que es la autofagia, es decir, una actitud que va destruyendo todo lo que crea porque sueña exclusivamente con lo inminente, con lo hecho hoy, frente a una cultura como la nuestra que, en general, excepto para los que sueñan con imitar esa otra forma, es fuertemente defensora de sus raíces y de sus verdaderas tradiciones. Este es el segundo tema. Me parece que lo de la identidad nacional no ha sido tan esbozado, y posiblemente en el coloquio saldrán cosas, y si no las sacaremos.

El tercero es el de la puesta en escena de los clásicos en concreto, es decir: ¿qué se está haciendo hoy con los clásicos? También ha sido un tema enunciado de manera general, pero sobre el que quizás se pueda profundizar un poco más. Aquí tenemos además dos hombres de teatro vinculados al trabajo teatral mexicano, que han intervenido en espectáculos de nuestros clásicos comunes. Conozco algo lo que allí se hace, por haber pasado temporadas en México, y debo de confesar mi sorpresa ante ciertos planteamientos, ciertas posibilidades que rodean al montaje de los clásicos en México. Digo esto en sentido positivo. He podido comprobar cómo y de qué forma se ha revitalizado la ubicación de los clásicos en el repertorio contemporáneo mexicano. Es un terreno en el que creo que nos llevan una gran ventaja. No entro en la calidad de las puestas en escena, ese es otro tema, hablo exclusivamente de la aproximación general al fenómeno. Sólo como un elemento más me gustaría señalar, por ejemplo, el caso de Juan Ruiz de Alarcón, que por supuesto es asumido como un autor nacional, en este caso mexicano, común, pero nacional. Creo que es otra cuestión que habría que discutir aquí; es decir, en qué medida es o no es, en qué medida significa algo o no. Es otra parte del debate que propongo referido a la literatura teatral.

Juan Ruiz de Alarcón es representado continuamente con múltiples puestas en escena de la misma obra y de todo su repertorio; mientras, que yo recuerde, excepto "La verdad sospechosa", que este año se ha incluido en el Festival de Almagro por una compañía "amateur", Ruiz de Alarcón es uno de nuestros grandes desconocidos en el escenario. A mí no me parece que esto sea una cuestión banal, considero bastante importante que logremos profundizar el sentido de lo que Juan Ruiz representa dentro del teatro barroco español; entre otras cosas que seguramente no es un escritor del barroco, sino un precedente de la Ilustración. En cualquier caso, me parece que todos estos temas han surgido en las ponencias; me he limitado a apuntar los que creo que van a poder motivar más elementos de debate. Y ya, después de dicho esto, aunque mi condición de moderador me tiene bastante frito, porque lo que a mí me gusta es intervenir, empiezo a moderar el coloquio y doy la palabra a Javier Navarro.

JAVIER NAVARRO.— Yo quería hacer una pregunta a

cada uno de los tres ponentes y después una proposi-
ción o propuesta. Preguntaría a Carlos Suárez Radillo,
si, como Hugo nos ha explicado después con respecto al
teatro mexicano, en los demás países de Hispanoameri-
ca existían también precedentes de representaciones
teatrales como cultura indígena.

CARLOS MIGUEL SUÁREZ RADILLO.—*Sí, específicamente*
en las grandes culturas, en las altas culturas, por ejem-
plo en lo que hoy es el Perú, y Bolivia, que entonces se
llamaba el Alto Perú, existían antecedentes en muchos
casos de formas predramáticas y en otros casos de
obras concretas. En las culturas menores existían for-
mas predramáticas en todas. En los "cronistas" hay
referencias; por ejemplo, incluso fray Bartolomé de Las
Casas describe "areítos", que eran las representaciones
de los indígenas de las Antillas y de las costas Atlánticas
de Centro América, Venezuela, etc., que tienen conteni-
dos teatrales absolutos.

JAVIER NAVARRO.—*Gracias. Después, a Hugo quería*
preguntarle algo quizá sea un poco anecdótico pero
que me ha chocado. Cuando hablaba de un personaje,
no recuerdo exactamente en qué representación, que
se llamaba Carlo Mango, supongo que respondía a una
especie de juego de palabras entre Mango y Magno.

HUGO GUTIÉRREZ VEGA.—*El mango es una fruta tro-*
pical, claro que en el texto original de la danza era el
emperador Carlomagno. El nombre completo de la danza era
"El emperador Carlos Mango y los doce pares de la Francia".

JAVIER NAVARRO.—*Sí, y después salía con anteojos pa-*
ra el sol, esto también es una indirecta o algo por el estilo.

HUGO GUTIÉRREZ VEGA.—*No, es un signo de importan-*
cia; si lleva gafas es un hombre inteligente, sabio, y si

316

son gafas para el sol, es todavía más elegante. Es simplemente para darle respetabilidad al personaje. Barbas de "hizcle", es decir, barbas postizas muy largas, gafas y botas de minero.

JAVIER NAVARRO.—*Entonces no tiene nada que ver con la importancia que el sol tenía en las culturas aztecas.*

HUGO GUTIÉRREZ VEGA.—*No creo, sinceramente no creo.*

JAVIER NAVARRO.—*Gracias. Y luego a Luis de Tavira le preguntaría algo que es muy general y que pudiera dar lugar a varias horas de debate y es cómo ve la puesta en escena de un clásico.*

LUIS DE TAVIRA.—*¿Cómo la veo yo?*

JAVIER NAVARRO.—*Sí. Naturalmente en general. No te digo: toma esta obra y ponla en escena.*

LUIS DE TAVIRA.—*¿Cómo la ven en México en general? Cómo la ven los directores mexicanos, cómo la veo yo como director de escena que es muy distinto o cómo...*

JAVIER NAVARRO.—*Cómo la ves tú... siendo...*

JUAN ANTONIO HORMIGÓN.—*Perdona, es que cómo la ve él lo va a plantear mañana o pasado, en tanto que participante de estas Jornadas; en tanto que ponente convendría que nos centrásemos más en el tema, es decir, cómo se plantea el fenómeno en México.*

JAVIER NAVARRO.—*Sí, me parece bien, de acuerdo. ¿Cómo se ve en estos momentos en México la puesta en escena del teatro clásico?*

Luis de Tavira.—*Sí, de alguna manera es justamente el montaje de los clásicos el que quizá con mayor claridad nos presenta las diferentes corrientes que apuntan en el teatro mexicano. Es justamente la coincidencia de la empresa de montar un clásico, en donde podemos encontrar las diferencias más claras de la posición frente al teatro. Héctor Mendoza, cuando yo le interrogaba acerca de cuál era la intención inicial y a nivel de anécdota, de poesía en voz alta, me contaba que estaban podridos de la puesta en escena de Custodio. Es decir, que Custodio tuvo una iniciativa, a mi modo de ver muy importante, muy interesante, que fue intentar poner en escena los clásicos tras una época en la que estaban totalmente olvidados, pero para montarlos desde una tendencia teatral absolutamente decimonónica; concretamente lo que hacía Custodio era siglo XIX, hacía mucho más Zorrilla que otra cosa. Había un serio problema frente a ese tipo de actor reducido a declamador, a una pretendida estilización escenográfica de telón de cartón y todas esas cosas. Por otro lado, Arreola proponía, fue él quien la bautizó "poesía en voz alta", hacer teatro poético que concidía mucho con las vanguardias del momento.*

El resultado de esto fue el desafío hacia el espectáculo. Lo que surgió como propuesta, y ello trajo consigo la quiebra como grupo de "poesía en voz alta", justamente en esta bronca, fue dejar de hacer teatro poético, se intentó contestar escénicamente al otro fenómeno paralelo que era el de Custodio, y entonces surge el espectáculo. Yo diría que hubo como muchos intentos, fundamentalmente irrespetuosos, y aquí vuelvo a citar a Mendoza.

Cuando en las Jornadas Calderonianas estas pasadas, le preguntaron que por qué la falta de respeto a los clásicos como actitud, que si esto no era "snobismo" o no era una actitud de "enfant terrible", él contestó que en gran medida la falta de respeto provenía de la aproximación enamorada a los clásicos, es decir, lo que se ama se toca, con lo que se ama se mete uno, y por supuesto no se le respeta. Quizá este valor de rescate frente a la actitud de respeto, afirme por el lado positivo lo que de ahí surgió. Ahora bien, de este intento de creación de un teatro vigente, de creación de un teatro nuevo, frente al texto clásico, creo que se dan muchas vertientes, desde la puramente "brechtiana", la más cercana a la lectura de Brecht, frente a los clásicos, como a otras, las que podían ir hasta el campo de lo "grotovskiano" y de la experiencia que en México fue muy importante de la presencia de Grotovsky con el "Príncipe Constante", de Calderón. Lo que recientemente se hace es contemplar el texto clásico como un texto abierto, concretamente los últimos montajes de clásicos que se han visto en México, reescriben el texto y fundamentalmente la situación de los finales que tanto discutíamos ayer. Es una de las características, el final es alterado, se le deja abierto, se le cambia totalmente, se revierte la anécdota, pero ante todo se le mira como espectáculo y el texto se relativiza como valor del lenguaje para traducirlo en otros signos que no son literarios. Yo diría que ésta es la característica fundamental de esta renovación escénica a partir de la búsqueda de incorporación de tradiciones clásicas. Podríamos seguir hablando.

Javier Navarro.—*Bueno, a mí se me ocurrirían varias preguntas más, pero como no quiero monopolizar el tiempo, terminaré mi intervención con la propuesta que había anunciado y es que, si es posible, me gustaría que las próximas Jornadas de Almagro se dedicaran al teatro clásico hispanoamericano.*

Sanchís Sinisterra.— *Yo quisiera hacer una pregunta centrada en la intervención de Carlos Miguel, pero a la* que quizá puedan responder también los otros dos ponentes y es esta referencia que has hecho en tu ponencia a lo que podríamos llamar la existencia de un barroco prehispánico en América Latina; según las citas de Luis Alberto Sánchez y de Arrond, ambos se refieren muy concretamente a que lo barroco era ya algo intrínseco a las culturas precolombinas, y por lo tanto ese barroco colonial no es sólo un barroco importado de la metrópoli, sino que, de alguna manera, se funde con lo indígena. No conozco el tema, y naturalmente cuando se trata de una cuestión tan plural siempre son peligrosas las generalizaciones, pero a mí me da un poco de miedo esa utilización que a veces puede ser abusiva, de términos como barroco, y me gustaría que me precisaras en qué sentido puede afirmarse que las culturas precolombinas, toda esa serie que se enumera aquí: la civilización maya, la pre-inca, la de chan-chan, la guaraní, la chicha, la cholteca, etc., son barrocas, en qué sentido puede hablarse de barroco...

JUAN ANTONIO HORMIGÓN.—*Perdón. Es que hay una cuestión por mi parte que puede unir con la tuya y así yo no hago la pregunta luego. Este párrafo de tu ponencia lo tenía yo también subrayado, por eso mi cuestión es parecida a la que plantea Sanchís: si nos referimos al barroco como una determinada articulación cultural, no digo ni siquiera cerrada en el tiempo, como una determinada concepción del mundo, indudablemente esa afirmación no puede ser exacta. Si nos referimos al barroco como un rasgo estilístico, sí que seguramente tendría sentido.*

CARLOS MIGUEL SUÁREZ RADILLO.—*Mira, en muchos pasajes de ese libro que tú tienes ahora ("El teatro barroco hispanoamericano") encontrarás ejemplos de esto que, naturalmente, en una breve ponencia es imposible ilus-*

trar. No sólo lingüísticamente se da el caso, por ejemplo, en la poesía quechua, de cosas que se estuvieron atribuyendo a influencias de Góngora, hasta que una serie de investigaciones demostraron que ese tipo de métrica y de rima existía en la poesía quechua. Hay actitudes esenciales, por ejemplo, en la idea de la fugacidad de la vida, que están presente en manifestaciones prehispánicas con enorme frecuencia. Partiendo de esto, nos encontramos, hablando ya de arquitectura o escultura, elementos muy afines a los que crea la escultura o arquitectura barroca. Yo diría que es un conjunto de cosas las que determinan esa preexistencia de una actitud y de una forma de expresión que coinciden con el barroco que llega de Europa, específicamente de España, y que hacen que nazca ese nuevo barroco que a veces se denomina barroco de Indias, barroco mestizo, barroco hispanoamericano, términos que vienen a equivaler lo mismo. La fusión de dos actitudes y de dos estilos en uno nuevo, en el que predominan a veces unas influencia, en otras, no.

Pongamos por ejemplo el caso de Lunarejo. El Lunarejo escribe la primera gran defensa de Góngora, que es una pieza maestra del culteranismo, y escribe una comedia totalmente culterana, de tema bíblico, que se titula exactamente "Amar su propia muerte", y luego escribe su auto sacramental "El hijo pródigo", en el que retorna a ciertas simplicidades pero en el que están presentes los elementos barrocos. Hugo leyó, con la maestría que él sabe hacerlo, unos versos de sor Juana, que influyen decisivamente en la actitud del personaje central femenino en el auto de "El hijo pródigo", de las mismas ideas: "al que ingrato me deja busco amante"... las mismas ideas. Luego se ve que la influencia de sor Juana está presente en una serie de autores de la América del Sur. No sé si esto contesta a tu pregunta, pero hay que buscar muchos pequeños ejemplos a lo largo y ancho para ir descubriendo toda esa serie de afinidades.

SANCHÍS SINISTERRA.—*A mí me gustaría que los otros ponentes se definieran al respeto.*

HUGO GUTIÉRREZ VEGA.—*El barroco definido como una cosmovisión es claramente un fenómeno europeo. Ahora bien, esos elementos de los que habla Carlos Miguel yo los encuentro de una manera más patente en la cultura maya y particularmente en la arquitectura maya. También en los giros de lenguaje de los poetas del mundo nanualt, en donde hay, por supuesto, afinidades culturales que tal vez transcurrieron por hendiduras secretas o por vetas muy profundas en esa comunicación tan sutil que se da entre todos los miembros del grupo zoológico al que pertenecemos. Ahora, si queremos ser extraordinariamente precisos, sí, el barroco es europeo, de origen europeo, llega a América y se aclimata. Entonces podemos llegar a una especie de intento de síntesis: efectivamente, este fenómeno europeo que es el barroco llega a América y se aclimata de inmediato, porque se daban los elementos de los que habla Carlos Miguel. Los americanos sienten como suyo no sólo el arte barroco o el estilo barroco, sino la cosmovisión barroca. Yo diría que uno de los ejemplos más impresionantes se da en la arquitectura, es el arte que más nos puede ayudar, aunque en el teatro y en la poesía hay muchos elementos, pero en la arquitectura es muy claro este mestizaje que se produce en el barroco.*

El ejemplo al que me refiero es Tonansitla, una iglesia situada en las inmediaciones de Puebla de Cholula. La iglesia, por supuesto, toda la imaginería, la decoración, el terror al vacío, son del barroco. El arquitecto fue sin duda un fraile de la zona franciscana, pero los alarifes, los albañiles, fueron indios. El fraile

322

tuvo la enorme inteligencia de dejarlos en libertad. Les dio una idea general. Nunca lo vivieron como una forma impuesta, sino como una forma natural, de ahí la fuerza del barroco americano. Los angelitos indios que decoran las paredes de Tonansitla, son eso, indios, tú les estás viendo la cara de indígenas y por supuesto el resto de la parafernalia es europea. Esta iglesia se destruyó en parte en un incendio, la incuria, el deterioro del tiempo, le fue haciendo mucho daño. Se reconstruyó hallá por los treinta, se reconstruyó una parte. Entonces encargaron a los indígenas de la región la reconstrucción; y es maravillosa, totalmente heterodoxa desde el punto de vista de la reconstrucción clásica. Agregaron a estos ángeles indios algunos elementos, por ejemplo esas obsesivas gafas de sol; hay dos angelitos que tienen gafas de sol, y hay otro angelito que toca un saxofón. ¿Porqué sucede esto?: porque la presencia del barroco europeo se da con menos violencia que otras manifestaciones de la mentalidad europea. Encuentra, como dice Carlos Miguel, terreno fértil y sobre todo sensibilidad afín.

LUIS DE TAVIRA.— *Yo estaría totalmente de acuerdo en términos generales. Sí, yo creo que se dan dos cosas o dos elementos en la coyuntura. Por una parte, esa actitud sincrética fundamental de lo indígena que es aglutinador; por otro lado, la propia manifestación barroca es aglutinadora también. La coincidencia de estas dos actitudes abiertas, finalmente, provoca una síntesis o una reconciliación verdaderamente peculiar en las manifestaciones artísticas, que los convierten en algo muy tentador para encontrar semejanzas o idénticas posiciones culturales donde quizás no las hay.*

Ya Hugo Gutiérrez Vega señalaba algo importante respecto a la religiosidad prehispánica, de ninguna manera el concepto de lo sagrado es lo mismo. El mani-

323

queismo no se da entre los prehispánicos. Es decir, no hay diferencia entre lo profano y lo sagrado, cosa absolutamente presente en el barroco. Esta lucha, este desgarramiento entre la dimensión de lo sagrado como eje del mundo o lugar de ubicación cultural frente a lo profano, no se da, no se da en lo prehispano. Por otro lado, la misma arquitectura prehispánica es radical- mente clara en cuanto a la diferencia; sin embargo, posiblemente la actitud y sobre todo, yo diría, la feno- menología del encuentro, del brutal encuentro, de la violentación del encuentro, es quizás suficientemente elocuente para mostrar esa doble coincidencia. Es decir, la colonización española, la conquista española, es muy distinta a la conquista inglesa o la conquista francesa, que es totalmente destructiva. La española es domina- ción pero es al mismo tiempo asimilación y actitud de mezcla, y la del indígena también, como decía López Velarde, imantadora, surtidora de católica fuente. Yo creo que estas dos coincidencias o estas dos actitudes son las que dan por resultado esto.

Sin embargo, por ejemplo, son también testimonio de una violencia en términos tremendamente profundos que se manifiestan continuamente, como ya decía Juan de la Cueva, o como podemos ver las ansias de conquis- ta vigentes hoy día a través de la tradición de los concheros, que son conchas casi, casi, de Vivaldi, sólo que son guitarras hechas en la concha del claucache o del armadillo. En estas danzas de conquista hay un combate inicial en donde está personificado Cuauhte- moc, el joven abuelo, que es derrotado por Hernán Cortés; una vez derrotado es llevado al bautismo y en medio del bautismo es vestido de novia y Hernán Cortés lo toma por esposa. Esto es tremendo; este encuentro es brutal, pero es matrimonio. Yo creo que la metáfora encontrada en la danza de conquista, en el matrimo- nio, en el maridaje, es muy clara, de tal manera que la conquista en el caso concreto de México y de toda Hispanoamérica, es muy clara. No es exterminio, no es dominación, no es imposición, es matrimonio, es dolor de parto de una nueva nación. Yo creo que esto da por resultado, desde luego, un barroco muy especial.

SANCHÍS SINISTERRA.— *Naturalmente yo estoy de acuerdo en que el mestizaje tiene una esencia barroca evidente, con independencia de que este mestizaje se hiciera entre un barroco y otro, entre una cultura barroca y otra cosa, pero sigo insistiendo en que atribuir una característica barroca, de barroquismo, a una cultura en la que no se ha producido todavía —al menos por la escasa información que yo tengo— el fenómeno de individualización que se da en las sociedades occidentales, porque para mí el barroco es individuación, quiero decir emergencia de la conciencia individual y de esa conciencia individual como una conciencia desgarrada. El barroco tiene que ver con la tensión entre el ser y la apariencia, la no coincidencia del sujeto consigo mismo. Por eso decía que encontraba un poco abusivo equiparar un fenómeno que para mí tiene tanto que ver con el nacimiento de la burguesía en las sociedades occidentales y la tensión entre esta individuación burguesa y la superestructura imperial, religiosa, etc., con que esto se aplique, repito, a las culturas precolombinas. Me sigue pareciendo abusivo, a no ser que consideremos el barroco como un conjunto de estilemas; en ese caso quizás. No insisto en el tema porque supongo que ésto nos llevaría a planteamientos especialmente complejos. Nada más.*

JUAN ANTONIO HORMIGÓN.— *Mas, más cuestiones.*

JOHN J. ALLEN.— *Una pequeña nota al pie de la página con referencia a la ponencia de Gutiérrez Vega. Respecto a la vinculación España-México con respec-*

to al "Ermitaño", me acordé del tratamiento irónico, tan fino, de Cervantes del "Ermitaño" en el Quijote, combinando con la visita al ermitaño y al encontrar la sota-ermitaño que vive con él. Claramente hay un fenómeno aquí de sociedad detrás de las dos visiones del ermitaño.

HUGO GUTIÉRREZ VEGA.— Sí, totalmente de acuerdo. Creo que el último ermitaño tratado desde esa perspectiva —aunque los críticos cinematográficos no lo notaron es el "San Simón del desierto", de Luis Buñuel— es extraordinariamente pícaro, en donde se juntan los elementos del cenobita retirado y, por otra parte, los de un hombre con una gran picardía y una gran alegría de vivir. Ese es el origen de nuestro ermitaño. De todos modos, yo me quedé pensando también, y esto se relaciona con tus preocupaciones, cuando describía Luis de Tavira el argumento de las danzas de los concheros, me estaba encontrando con un argumento absolutamente barroco. Hace un momento lo comentábamos con López Sancho: el travestismo. El emperador Cuauhtemoc vestido de mujer y casado. El mismo ermitaño de las pastorales nuestras es un ermitaño barroco. La idea de la "vida es sueño" se encuentra, por ejemplo, en la poesía de Netzahualcoyotl, de tal manera que cuando se estrena en México "La vida es sueño", en el corral del Hospital de Los Naturales, se estaba estrenando algo que correspondía absolutamente a la antigua poesía nahualt. El "sólo venimos a soñar, sólo venimos a dormir" de Netzahualcoyolt, es similar a "que toda la vida es sueño, y los sueños, sueños son". Yo creo que hay, aparte de coincidencias, el producto de la mezcla o de ese doloroso mestizaje. No hay también que olvidar que nosotros fuimos conquistados por un pueblo mestizo; los españoles eran tan mestizos como nosotros, aquí llegaron fenicios, cartagineses, árabes, es decir, estaban acostumbrados a la idea del mestizaje, a pesar de todas *las preocupaciones por la honra de los cristianos viejos, que eran más bien preocupaciones de tipo político. De ahí las afinidades que me parece se encuentran de una manera más natural que en otro tipo de colonización.*

SANCHÍS SINISTERRA.— *Otro pie de página, también, como ha dicho Allen, quisiera al menos dar mi opinión. La idea de que la concepción de la vida como un sueño es algo barroco, me parece falsa. La idea de que la vida es un sueño, es algo por lo menos medieval y desde luego se puede encontrar en todas las culturas y en todos los tiempos. Lo que quizás es barroco en "La vida es sueño", es justamente la confusión entre la vida como sueño y la vida como realidad, no ese tema que Calderón recoge de una tradición claramente cristiano medieval.*

JUAN ANTONIO HORMIGÓN.— *De acuerdo, más cosas.*

BASILIO GASSENT.— *Efectivamente es una idea medieval. No olvidemos la teoría que dice que en realidad las culturas se establecen entre edades medias y edades clásicas. El barroco, en el fondo, tiene todos los elementos de las edades medias, como el romanticismo, como el momento actual, que posiblemente es un momento retorcido e inquieto y es una edad media, una transición hacia otra edad clásica. En cuanto a la propuesta que se ha hecho de que el próximo festival esté dedicado a la literatura teatral clásica en Hispanoamérica, al clásico español en Hispanoamérica, o a la creación, al mismo tiempo también, de culturas o de teatro clásico en Hispanoamérica, me parece importante; pero junto a esto, yo estoy viendo que aquí, en España, no tenemos un conocimiento pleno de muchas culturas, por ejemplo, precolombinas. En América, según mis noticias, presencia de la cultura teatral española, la literatura*

española, ha sido bastante intensa. En cambio, la cultu-
ra mexicana, la literatura mexicana y las restantes
literaturas hispanoamericanas, anteriores al siglo XIX,
son desconocidas en gran parte, salvo figuras muy
señeras, y sobre todo, lo precolombino es prácticamente
desconocido aquí. ¿Por qué no se procura promover, de
alguna forma, ediciones, que estén al alcance de todo
el mundo, para que esto se conozca y sea posible que
llegue a la mayor cantidad de manos y por lo tanto
establezca ese auténtico mestizaje que yo creo que es la
gran virtud de España, como se ha apuntado en estos
coloquios. Ese mestizaje cultural de conocimiento, de
compenetración con el pueblo actual.

JUAN ANTONIO HORMIGÓN.— *Un momentito antes de*
que hable nadie, Luis de Tavira quiere decir algo alre-
dedor del tema que acababa de suscitar Basilio.

LUIS DE TAVIRA.— *Yo quisiera incidir todavía más en*
el camino apuntado por Basilio y Navarro y decir algo
que siento que omití también de modo importante en
mi ponencia sobre la identidad nacional, que vendría
a complementarlo en un contexto español. Sería esto: si
en México padecimos, por las mutaciones de una domi-
nación a otra, toda una leyenda negra y una actitud
pretensamente nacionalista que satanizó lo español, lo
que nosotros llamamos o conocemos como la famosa
leyenda negra, que nos hizo desarrollar una fobia
hacia lo hispánico, cercenó parte de la conciencia de
nuestra propia identidad y tenía además muy claras
intenciones políticas. A la fecha no es del todo deslinda-
ble la erradicación de la vigencia de esta satanización
de lo hispánico y de nuestra dimensión hispánica, lo
que desde luego contrasta profundamente con todas
las grandes actitudes liberadoras del pensamiento lati-
noamericano expresado a través de Bolívar, de Martí,
de Darío, de Reyes, de Vasconcelos, como posiciones

que expresan la emancipación y la liberación de Latinoamérica.

Al mismo tiempo, España ha sido cómplice, porque pienso yo que España ha cercenado también su identidad nacional al cerrarse en su dimensión exclusivamente peninsular, al no haber apreciado en toda su vigencia lo que le supuso su extensión atlántica, al cerrar el camino de regreso, al encerrarse en sí misma. Pienso que también los españoles han perdido identidad nacional en la medida en que se han cerrado al fenómeno latinoamericano; es decir, la hispanidad no es un asunto exclusivamente peninsular, y circunscribirlo a un asunto exclusivamente peninsular, pienso yo, es negar una condición esencial de su devenir histórico y de su identidad en el trayecto histórico. Sí creo que se ha dado este fenómeno que manifiesta Basilio, este desconocimiento de la España proyectada en América, de la vigencia hispánica en América que regresa y crea este diálogo que es España, está por recuperarse, es como una inmensa tarea a desarrollar. Por todo ello la propuesta de Navarro me parece adecuada, me parece que es respuesta justamente a este problema, a considerar a los clásicos en la estrecha dimensión mutilada de lo que fue el fenómeno hispánico.

Y lo que vimos ayer en "La villana de Vallecas", para mí fue verdaderamente impresionante ya. El sólo hecho de estar en la plaza de Almagro, y a eso aunar la entrada al corral, y a eso aunar la obra de Tirso, y oír ahí los parlamentos del mexicano y la prueba de la identidad. Es decir, yo creo que en el barroco, en el equívoco de la comedia barroca o del teatro clásico español, hay una enorme preocupación por la identidad; de ahí la equivocación del quién es quién, del estoy soñando o viviendo, de cuáles son los atributos de la identidad; esa identidad estaba ya en Tirso puesta en juego y aplicada a una doble vuelta de tuerca que

329

hace mucho más patético el problema que consiste en la enajenación de los atributos del indiano. Aplicar el problema de identidad presente, como preocupación en el teatro español ahora, aplicada al indiano, era tremendo, era una experiencia brutal y claro, llevaba a lo que de alguna manera señalaba yo en la ponencia: decir, como se suele en los foros internacionales, que nuestro teatro busca su identidad, no es cierto; es un teatro que defiende su identidad; no buscamos, sabemos quiénes somos, quiénes hemos sido, y de ahí la importancia de recuperar ese diálogo y esta dimensión de la identidad hispánica producto de todo este enfrentamiento violento.

GUILLERMO HERAS.— *Perdón, yo quisiera añadir un pequeño comentario.*

JUAN ANTONIO HORMIGÓN.— *Espera un segundito.*

GUILLERMO HERAS.— *Sí, sí.*

CARLOS MIGUEL SUÁREZ RADILLO.— *Precisamente en relación con esto, los dos Domingos, Domingo Miras y Domingo Ynduráin —conjunción de nombres que me resulta encantadoramente mestiza, porque me recuerda aquella canción mexicana "De domingo a domingo te vengo a ver"—, señalan entre las convenciones teatrales del texto de "La villana de Vallecas", el que los personajes no reconozcan el acento mexicano de los dos indianos, el Caballero y el Sirviente. Y yo pienso que esos dos indianos debieron hablar con un acento diferente, cosa que no se hizo en el montaje, y que sin embargo está señalado entre las convenciones a aceptar por los dos adaptadores y estudiosos de este texto. Yo pienso que hubiera sido mucho más auténtico que esa descripción que pone como prueba el criado cuando pregunta: "Que diga lo que es jaojao, que diga lo que es* zapote"; *todas esas cosas, debieron decirse "sapote",* "casabe", *de ninguna manera cazabe y zapote, pero aquí quizás entre el temor de un director a utilizar un acento hispanoamericano en un texto de autor clásico español. ¿Por qué? Yo tuve una experiencia bellísima y unos días después ya estaba adaptado. La primera vez que ví "La vida es sueño" en México, no puedo negar que me sacudió de momento, pero inmediatamente, a los veinte o veinticinco minutos, aceptaba perfectamente "que toda la vida es sueño, y los sueños, sueños son...", perfecto, me sonaba perfecto, porque así había que decirlo allí, y con s, naturalmente. Esto es una pequeña añadidura pero que creo contribuye a aclarar un poco el por qué tenemos que mantener el temor a introducir el acento en su generalidad hispanoamericana dentro de un texto clásico español, mucho más cuando esos personajes son indianos. Nada más.*

GUILLERMO HERAS.— *Es otro tema, paso o...*

JUAN ANTONIO HORMIGÓN.— *¿Es muy radicalmente distinto?*

GUILLERMO HERAS.— *Sí, es más bien técnico, es una cuestión...*

JUAN ANTONIO HORMIGÓN.— *Adelante, adelante, porque a ésto podemos volver. No está todavía terminado y podemos volver.*

GUILLERMO HERAS.— *Querría preguntarle a Luis por la situación actual, siguiendo un poco la línea de lo que decía Javier, no en abstracto sino en plan mucho más concreto. Precisamente en tu ponencia hablas de que en los últimos 25 años se han montado más obras del barroco español que en los 150 anteriores. Me gustaría que concretaras dos temas: por un lado, cómo* se plantea en este momento en México o cómo os planteáis el tema del repertorio, que considero es uno de los problemas esenciales para nosotros también (en España, una renovación del teatro tiene que pasar por el tema de plantearnos el repertorio); por otro lado, concretar cuáles son los títulos que en México más han conectado, los títulos del barroco español o de los novo-hispanos, como los llamáis, Sor Juana Inés o todos los autores mexicanos. Cuáles han sido los títulos que más han conectado con el público, con el matiz además de si se trata de puestas en escena convencionales o, por el contrario, lo que tú llamas de transformación o recreación.

Luis de Tavira.— *El momento al que me he referido antes, concretamente el que comienza con "Poesía en voz alta" y que crea este gran auge de las puestas del siglo de oro español en México, corresponde a los años cincuenta y en ese sentido no hay que desconocer, con todo lo peyorativo que pueda tener, la labor de Custodio, hecha de un modo constante durante cerca de diez años. Crea una compañía estable de teatro español, dedicada exclusivamente como política teatral al montaje de los clásicos españoles, pero no incide ni crea nuevo público, yo creo que como resultado lo auyenta, porque en el exilio español Custodio juega un papel distinto al de otros, como podría ser, en parangón exactamente contrario, Marzal. Custodio se asila en el seno de la colonia española y hace teatro para la colonia española. Intenta en cierto modo la tarea de revitalizar las manifestaciones culturales de un grupo de exiliados que siguen teniendo los ojos en España, lo que también es explicable. Pero en su transcendencia hacia el público mexicano, creo que incide poco. Que lo hicieron mucho más otros: León Felipe y Marzal, que se volvieron mexicanos. Aunque Marzal después regresara, era un perfecto mexicano con todo y su pronunciación de francés más que de español; o León Felipe u otros.*

Entonces, ante esta presencia, como alternativa en la cartelera y en el repertorio mexicano, surge en la universidad de esta época también, como contestación pero, de alguna manera, contestación que aceptaba la propuesta, un auge de puestas en escena del siglo de oro español. Creo que puedo decir sin equivocarme que se creó público para el teatro del siglo de oro, hasta el punto de que montar una obra del siglo de oro es ya una garantía de público. Encuentra un público, y un público que necesariamente va a regresar. Ahora bien, analizando esta respuesta del público ante la propuesta del siglo de oro español, en esta época de los cincuenta, los sesenta y principios de los setenta, diría que hubo también una intención culturalizante no del todo aceptable. Suponía reconocer una condición casi analfabética frente a nuestra tradición y frente a nuestro teatro, pero también a la reconsideración que, a esto contribuyó mucho el exilio como decía, sirvió para recuperar nuestros elementos hispánicos en el paso que se dio hacia la afirmación de nuestras raíces y de nuestra tradición.

Fue una preocupación de identidad porque veníamos padeciendo la presión de una corriente que imitaba muy de cerca y quería fundar en México una escuela realista semejante al realismo norteamericano. Entonces el teatro norteamericano y sobre todo el teatro comercial importaba y sigue importando el fenómeno de Broadway a México y planteaba una relación colonialista frente a una nueva metrópoli que ahora es Nueva York, teatralmente hablando digo, esta actitud implicaba una garantía de rechazo y de respuesta al fenómeno extranjerizante; pero también se dio a partir de una dramaturgia que copiaba el modelo norteamericano, que seguía los intentos del modelo norteamericano y, en pleno nacionalismo, a partir de un esquema

333

norteamericano que no iba. Y esto fundamentalmente no pasaba al escenario. Yo diría que el furor por los clásicos en este momento ha menguado, ha disminuido. También diré que entre los autores incluidos en este repertorio de auge del teatro clásico, figuraron mucho menos los mexicanos, que siguen a mi modo de ver inéditos. Señalaba que después de hacer un recuento muy acucioso en todo Olabarri Ferrari, que consigna año por año todos los estrenos, y luego Reyes de la Maza, que continúa la tarea apoyado en el puente que entre los dos establece Salvador Novo, consignando todos los estrenos, hay en este siglo cinco de estos autores que mencionaba Carlos Miguel, Hugo o la lista tentativa que yo hacía. Son fundamentalmente Lope, Tirso, Juan Ruiz, los más representados, Calderón mucho menos, aunque también Calderón. Calderón es totalmente desconocido en México, —salvo "La vida es sueño" y "El alcalde de Zalamea", es decir, las obras mucho más popularizadas por este culto al clásico—. Pienso que nos han dejado a un autor que nadie conoce —hablo de México que es lo que sé— y que a ese autor se le reconoce en textos totalmente desconocidos.

Cuando yo intenté escoger una obra para representar en el marco de las Jornadas Calderonianas, encontré muy serios problemas para hallar los textos. Las últimas ediciones que se encuentran en México son muy antiguas y se las halla muy difícilmente. No hay reediciones que circulen normalmente. Sin embargo y para completar esto, en el asunto de la inquietud por la formación del repertorio, esta búsqueda que se da, sobre todo, en el sector público, no se da en el comercial aunque el teatro clásico español haya pasado ya al territorio de la mercancía teatral y se le ponga como un espectáculo que puede traer público y puede ser explotado comercialmente. Sin embargo, su intento más serio y articulado como política de repertorio se da en el sector público y yo diría fundamentalmente en la universidad, que ha variado su inquietud y que es, siento yo, consecuencia de esa búsqueda de las raíces de la tradición que encontramos en los autores españoles y que es ahora una política de puesta en escena de los nuevos dramaturgos mexicanos. En este momento pienso que existe la prioridad de montar a los autores nacionales, un poco siguiendo la aventura dudosa, yo diría, pero necesaria, de montarlos para ponerlos a prueba, porque se ha aprendido la lección respecto a los clásicos españoles. Se les montó para ponerlos a prueba y funcionaron. Ahora se intenta hacer lo mismo con los autores contemporáneos mexicanos. Curiosamente, lo que se ha roto a partir de esta crisis frente a la puesta en escena, es la tradición del realismo norteamericano y se ha iniciado una preocupación nacionalista que tiene mucho más que ver con otro tipo de corrientes que han modificado el papel del texto en el escenario.

Entre las obras más favorecidas o que han trascendido más, recordaré las más memorables, aparecen incluso puestas en escena de textos no teatrales. Recuerdo el "Libro del Buen Amor", "El diálogo del Amor y el Viejo", por ejemplo, que no son textos teatrales, o la muy memorable puesta en escena de Héctor Azar, que era un homenaje a "Poesía en Voz Alta", porque era un homenaje a Mendoza, a Gurrola y a Ibáñez en tres distintas partes, que se llamaba "Juegos de escarnio". La constituían textos de Lope, del "Arcipreste de Hita", "El caballero de Olmedo". Desde luego fue muy importante, Juan Ruiz ha sido muy revisado. Desde luego se han hecho muchas versiones de "La verdad sospechosa", memorables representaciones de "Las paredes oyen", "Los empeños de un engaño", en fin, aquí ya la memoria no me ayuda mucho. De Tirso también "Don Gil de las Calzas Verdes", que yo creo marcó un hito en la historia del teatro mexicano. Fue un éxito. Por cierto, *de Juan Ruiz también fue la obra con que se estrenó el Teatro de la Universidad, un teatro ya en toda forma que, de alguna manera, responde a la trayectoria del teatro universitario. Este teatro Juan Ruiz de Alarcón, se representó, y esto le tocó a Hugo que fue quien lo inauguró, se inauguró con el montaje de "La prueba de las promesas", de Juan Ruiz de Alarcón, con dirección de Gurrola. También recuerdo importantes montajes de "La Celestina", concretamente uno de Miguel Sabido, memorable; yo no sé, Hugo, me podrías ayudar a seguir dando más nombres de esto ¿no?*

HUGO GUTIÉRREZ VEGA.— *Sí, podría agregar algunos datos. Luis se está refiriendo fundamentalmente al teatro de la capital de la República. No se les olvide que México es un país muy deforme, como la mayor parte de los países iberoamericanos tiene una cabezota y un cuerpo más bien endeble. Una enorme capital de 17 millones de habitantes que es un monstruo, y de la que todavía algunos presumen y les parece motivo de orgullo que hayamos echado a andar ese monstruo, manteniendo el cuerpo tan flaco y endeble de la provincia.*

Coincido con el análisis hecho por Luis en lo que se refiere a la capital de la República, pero quisiera referirme a algunos de los esfuerzos hechos en provincias, con resultados artísticos variables y, para ser sincero, generalmente mediocres. Por ejemplo en Guanajuato, desde hace muchos años se montan diariamente los entremeses cervantinos. El espectáculo se ha deteriorado enormemente, porque se ha convertido en un espectáculo turístico. Es decir, cuando va el turista norteamericano o europeo a Guanajuato, pues se incluye el hotel, las tres comidas y una representación de los entremeses cervantinos. Por eso hay un enorme descuido en la puesta en escena y sobre todo no hay ninguna voluntad de experimentación; sin embargo, ahí está.

*Además ha servido de base al Festival Cervantino, inclu-
sive algunos inventos que utilizando un término norteamericano sería el "freek" mexicano, como es la aldea
cervantina que allá tenemos, una aldea que nos saca-
mos de la manga y que colocamos en un barrio de
Guanajuato y allí tratamos de recuperar la Mancha,
pero la Mancha vista por Hollywood.*

*Bien, aparte de lo que Guanajuato ha hecho, que me
parece importante en la labor de Ruelas, no sólo por los
entremeses cervantinos, sino por las puestas en escena
de lo rescatable de Alejandro Casona como son sus
magníficas adaptaciones de textos clásicos, hay otro
grupo que ustedes conocen que es el grupo de los
"Cómicos de la Legua", en Queretaro, que ahora se
llama "La Familia", y que estuvo aquí en el festival de
Almagro. Se trata de un grupo muy fresco, muy natural, muy espontáneo, pero que en una época realizó
cierta investigación. Les voy a dar un sólo dato: en
1962 se puso una obra de Cubillo de Aragón, que
supongo que hace muchos años que no se pone en
España, se puso a Solís y Rivadeneyra, desde luego Mira
de Amescua, Vélez de Guevara, Bancés y Cándamo y
gran cantidad de post-lopistas. Por supuesto hacían
pequeñas temporadas en el Teatro de la República en
Querétaro y después este grupo se dedicaba a llevar
fundamentalmente las adaptaciones de Casona, entremeses de Cervantes y aproximadamente cuarenta y
ocho entremeses de Quiñones de Benavente y además
autos sacramentales y autos de navidad, especialmente
a las comunidades indígenes. Ahí se confrontó algo
muy curioso. Por ejemplo se ponía un auto de navidad
en la sierra de Querétaro, en un pueblo que se llama
Landa de Matamoros, en México tenemos miles de Matamoros, por Santiago, los pueblos que no se llaman
Santiago se llaman Matamoros. En el pórtico de una
iglesia barroca, muy hermosa, muy pobre, los materiales*

no son tan finos como en representación, se comentó con la gente que eran los lugareños indígenas, los campesinos; la mayor parte dijeron: "Ya conocemos esto". Porque era el equivalente a una "pastorella", eran los mismos pastores, el mismo ermitaño, en fin, les estábamos llevando un teatro que ellos ya conocían, un teatro absolutamente vivo.

Afortunadamente los "Cómicos de la Legua" nunca tuvieron pretensiones didácticas, como ahora algunos latinoamericanos tienen de enseñar al pueblo cómo debe hacer su teatro, especialmente el llamado teatro contestatario, o ese género tan amplio que ahora conocemos en América Latina como el del "Ay, ay, ay, me robaron mi banana". La gente sabe exactamente cómo hacer teatro y se encuentran estas coincidencias en la confrontación. La Universidad Veracruzana también ha trabajado mucho con clásicos. La Universidad de Chihuahua, por ejemplo, últimamente está trabajando y además de una manera muy curiosa, porque allí, aparte de que es puesto el clásico en mexicano lo está además en chihuahuense, en el lenguaje norteño. Sirva esto de anécdota. No sólo se han dedicado a los clásicos mexicanos sino que ponen teatro muy bueno, recuerdo una puesta en escena de "Asesinato en la catedral", de Elliot que, en acento chihuahuense era verdaderamente espeluznante. Santo Tomás Bekett hablando como un bronco de las montañas de Chihuahua, era increíble.

Durante un tiempo se tuvo un conflicto cuando se ponía teatro español, sobre todo el teatro clásico por el Teatro Español de México, una organización fundada por Alvaro Custodio. Alvaro, realmente, realizó un trabajo muy importante en México desde el punto de vista de la difusión del teatro, no desde el punto de vista del experimento teatral. La puesta en escena no era de reconstrucción. Esto es algo que está pasando en España. Me dicen, ve a ver esta puesta en escena que reconstruye el teatro español tal y cómo se hacía. Entonces invariablemente hay que contestar: no. Se está reconstruyendo el teatro español como se hacía en el siglo XIX, no como se hacía en el siglo XVII, o en el siglo XVI, o en el XVIII. Entonces a los actores mexicanos, y aquí hablo como actor, nos pedían los directores que habláramos con acento español. A mí me sale con cierta naturalidad, porque yo soy hijo de españoles, pero en fin, me costaba trabajo, yo no he hablado como español y además tenía la preocupación constante de decir pues "trozo de quezo" o ese tipo de cosas; entonces, los experimentos resultaban realmente fatales. El teatro universitario rompió con esta idea; dice: no, vamos a poner teatro español, vamos a ponerlo con acento mexicano. Es decir, vamos a darle una vida natural a este experimento y por otra parte a reconocer esta comunidad en lo que se refiere a los clásicos.

Y, por último, agregaría nada más un pequeño dato: Juan Ruiz de Alarcón ha tenido mala suerte en España, pero ha tenido también mala suerte en México. Parece ser que donde ha tenido mejor suerte el pobre de don Juan es en Francia, Corneille y Moliere, toman muchísimos temas de Juan Ruiz de Alarcón, se dieron cuenta de lo que allí había y lo piratearon. "Le menteur", de Corneille, es una obra de Alarcón, es "La verdad sospechosa". En el caso de México, yo sinceramente no recuerdo una puesta en escena interesante salvo la de Gurrola en "La prueba de las promesas" y "La cueva de Salamanca", que fue también una buena puesta en escena. "La verdad sospechosa", "El tejedor de Segovia", "Los pechos privilegiados", "Las paredes oyen", "El examen de maridos", etc., han sido manoseadas y no han sido tratadas en profundidad. De sor Juana Inés de la Cruz, ha habido también puestas en escena de "Amor es más laberinto", de "Los empeños de una casa", de "Las loas de los altos", y yo recuerdo tan *sólo una buena puesta en escena, hace muchos años, allá en los cuarenta, de "Los empeños de una casa".*

Ahora estamos divididos. Por un lado, estas compañías de provincia, que con pocos elementos pero que con una gran simpatía y una gran naturalidad, como es el caso de "Los Cómicos de la Legua" o "La Familia", mantienen vivo el teatro clásico y lo confrontan constantemente con los grupos populares; por otro lado, esta voluntad de experimentación que tiene el teatro universitario; y por último el teatro clásico del siglo XIX, que está vivo todavía en México. Por ejemplo, nosotros se lo trajimos a Madrid el año pasado, perdón, dije nosotros pero no, yo salvo esa responsabilidad, México lo trajo, ustedes pueden vengarse cuando lo consideren más oportuno, porque estuvo por aquí "La vida es sueño", en una puesta en escena decimonónica. No sé si estoy suavizando el término, por aquello de que de vez en cuando tengo que ser diplomático. Bien, andamos divididos en esto, andamos buscando, estamos intentando dialogar y por otra parte estamos afirmando. Desde la generación de contemporáneos, la generación del 27, tenemos que preservar y que conservar este riquísimo caudal; no podemos encerrarnos en actitudes nacionalistas. Yo pienso que al lado de los clásicos hay un dramaturgo fundamental para el desarrollo de la dramaturgia mexicana y para el desarrollo de los métodos de actuación y de la puesta en escena. Este dramaturgo es norteamericano y se llama Eugene O'neill que es otro de los grandes dramaturgos mexicanos; y si me empujan más tendré que llegar a la conclusión de que en teatro, en realidad, como lo comentábamos ayer, sólo hay dos clases: teatro bueno y teatro malo, y que después, lo más natural es que estemos aquí norteamericanos interesados en España, un californiano-irlandés, alemanes, y un españolísimo yugoeslavo. Andamos moviéndonos por un terreno que es un país que a todos nos pertenece, que no tiene fronteras y que afortunadamente no requiere pasaportes: es el país del teatro.

JUAN ANTONIO HORMIGÓN.— *Yo, llegados a este punto, creo que sería el momento de recapitular.*

CARLOS MIGUEL SUÁREZ RADILLO.— *Me gustaría comentar que hay un autor nacido en España, formado en México y regresado a España, que murió bastante joven; es Agustín de Salazar y Torres, tan ignorado desde hace muchos años en México como en España. Hay una anécdota que podemos dar por cierta a través de las investigaciones de Alfonso Reyes precisamente. Agustín de Salazar y Torres no terminó una deliciosa obra suya que es conocida como "La segunda Celestina". Sor Juana terminó esa obra y con ese final, se estrenó en México. Ese final se perdió totalmente. Mesonero Romanos al hacer la edición de "La segunda Celestina", reconoce el haber tenido en sus manos dos finales: uno, el de Juan de Vera Tasis, el gran amigo de Agustín y editor de sus obras, y otro, de autor desconocido. De los dos, escogió el que él pensó que se acercaba más al motivo de la inspiración original y probablemente el otro final, el de sor Juana, fue a parar al cesto de la basura. Bueno, pues esa obra es una auténtica delicia, es totalmente desconocida y podemos considerar a Salazar y Torres como un dramaturgo hispano-mexicano, mexicano-hispano, integralmente; por su formación, su juventud la pasó en México, y aunque parece que escribe sus obras en España, yo estoy entre los que piensan que él trajo ya parte de esas obras escritas aunque la acción ocurra en España, o por lo menos los bocetos o las ideas. Ahí tenemos a un clásico común totalmente desconocido y con una obra absolutamente recuperable por su gracia, por su frescura. Su personaje central no es una Celestina prostituida, ni siquiera hechicera, es una Celestina muy lista que se aprovecha* de lo que le cuentan los demás para hacerles creer que ella lo ha descubierto. Ahí tenemos un clásico para Almagro.

JUAN ANTONIO HORMIGÓN.— *Antes de dar la palabra a más compañeros, quisiera hacer una pequeña intervención recogiendo algo de lo que se ha dicho aquí y avanzando algunos temas que he apuntado antes en las perspectivas de debate y que ahora me parece que podríamos abrir. Por un lado, respecto a la puesta en escena, he visto algo de lo que se ha hecho en la ciudad de México en los últimos tiempos respecto a este tema. Efectivamente, se puede tener una visión muy amplia, desde esta puesta en escena decimonónica que apuntaba Hugo, hasta una puesta en escena más tradicional, pero digamos consistente, como podría ser la que hizo José Solé en el Teatro Nacional de "El alcalde de Zalamea", o el ultravanguardismo escalofriante del señor Luis de Tavira, haciendo "Lances de Amor y Fortuna", de Calderón. Yo le dije que si hacía eso en España, me mataban. Y además no volvía a dirigir, claro que era una cosa implacable. Aquí el señor López Sancho y sus colegas me corrían por la calle a gorrazos, ¿no? Yo encuentro absolutamente legítimo todo eso y además es una cuestión a debatir y a plantear. ¿Qué ocurre con todos estos fenómenos? Que todos ellos funcionan. Es decir, este espectáculo, esa "vida es sueño" decimonónica, nos dijo Luis hace unos meses en la Universidad Complutense en un coloquio, que está llenando el Teatro Insurgentes, un teatro comercial cuyo éxito anterior había sido "Peter Pan", con colas en la calle. Primera sorpresa que nos deja atónitos.*

Por supuesto, "El alcalde de Zalamea" funciona perfectamente bien en el Teatro Nacional, en una sala hecha a la medida de ese espectáculo, que era espectáculo indudablemente muy de investigación, como era

"Lances de Amor y de Fortuna" en la sala del Centro Universitario de Teatro en el Centro Cultural Universitario de la ciudad de México. Esto respecto a la recepción, primera sorpresa, a la que añadiría que en las Jornadas Calderonianas, había más espectáculos sobre Calderón que los que se necesitaban para cubrir las representaciones previstas. Había varias puestas en escena de "La vida es sueño", de "El alcalde de Zalamea", de "La Dama Duende", de "Lances de Amor y de Fortuna", etc. Hubo una celebración calderoniana mucho más amplia y vasta, insisto —no hablo de niveles de calidad, sino exclusivamente de existencia de oferta—, mucho más amplia de la que nosostros hicimos en España respecto al propio Calderón. Este es un primer hecho que, por supuesto, completan todos los demás datos que después se dieron respecto a la provincia y nos dan una idea de las diferencias de cómo nos aproximamos o cómo se aproximan los mexicanos a México.

Segunda cuestión que me parece importante señalar: yo no puedo pensar exclusivamente, aparte de las razones internas al hecho teatral que Luis ha señalado, que sean solamente éstas las que conducen a esa proliferación de títulos de clásicos, no digo españoles, insisto en lo de comunes, que aparecen en México en los últimos veinticinco años y que sobrepasa la cifra de los ciento cincuenta años anteriores. Creo que hay un fenómeno inconsciente todavía, que empezó a tomar forma en las Jornadas Calderonianas del año pasado, que era el de la defensa de la lengua como parte fundamental de la identidad nacional y la defensa del teatro como una manifestación que incorpora la lengua en esa promoción de identidad nacional. Como no todo en México tiene que ser bueno, hay que señalar un hecho fatal y es que la penetración cultural del vecino del Norte es mucho más violenta de lo que pensamos —aquí la tenemos también pero de manera más atenuada aparentemente, porque no lo tenemos al lado—. En México la presión es mucho más fuerte, hasta el punto, como en alguna ocasión hemos comentado, que hay mexicanos de determinadas capas, sobre todo ligadas al terreno financiero o técnico, que hablan introducciendo frases completas o incluso gran parte de su expresión en inglés. Este es un fenómeno que está en avance y que ha exigido nada menos que la creación por parte de la Secretaría de Educación de México, hará proximadamente ocho meses, de una comisión nacional para la defensa de la lengua. Cuando eso pasa en un país es que algo se mueve y se está tomando conciencia de una situación, ahí es donde yo creo que el tema mexicano está muy ligado en sus diferentes franjas culturales, ahí es donde situaba toda la problemática de la identidad nacional.

Tercera cuestión que me preocupa y de la que quisiera saber la opinión al menos de los ponentes: no creo que sea suficiente afirmar que Juan Ruiz de Alarcón, por poner el ejemplo más notable de los autores que nosotros podemos manejar, es un dramaturgo mexicano, porque seguro que él no se sentía mexicano, se sentiría español, como supongo que se sentían los que vivían en las distintas audiencias hispanoamericanas en aquel momento. Ahora bien, ¿podemos afirmar que era sólo un dramaturgo español, entendiendo por España el territorio peninsular? Yo creo que no, tampoco; entonces: ¿cuál era la mentalidad real de estos escritores?, ¿qué es lo que tenían de una y otra parte? Esa separación de la Península y esa creación a veces fuera, a veces dentro, pero habiendo estudiado y vivido en la Nueva España, es lo que les daba esa especificidad, esa tipicidad. A mí el fenómeno Juan Ruiz me parece muy interesante y no creo que sea por su mexicanidad por lo que es un autor poco representado aquí.

344

Realmente aquí se trabaja tan poco sobre los clásicos, se repiten tanto los cuatro títulos heredados del siglo XIX, que no tenemos que asustarnos demasiado respecto a que a Juan Ruiz no se le haga; pero me sorprende en un autor que tiene una personalidad tan definida , y cuando hablo de personalidad no me refiero solamente a su forma de concepción de la estructura del texto sino a las ideas que hay debajo de ese texto. Yo pienso que es el más moderno de los dramaturgos españoles del XVII. Españoles, que escriben en español, entonces eso me parece un fenómeno muy interesante, y que creo que por lo menos deberíamos debatir sobre todo esto y estaba esperando que surgiera en esta ocasión para que al menos el nombre de Juan Ruiz saliera varias veces en un debate de las jornadas. Es un tema que no hemos tocado mucho, pienso, en jornadas anteriores, en donde los grandes nombres de Lope y Calderón a los que, por supuesto, no estoy intentando disminuir en su valor, ni mucho menos, de algún modo ocultaron ese riquísimo entramado que hay debajo y al cual muchas veces no tenemos acceso, simplemente porque no tendremos fuerzas en toda nuestra vida para poder leer todo ese material. Es decir, hay que leerlo por parcelas, que unos lean unas cosas y otros otras y nos informemos, y nos intercambiemos las experiencias y los conocimientos.

Último punto que pienso que es importante y que Hugo, insisto, ha planteado de una manera general, y que podríamos precisar todavía más. ¿Cómo llamamos a estos clásicos desde el punto de vista hispanoamericano? ¿Cómo llamamos a estos escritores desde el punto de vista hispanoamericano? Porque se ha insistido, han hablado curiosamente nuestros compañeros mexicanos muchas veces de nuestros "clásicos españoles", cuando los tienen no solamente cercanos sino que forman íntegramente parte de su programa escolar o de su repertorio teatral. Yo me resisto a seguir denominándolos "clásicos españoles" porque pienso que es una denominación reductora que los circunscribe estrictamente al fenómeno peninsular y no al fenómeno lingüístico; y ese fenómeno lingüístico sí que es común, sí que no es un fenómeno parcelado. Esos clásicos existían antes de que la nacionalidad mexicana se definiera, o la nacionalidad peruana, o la nacionalidad argentina. Antes de que se definieran esas nacionalidades existían estos escritores que tenían esa comunidad de lenguaje, de ahí que la mesa la hayamos titulado "Nuestros clásicos comunes" y es a lo que quería llegar: podríamos hablar de clásicos de lengua española, pero creo que es reductor hablar de clásicos españoles, porque eran los clásicos de todos cuando todos formaban una comunidad política con todas las divergencias que hubiera. Y cuando se producen los fenómenos políticos de independencia, esos clásicos siguen siendo los de todos, el punto de referencia de todos, y el punto de referencia de una identidad nacional general que podría estar integrada en la lengua o en unas fuentes comunes, pero también, el fenómeno de identidad nacional específico en la medida en que eso entronca con el propio desarrollo histórico de las nacionalidades que van creando entidades políticas definidas que son los diferentes estados. Bueno, quería plantear por lo menos estas cuestiones por si sirven para el debate, o si no para qué, porque me parece importante, subrayarlas. Y ahora sigo dando la palabra a Basilio Gassent.

BASILIO GASSENT.— *Los críticos estamos abiertos a todas las tendencias. Posiblemente si tú trajeras esa versión a España no te lanzaríamos ninguna piedra, siempre que estuviera bien hecha. La crítica precisamente lo que desea es que se avance y que se logren experiencias nuevas. Todos los caminos en arte, eso lo sabemos todos los que aquí estamos, son válidos siempre que estén bien hechos. Ha habido muchas referencias a Alvaro Custodio, tanto por parte de Luis, como por parte de Hugo, como por parte de Suárez Radillo. No olvidemos que Alvaro Custodio es un hombre de la "Barraca de García Lorca", cuya misión, su función fue acertada: llevar los clásicos españoles al pueblo, cosa que no se había hecho hasta entonces. En el año ocho se inicia una renovación de tendencias de don Manuel Bartolomé Cossío, que es un hombre de la Institución Libre de Enseñanza. Este hombre escribe su libro del Greco, a quien nadie le concedía en realidad validez, apenas y de pronto todo el mundo dice: ¡Ah!, el Greco es un genio. Luego llega el año 27 y se descubre a Góngora y nace la generación del 27, y entonces, con Fernando de los Ríos de ministro de Instrucción Pública, surge la Barraca de mano de Federico García Lorca. Angel Custodio es uno de sus hombres, de los hombres de la Barraca, y aprende lo que la Barraca se proponía en aquel primer paso. Probablemente si la Barraca hubiera tenido más tiempo, si no hubiera estallado la desdichada guerra civil española y la Barraca hubiera proseguido su labor, hubiera llegado a una labor de experimentación. Pero la Barraca no tuvo tiempo para eso y Alvaro Custodio, que es un hombre de la Barraca, cuando llega a México lo que hace es sencillamente llevar allí lo que ha aprendido en la Barraca.*

JUAN ANTONIO HORMIGÓN.— *Muy bien. ¿Quieres intervenir Dru? No, no importa, porque podemos pasar sin problemas a un tema distinto.*

DRU DOUGERTY.— *Lo que estremece de las ponencias de Carlos, Hugo y Luis, me parece, es la falta de un supuesto de que exista una confrontación o una contradicción entre teatro nacional, en este caso, el caso vuestro, teatro mexicano, y una recuperación de los clásicos españoles. Estremece, porque detecto que debajo*

de las muchas discusiones, de los comentarios, se perci-
be que entre la modernidad o el teatro contemporáneo
español, hay una tensión respecto a los clásicos, o sea,
que hay un conflicto entre teatro clásico y teatro con-
temporáneo; este conflicto parece disminuido o que se
disuelve, que desaparece en México. Me pregunto aho-
ra, entroncando con lo que expuso Carlos, si esto se
debe al fenómeno del mestizaje o barroquismo, parece
que estamos barajando los dos términos aquí; mestizaje
que, si lo entiendo bien por lo expuesto, supone una
actitud abierta, que asimila, que transforma, que sinte-
tiza, actitud temporal, fundamentalmente temporal,
que asimila lo ajeno sin sentirse cohibido, sin sentirse
disminuido. Este mestizaje, y aquí hago mi pregunta,
supone una actitud necesariamente irrespetuosa frente
a los clásicos. Quisiera saber si, en efecto, esto es cierto,
según vuestro punto de vista, y luego plantear el proble-
ma de cómo revierte todo esto sobre la escena española
contemporánea, es el tema de nuestras jornadas, en el
teatro clásico, en el teatro contemporáneo. Si hemos de
escoger entre una actitud respetuosa o irrespetuosa,
para quebrantar, romper, esas dicotomías supuestas,
quizás un poco veladas, en nuestros comentarios.

LUIS DE TAVIRA.— *Me parece muy brillante la presen-*
tación que hacéis acerca de esa actitud que, desde
luego, sí creo yo que está en el trasfondo de la posibili-
tación o animación de la falta de respeto a clásicos
que, de alguna manera, están inscritos en este proceso
de mestizaje y que sí hay una actitud de cierta rebeldía
muy extraña, que intenta jalonearlos hacia nosotros,
por este camino y que yo creo que está presente en toda
la cultura occidental —yo aquí no hablaría solamente
de México, sino de la propuesta en el diálogo latinoame-
ricano—, y mencionaría como ejemplo el modernismo;
el modernismo, que es coincidencia de este choque
brutal que se da en América Latina del encuentro del

romanticismo, que comenzaba o que estaba en pleno apogeo cuando estaba llegando el naturalismo y no se da, propiamente, una reacción antirromántica desde el naturalismo, se da el modernismo a cambio, como una corriente que, podríamos decir, es otra vez expresión de ese sincretismo evidentemente irónico, o que presenta una dimensión irónica. Yo sí creo que existe esa característica que llamaría ladina, de falta de respeto, ante lo que se impone canónicamente y que se manifiesta en muchas cosas, a lo largo de muchas confrontaciones, con diversos fenómenos culturales. Es la dignidad conservada en la conciencia del derrotado, en la visión de la derrota, que sigue permaneciendo en una profunda dignidad de silencio muchas veces, y que cuando se manifiesta es irrespetuosa. Hugo nos dio varios ejemplos de esto al referir el tratamiento de Cortés en esas manifestaciones populares, por ejemplo. Pero al mismo tiempo es real la asimilación y forma parte de la entraña misma.

Creo que de la explicación de esto surge la preocupación de identidad nacional a la que quería referirme por lo que decía Juan Antonio. Curiosamente el problema de la identidad nacional como algo vigente en este momento, se contempla en relación con el imperialismo, culturalmente hablando, y a la frontera, a nuestra frontera más grande y más imponente que es la que tenemos con los Estados Unidos. Evidentemente es un problema cotidiano, de violencia continua, que explica mucho las manifestaciones culturales que se están dando en el país, y que en estos momentos se plantee como prioridad nacional la recuperación de la identidad nacional o el rescate de la identidad nacional. Creo que es un perfecto parámetro que de alguna manera corresponde al problema económico que pasamos, al problema de los dólares, por ejemplo. Podemos verlo muy claramente en el problema de los dólares también *en el patrimonio cultural. Esta terrible enajenación en la que se da esta profunda contradicción y violencia que va de la aceptación absoluta al rechazo a la rebeldía, frente a esto puede derivar en manifestaciones esperanzadoras y como son, de pronto, un movimiento nacionalizador de algo.*

Sí, en estos momentos en México se vive muy claramente y se delata muy claramente este problema de la identidad nacional, que ha supuesto, respecto a lo que nos preocupa aquí, una vuelta de la vista hacia nuestros valores hispánicos, justamente por una larga conciencia de depredación y de devastación. Es decir, que a pesar de lo establecido, en México se vive una conciencia de la mutilación de su territorio y esto se está revirtiendo también como tú mismo lo señalabas en el receso. A la conquista de la lengua inglesa entre los mexicanos, está sucediendo una conquista de la lengua española en el sur de los Estados Unidos (no olvidemos que los Estados Unidos son el cuarto país del mundo en cantidad de habitantes que hablan lengua española), pero además se ha dado otro fenómeno de mayor sincretismo, cuya manifestación más terrible y patética por contundente, es la nueva raza de todos los trasterrados que es aztlán y que es el chicano que no es ni norteamericano ni es mexicano. Chicano, que habla español al mismo tiempo que habla inglés, y que los funde en una serie de manifestaciones culturales. Es de nuevo explicación de sincretismo, de mezcla, de lucha y de combate, y las manifestaciones largamente expresadas de esta conciencia.

La famosa frase de Vasconcelos: "La desgracia de México, del México contemporáneo, es estar tan lejos de Dios y tan cerca de los Estados Unidos", explica en este sentido, la relación con la hispanidad y con el mundo hispánico, que ahora vemos como esencial en la definición de la identidad nacional y la recuperación de nuestros valores culturales, tiene mucho que ver con cómo han sido nuestras relaciones con España. No olvidemos el largo período de vacío de relaciones que supuso el fascismo en España, y la ruptura de relaciones durante treinta años con México, cuya verdadera relación se dio en el exilio español. La presencia de esos españoles fue fundamental para la recuperación de una España renovada, a través de estos importantes hombres, para la cultura mexicana, como fueron los que llegaron al exilio y que sostuvieron frente a la satanización de lo hispánico a través de la Leyenda Negra, una renovación de valores hispánicos. Frente a todo esto, contemplar la discusión de si Juan Ruiz de Alarcón es mexicano y lo vemos como mexicano o como español, a mí me parece que es un problema bastante babilónico. Es como tratar de definir el sexo de los ángeles. Evidentemente que era español, y si era español era mexicano. Cuando Morelos, José María Morelos y Pavón, el que nos dio la independencia, quizás el que articuló de manera más congruente la lucha de independencia de México, heredero de Hidalgo, cuando es apresado y llevado a la Inquisición y se le levantan los datos generales, le preguntan nombre, profesión, etc., y la nacionalidad, contesta, sin pensarlo, sin dudarlo: "español", "¿pero que no quiere usted independizarse?". "Yo soy español —dice— yo quiero la independencia y la soberanía de mi nación, pero parto de que soy español".

Juan Ruiz era español, claro que era español, pero es que todos los novohispanos eran españoles y en ese sentido, también los españoles eran mexicanos. Lo que de aquí se deriva es lo que ubicaría el problema históricamente. Para mí, tratar de encontrar en las fórmulas lingüísticas, en las expresiones del teatro de Juan Ruiz, lo que Menéndez Pidal trata de ver, que si era zalamero, que si excesivamente cortés, como manifestaciones de una lengua más bien mexicana que española, me parece un tanto ocioso. Si aquí montáramos el "Iris de Salamanca", de Cabré Quintero, creo que muy difícilmente encontraríamos una diferencia con el teatro de Calderón, funciona tal cual. Evidentemente, tampoco podemos llegar al extremo de negar las otras raíces que tan brillantemente expuso Hugo Gutiérrez Vega, pero sería lo mismo que hablar del teatro de Lope representado por los andaluces, algo similar debe suceder. Pero en lo que respecta a identidad nacional como conciencia, como expresión de cultura, creo que si Juan Ruiz es mexicano es español y si es español es mexicano, tanto como Lope. Y entonces surgen las imposturas.

Hace poco, en estos intentos de intercambio que ya mencionamos, hubo uno lamentable que fue "La vida es sueño", de Basurto. Lamentable porque no es representativo del teatro mexicano ni de la actitud de los mexicanos hacia el teatro clásico español. Es teatro clásico español hecho por mexicanos pero no es representativo. De la misma manera sucede con la Compañía Nacional de Teatro cuando invita a Tamayo a México a montar "Luces de Bohemia", y lo primero que hace Tamayo es obligar a los actores de la Compañía Nacional a "pronunciar". Me parece una impostura total, sobre todo cuando Valle-Inclán es un autor perfectamente fundido con las búsquedas teatrales mexicanas por su presencia en México, por su período mexicano, pero tampoco olvidemos que si citamos el "Don Gil de las Calzas Verdes", como una puesta que marca un hito en la historia del teatro mexicano, también lo es la puesta en escena de "Divinas palabras", de Juan Ibáñez, que tuvo el primer reconocimiento internacional del Teatro Universitario, con "Divinas palabras". El grupo mexicano ganó el premio Venanci con "Divinas palabras", de Valle-Inclán, desde luego mexicanizando

totalmente la obra y por tanto haciéndola perfectamen-
te valleinclanesca. Además Valle-Inclán es un autor
profundamente vigente, vivo e inquietante en la escena
mexicana. Está presente todo el tiempo en nuestras
inquietudes teatrales. Entonces viene un director espa-
ñol y quiere enseñarme cómo hacer Valle-Inclán par-
tiendo de que no somos españoles y de que no sabemos
ni hablamos el mismo idioma ni nada, porque hay una
diferencia de habla.

Actuando de este modo imponemos al teatro la impos-
tura total que es reducirlo al problema del hiato o de la
c y la z, y siento que no es por ahí, que no es por ahí
por donde tenemos que buscarlo. Finalmente una sim-
ple observación: he aludido aquí repetidamente al Tea-
tro Universitario quisiera señalar que el teatro que hace
la universidad no es necesariamente un teatro estudian-
til ni mucho menos. Es quizás el teatro profesional por
excelencia en México, que hace profesionales, partien-
do del concepto salmantino de la universidad mexica-
na; es decir, universitario no es el estudiante solamente,
el que es universitario una vez lo es para siempre. De
manera que los profesionales del teatro mexicano son
universitarios, salen de la universidad, van a las distin-
tas instancias de la producción teatral del país, pero
muy frecuentemente regresan al Teatro Universitario, y
existe un movimiento teatral universitario que es el que
he querido de alguna manera relatarles, y es el que
surge de la preocupación por los clásicos. Empieza ya a
nacer una escuela propia, incipiente quizás, de teatro
en México que se da en el universidad. No responde ni
a una preocupación academicista, ni didáctica, ni pe-
dagógica, sino realmente profesional.

JUAN ANTONIO HORMIGÓN.— *La intervención de Luis*
de Tavira, aunque larga, ha sido extraordinariamente
reveladora e ilustrativa. Las Jornadas deben servirnos

también para el intercambio de información y, en ese sentido, encuentro muy útil lo que Luis nos acaba de decir.

JOSE SANCHÍS.— *Haré una pregunta y otras dos falsas preguntas o quizás utilizar una provocación. La una es si existe en el teatro colonial la temática de la conquista, en fin, si existe una dramaturgia en torno a los acontecimientos de la conquista. Esto me gustaría saberlo no sólo en cuanto a México, sino en cuanto al resto, pero concreto la pregunta por vuestra presencia aquí. La segunda, la falsa pregunta, se refiere al hecho de la penetración norteamericana en México. A mí me sorprende un poco, hay mala intención, ¿eh?, en esta pregunta; estáis rechazando un mestizaje, cuando parece como si hasta ahora estuvieseis reivindicando la identidad mexicana como propia del mestizaje. Yo creo que esta penetración norteamericana es tan histórica y por lo tanto tan inevitable, como fue la conquista y la colonización. Me parece perfecto, naturalmente, todo intento de mantener la riqueza de la lengua, sobre todo de la cultura, para mí el concepto de lengua se engloba en un concepto más amplio de cultura, pero no sé hasta qué punto en estos perjuicios anti-yanquis, hay una actitud contradictoria con esta afirmación del mestizaje como de identidad nacional, concepto que también tiene para mí muchas incógnitas. La tercera la dejo porque tiene que ver con el concepto de texto clásico y quizás sea mejor para mañana..*

JUAN ANTONIO HORMIGÓN.— *Sí, mañana y pasado vamos a tratar eso. La primera cuestión creo que la respondes tí, Carlos.*

CARLOS MIGUEL SUÁREZ RADILLO.— *Sí, existe frecuentemente la temática de la conquista. Hugo mencionó precisamente la obra relacionada con los cuatro últimos*

354

reyes de Tlaxcala. En ella la temática es eminentemente de la conquista. Posteriormente, Vela, por ejemplo escribe en México una obra terrible, ya en la decadencia del barroco, en la que aparece Santiago volando por los aires, ayudando a los conquistadores; lo mismo en el Perú. Yo diría que existen por lo menos una docena o más de obras específicas sobre el tema de la conquista, escritas desde el punto de vista de la defensa del conquistador o del punto de vista del ataque frontal al conquistador. Pero existen.

JAVIER NAVARRO.— ¿Esas obras son representadas en la actualidad?

CARLOS MIGUEL SUÁREZ RADILLO.— En la actualidad no. Algunas, quizás, sí.

LUIS DE TAVIRA.— "El coloquio de los cuatro reyes de Tlaxcala", fue representada, bueno, no sabemos si llegó a ser representada, la montó pero por lo menos, la montó en el Stud de Cracovia Ludvig Margules, que es un polaco mexicano. La crisis polaca estalló justamente la noche del estreno, y parece ser que no pasaron del primer acto.

HUGO GUTIÉRREZ VEGA.— Respecto a tu falsa pregunta, Sanchís. Yo creo que nosotros sabemos distinguir muy bien los aspectos de la cultura norteamericana que han enriquecido a la cultura mexicana. Ahora hay una reacción violenta, porque nos referimos en concreto a la dependencia económica, a la dependencia comercial, a la presencia, por ejemplo en el caso del teatro, del teatro comercial norteamericano, no del buen teatro norteamericano. Es decir, está pasando en México lo que pasa en España, que nos llegan esas horribles puestas en escena sobre partitura que venden los agentes de Broadway, y —perdón por utilizar el inglés— "El *violinista en el tejado" es igual en México, que en Londres, que en París, porque son exactamente los mismos movimientos, el mismo vestuario, es el teatro absolutamente comercializado, como una fábrica de chorizos. Bien, en todo análisis de este tipo hay un aspecto ideológico y un aspecto relacionado con el arte y que obviamente tiene una sustantividad independiente. Lo que nosotros estamos tratando de sostener, como dice el corrido mexicano, es la frontera. La tratamos de sostener porque simplemente estamos defendiendo un estilo de vida, estamos defendiendo una lengua, estamos defendiendo una actitud ante el mundo, y estamos precisamente en la frontera con el imperio, con el más poderoso de los imperios occidentales. Es explicable nuestra actitud de defensa.*

Hay además otra razón de fondo, hemos sido invadidos siete veces por los Estados Unidos, hemos perdido el 77 por ciento del territorio en una guerra. Y esta razón de fondo funciona también en los Estados Unidos, que de repente siguen recordando El Alamo: "remember the Alamo", es decir, nos hemos peleado durante mucho tiempo. Son problemas que los españoles tienen con los franceses, o que los alemanes tienen con los franceses también; yo creo que todos estos elementos están involucrados en el gran problema. Frente a los excesos del nacionalismo tenemos que afirmar una serie de cosas; por ejemplo, el sur de los Estados Unidos, la Nueva España, culturalmente está muy ligada a México. Está la población chicana, cuya situación es complicadísima para un análisis a fondo de sociología cultural. Una anécdota. Las anécdotas a veces oscurecen, a veces iluminan los planteamientos. Creo que esta anécdota es capaz de iluminar el planteamiento. Nosotros hicimos en la universidad una antología de poesía chicana que nos mandaron de San Antonio de Béjar. Nos la mandaron en español, traducida al español. Yo se la devolví: *"Por favor, me la mandan en chicano?, ustedes lo que hablan es "spanglihs", y me están matando este poema si me lo dan en castellano, ya nosotros lo traduciremos en español e inglés, pero la lengua vuestra es el "spanglihs".*

Por otra parte, asumimos las grandes aportaciones de la cultura norteamericana. Hace un momento mencionaba a O'Neill, pero creo que en el teatro la presencia de Albee o la presencia de Miller, fueron importantísimas, o la presencia de Tennessee Williams, y bienvenido Emmerson, y bienvenido Adam Koppler, y toda la cultura norteamericana. Nuestro conflicto es exclusivamente por razones ideológicas y no solo por razones ideológicas, sino por problemas políticos muy concretos, sobre todo para evitar que nos devoren el país. Esto explica también la postura internacional de México en todos los foros. Ustedes habrán notado que los mexicanos somos mucho menos obedientes que los argentinos o los brasileños a las órdenes norteamericanas. ¿Por qué?, pues porque tenemos tres mil y pico de kilómetros de frontera y tenemos que estar afirmando la independencia mañana, tarde y noche, entre los mexicanos. Apoyamos a Cuba porque estamos defendiendo nuestra posición o, para que sea más claro el argumento, la única voz que defendió a Etiopía en la Liga de las Naciones cuando Italia se la tragó, fue la mexicana, porque defender Etiopía significaba defender a México. Tenemos exactamente el mismo problema. Una de las voces más firmes en la defensa de Finlandia, cuando el conflicto con la Unión Soviética, fue México. Rompimos relaciones con la Unión Soviética cuando habíamos sido el primer país que las había abierto.

Yo creo que hay coherencia en nuestra postura internacional; pero, por supuesto, todo esto nos lleva en determinados momentos a excesos de nacionalismo, a una posición anti-yanki muy primitiva, totalmente inaceptable, y lo que estamos analizando ahora son los elementos de la cultura norteamericana que forman parte ya de la realidad nacional. Carlos Monsiváis tiene un magnífico ensayo sobre el que él llama la cultura ascendente en México que es la cultura "naca". "Naco" es apócope de "totonaco", término despectivo con el que los aztecas designaban a las tribus que conquistaban, no olvidemos que los aztecas eran unos imperialistas feroces. La cultura "naca" que está analizando ahora Carlos Monsiváis es el colmo del mestizaje porque en ella están los dos elementos básicos de nuestro mestizaje: lo español y lo mexicano. Hay otros elementos que nos vienen de la frontera norte. Elementos que el cómico Tin-Tan llevó a México, giros del lenguaje, actitudes frente al mundo, voluntad de estilo. El "naco" mexicano es en última instancia el pueblo mexicano, y en un país de feroces contrastes como es México, en donde hay un grupo privilegiado y una enorme cantidad de desposeídos, el "naco" es el desposeído. Con esa voluntad de estilo y de diferenciarse de los demás, está simplemente diciendo: "Aquí esto yo. Existo. Frente a la ley tengo derechos y garantías". Este es un problema terriblemente complejo. Yo así lo reconozco. Pero lo que puedo explicarte es que no aceptar este mestizaje se debe simplemente a que nos estamos defendiendo. Y el que se defiende como gato panza arriba pues tira zarpazos por todos lados. Pero creo que poco a poco vamos a ir suavizando esta actitud nacionalista, como en un momento dado suavizamos el famoso indigenismo y asumimos nuestra realidad española como parte integrante de nuestra identidad nacional y también como mecanismo de defensa. Como mecanismo de afirmación.

LUIS DE TAVIRA.— Sí, yo quisiera añadir que estoy plenamente de acuerdo con lo que dijo Hugo y, evidentemente, nuestros lazos y amistades y posiciones de diálogo con los norteamericanos son amplísimas, variadísimas y profundísimas. Por otro lado, sí existe una actitud en donde hay una afirmación o un intento de afirmación nacional que implica este señalamiento de defensa, que no es simple desprecio sino que es supervivencia frente a lo que es la manifestación imperialista, en una historia tan larga como la que hemos padecido. Yo citaba que con Arriaga, que ya en el siglo pasado decía que quería morir bajo el dulce título de mexicano, en donde ya era atentada la condición de mexicano frente a todo lo que supuso la fundación de la nacionalidad que nos llevó en el siglo pasado a la pérdida de la mitad del territorio y con ello a la debacle cultural.

No olvidemos que cuando los Estados Unidos no existían siquiera, nosotros teníamos universidad, una de las ciudades más impresionantes del mundo o, como señalaba y rescataba Carlos Miguel, el primer corral. Había teatro y había esplendor y apogeo, cuando ni siquiera existían los Estados Unidos. Todo el siglo de fundación de la Nueva España, y quizás más, les llevó a ellos a perseguir indios para exterminarlos, y colonizar y fundar, una nueva Inglaterra de puros ingleses. No quisiera meterme más en este terreno, pero esta preocupación frente a la agresión cultural sistemática y persistente que padecemos en México, no es un asunto de los últimos años, es un asunto secular.

Por otro lado, quisiera también hacer una pequeña distinción respecto al asunto del mestizaje. No, no, yo no creo que incluso cuando hablamos de esta nueva raza, aztlan, se dé el mestizaje. La actitud de conquista, dominación y exterminio por parte de los españoles en América, no fue de ninguna manera la misma de los ingleses en el norte de América, ni de los franceses. Justamente no fue mestizaje y lo que se dio en México es mestizaje, y el mestizaje implica violentación pero *también fundación; de aquí que lo hispánico para nosotros no sea impuesto sino a partir de la violentación. No lo vamos a negar, somos producto de esto y en ese sentido somos españoles y esto no es lo mismo, no es lo mismo que hablar de penetración cultural, no es lo mismo que hablar de colonialismo económico, de enajenación de patrimonio cultural, territorial, económico, etc... Creo que hay que tener mucho cuidado porque el fenómeno de España respecto al antiguo México, no puede ser comparable, equiparable ni tratado con los mismos términos que lo que estamos padeciendo hoy en día respecto al predominio norteamericano que se nos impone.*

JUAN ANTONIO HORMIGÓN.— *Es el turno de Domingo Miras para terminar ya, porque como ayer le dejé con la palabra en la boca, pues hoy debo resarcirle. Antes Hugo me dice que desea hacer un inciso.*

HUGO GUTIÉRREZ VEGA.— *Nada más y no con propósito de relajarse, sino porque es sintomático, contaré esto: Fuimos a hacer teatro para los chicanos a Los Angeles y a San Diego. Terminamos una función ya muy tarde en San Diego, y nos vamos a dormir a Tijuana. Íbamos en una furgoneta y me quedé dormido, en esas carreteras norteamericanas, inmensas, de veinte carriles de cada lado, en fin me quedé dormido. De repente me desperté, dije, ya estoy en México, efectivamente era un bache. Entonces, el chico que iba conduciendo se volteó a verme y me dijo —con un rasgo de ironía absolutamente popular que más o menos marca una actitud—, me dijo: "Lo ve usted, licenciado, estos cabrones nos robaron toda la parte pavimentada".*

DOMINGO MIRAS.— *Bien, se trata de una pregunta que como se centra en un tema muy polémico, espero que sea breve tanto en su formulación como en su* respuesta. Me dirijo concretamente a Carlos Miguel, en relación con Juan Ruiz de Alarcón. Como muy bien dice en su ponencia, aparece en él una perspectiva distinta respecto de los dramaturgos peninsulares y "la personalidad de los criados, que no son los graciosos habituales, confianzudos y un poco truhanes, —leo la ponencia— sino seres humanos dotados de dignidad y buen juicio". Es verdaderamente certera esta apreciación que solemos pasar aquí un poco por alto, pero ciertamente estos criados que más se asemejan al moralista que al cínico Guarín, por ejemplo, lo abonan bastante. Algo que ha apuntado un poco Juan Antonio y que también convendría analizar, aunque quizás no vaya a dar tiempo, pero sí citarlo aisladamente, es la vinculación de Juan Ruiz de Alarcón con la Ilustración y con el Neoclasicismo, haciéndolo entonces paradójicamente menos barroco de lo que actualmente pensamos que es. En relación con esto, como pienso que los criados españoles solían ser un trasunto escénico dramatúrgico de la picaresca, hay que tener en cuenta que lo de la picaresca aquí tendría muchísima difusión y popularidad, pero lo que no sé es si la picaresca existió igualmente en México, porque evidentemente sí, el/Güegüense es un pícaro, pero es un pícaro de un carácter distinto a los pícaros españoles. Los pícaros españoles son unos marginados en una sociedad en decadencia que se está descomponiendo, mientras que Güegüense es un pícaro sometido que procura aliviar su misión, como autodefensa frente al dominador. Es totalmente distinta la etiología en el Güegüense y el otro. Pregunto entonces a Carlos Miguel, si en México en esta época, la novela picaresca se cultivó o por lo menos se leyó popularmente con carácter masivo.

CARLOS MIGUEL SUÁREZ RADILLO.— Me estás haciendo una pregunta que yo creo que podría contestar mejor uno de los mexicanos que además, para dolor mío, me *han fallado. Estoy defendiendo la mexicanidad y los dos me están negando la mexicanidad de Alarcón. Yo creo que es mejor que te lo contestara uno de los mexicanos propiamente.*

HUGO GUTIÉRREZ VEGA.— *Yo me voy a centrar en lo de la novela picaresca, y si quieres el tema de Alarcón, Carlos Miguel que tiene una posición muy clara y Luis, lo pueden tratar. Sí, efectivamente, la primera novela picaresca en América es una novela peruana interesante, embrionaria pero interesante. La primera novela picaresca, ya en el sentido formal del término, se escribe en México, ya casi por terminar la etapa del virreinato; la escribe José Joaquín Fernández de Lizardi, y se llama "El periquillo Sarmiento". Es una novela picaresca riquísima. Ya nos hablaba hoy Luis de los aspectos dramáticos de Fernández Lizardi, que desgraciadamente no hemos analizado a fondo en su obra "El Payo contra todos y todos contra el Payo", y ayer recordábamos con Carlos Miguel una de las grandes obras de la última etapa del período virreinal, "El Payo en el hospital de los locos", de Fernández de Lizardi, una especie de gran adelanto del "Marat Sade". La picaresca tiene una gran influencia en México y creo que en toda Hispanoamérica. Una de las primeras ediciones mexicanas, recién llega la imprenta de Juan Pablos, es "El Lazarillo de Tormes", y se lee amplísimamente la picaresca. Esto plasma hasta la época de Fernández de Lizardi y en esa novela, en "El periquillo Sarmiento".*

LUIS DE TAVIRA.— *Yo quisiera hacer una aclaración sobre todo a ésto último que, desalentadoramente, manifestó Carlos Miguel: No, no, yo no estoy en desacuerdo con la posibilidad de prueba de la mexicanidad de Juan Ruiz, ni dejaré de sentirlo mexicano y, por ejemplo, conmoverme en el baptisterio de Taxco ante la consignación de que allí fue bautizado a pesar de toda la discusión que pudiera haber. Es decir, me interesa mucho más lo que lo afirma como español en la medida en que eso mismo lo afirma como mexicano; es simplemente un cambio de enfoque del problema. Parece que estemos empeñados en encontrar la diferencia, como si del hallazgo de esa diferencia pudiera surgir algo esclarecedor respecto a Juan Ruiz. Evidentemente, creo que hay mucho en Juan Ruiz que se explicaría por su carácter de indiano o de proveniente de la Nueva España, por el rechazo que encontró, pero se trata de elementos psicológicos que también se ligan a su propio carácter de inválido o deforme corcovado; aunque sí tiene también que ver quizás con ese "sentirse extraño" de Juan Ruiz en el medio español. Extraño por rechazado, elementos que yo diría son psicológicos. Desde luego también creo que los ojos cambian, el que ha visto el nuevo mundo, el que ha visto América, la mira muy distinto de como la miraría quien sólo la ve en su imaginación. Sin embargo, el no meterme en el problema, de la demostración o de los elementos que lo hacen específicamente mexicano en el teatro del siglo de oro, es porque a mí por lo menos me interesa afirmar más las coincidencias, afirmarlo como plenamente español, y en esa medida plenamente mexicano y por eso decía que es lo mismo que Lope. Es el mismo parámetro que pudiera marcarse entre la construcción, el mundo, la expresión de Sor Juana y Calderón que nos llevaría a conclusiones similares.*

DOMINGO MIRAS.— *Sin duda que me he expresado mal y ha surgido un malentendido, porque mi problema no era el que fuese mexicano o español Juan Ruiz, sino, simplemente, si en México circulaba, cuando él estuvo allí formándose en su juventud, antes de venir aquí, si circulaba la novela picaresca, y en consecuencia, si tuvo en ella fuentes o no para crear el carácter de sus criados. Evidentemente, este es un hombre tan* mexicano como español, tan español como mexicano. Es más, a mi juicio por lo menos, el rechazo que sufrió en la escena española provocado por Lope y sus amigos que eran muy influyentes, tuvo un origen por supuesto no nacionalista. Y es que realmente en aquella época la crueldad del mundo del teatro era terrible, más aún que ahora que no lo es poco, y lo mismo que Cervantes fue rechazado por el estamento teatral lo fue Ruiz de Alarcón y lo fueron otros muchos.

JUAN ANTONIO HORMIGÓN.— *Yo tengo que intervenir también porque he suscitado parte de este asunto. Muy rápidamente. A mí no me importaba tampoco el tema de la mexicanidad, lo único que señalaba es que había ciertos rasgos, sí, había ciertos rasgos típicos de Juan Ruiz que pudieran estar determinados por su condición de naciado y crecido, al menos en una buena parte de su juventud, hasta que vino a estudiar a Salamanca, determinados por ese origen en la Nueva España. Que podía ser. Después, la segunda parte de la cuestión que planteaba es justamente si esa especie de rasgos de la Ilustración que se pueden encontrar en su obra, indudablemente previos a cualquier formulación, no han condicionado la recepción posterior de Alarcón, en la medida en que otros autores podían ser o nutrir un cierto contenido romántico fueron potenciados por el siglo XIX. El carácter por un lado reflexivo del planteamiento alarconiano y por otro, y eso me parece más importante, lo antiheróico o contradictorio de muchos de sus personajes, de moralista por supuesto, la curiosa actitud de sus personajes ¿no ha incidido en la recepción, digamos bastante débil que Alarcón ha tenido, al menos por lo que yo recuerdo, a lo largo de muchos años?*

HUGO GUTIÉRREZ VEGA.— *Yo quisiera aventurar una hipótesis, si me lo permite, respecto a lo primero. Obvia-*

mente, lo que enfurece a los seguidores de Lope es el éxito de Alarcón, la prueba es que después de que triunfa en el Corral del Príncipe "La verdad sospechosa", al día siguiente, amanece Madrid con vítores: "Vítor don Juan de Alarcón por su comedia famosa de "La verdad sospechosa". Luego, cuando estrena el "Anticristo", su auto sacramental, va un grupo, parece que Pérez de Montalbán iba ahí, va un grupo al corral y avienta redomas de cierto licor maloliente para sabotearle la representación a Alarcón. Al margen de que era jorobado, feíto, chaparrito, prietito, etc., lo que no le perdonaron fue el éxito, como no se lo perdonaban entre ellos. La hipótesis que yo quiero aventurar es ésta: Ya señalábamos que Alarcón es conocido fundamentalmente en Francia, el saqueo de Corneille, que por cierto no le da crédito en "La verdad sospechosa", no le da crédito en "Le menteur", y cuando regresa Alarcón a España se queda en el olvido. ¿Quién le regresa?: Moratín, es decir, los ilustrados a través de la corriente francesa.

CARLOS MIGUEL SUÁREZ RADILLO.— *Un segundo nada más para decir algo que parece un chiste pero que no lo es, en relación con este asunto del mestizaje. Tengo un gran amigo venezolano, Leonardo Aspárraga y Jiménez, que cada vez que alguien comenta: "Qué pena que no nos colonizara Inglaterra porque seríamos países industriales", él añade: "Dios bendiga la bragueta española".*

JUAN ANTONIO HORMIGÓN.— *Nuestro tiempo se ha cumplido. Hasta mañana.*